François Goguel, Alfred Grosser

la politique en France

Nouvelle édition 1984

Armand Colin

103 bd Saint-Michel, Paris 5ᵉ

La présente édition de *La Politique en France,* mise à jour et entièrement refondue, comporte de nombreux développements nouveaux, notamment en ce qui concerne la décentralisation depuis 1982, les partis politiques et l'information.

Né d'une conception commune, ce livre a été élaboré en commun quant à son plan et à son orientation générale. Cependant chacun des deux auteurs a rédigé seul les chapitres qui lui étaient attribués, se contentant de tenir compte des critiques de l'autre. Si donc tous deux se veulent pleinement responsables de l'ensemble, ils précisent que l'introduction et les chapitres 1, 2, 3 et 7 ont été écrits par François GOGUEL, les chapitres 4, 5, 6, 8 et 9 par Alfred GROSSER.

© Armand Colin Éditeur, Paris, 1984
ISBN 2-200-31112-5

la politique
en France

INTRODUCTION

Qu'est-ce que la politique? Pour couramment employé qu'il soit, le terme n'est pas parfaitement clair.

D'après Littré, s'il désigne « la science du gouvernement des États » ainsi que « l'art de gouverner un État et de diriger ses relations avec les autres États », il se dit en outre « des affaires publiques, des événements politiques ». Le dictionnaire de Paul Robert, qui fait autorité quant à la langue contemporaine, donne lui aussi trois acceptions du mot : « art et pratique du gouvernement des sociétés humaines »; « sorte de gouvernement, manière de gouverner un État, de diriger les affaires nationales et les relations internationales d'un État »; « ensemble des affaires publiques concernant le pouvoir et son opposition ».

Nous prendrons ici le mot politique dans son sens le plus courant, c'est-à-dire que, des trois significations principales que lui reconnaissent Littré et Robert, nous retiendrons la troisième plutôt que les deux premières. La politique en France, pour nous, ce sera l'ensemble des institutions et des comportements qui concernent la gestion des affaires publiques de notre pays et qui tendent à la formation d'un pouvoir, au contrôle de l'action de ce pouvoir, éventuellement au remplacement de ceux qui l'exercent.

Ces institutions et ces comportements existent à des plans très différents. Aussi doit-on considérer comme trop restrictives les définitions qui n'envisagent dans la politique que ce qui concerne l'État. Pour comprendre en quoi consiste la politique, on ne saurait négliger ce qui a trait aux affaires locales : là se trouve un des niveaux auxquels les citoyens accèdent le plus aisément à une certaine conscience politique. De même, il faut envisager toutes les institutions qui concourent à la désignation des titulaires du pouvoir, à l'exercice de ce pouvoir et au contrôle exercé sur les gouvernants, qu'il s'agisse d'institutions de droit public, comme la présidence de la République, le Gouvernement et le Parlement, ou d'institutions de droit privé, comme les partis politiques ou les organismes par lesquels les citoyens sont informés. Enfin, le comportement des citoyens, en tant qu'ils sont électeurs, mais aussi en tant qu'ils sont assujettis aux lois et règlements édictés par le pouvoir, ainsi que celui du patronat et des syndicats de salariés, importent autant à la connaissance de la politique que celui des parlementaires et des ministres.

Le domaine politique s'étend

L'étendue du domaine des affaires publiques, c'est-à-dire des problèmes qui relèvent de la compétence de l'État et auxquels le pouvoir doit donc apporter une solution, s'est très considérablement élargie depuis le début du xxᵉ siècle, de sorte que le contenu de la politique, constitué par les questions qu'elle a à connaître et à traiter, n'a presque plus rien de commun avec ce qu'il était il y quatre-vingts ans.

Mais les changements survenus dans le cadre de la vie politique, cadre déterminé par les comportements individuels et collectifs comme par les institutions, ne se sont pas produits au même rythme. L'évolution de ce cadre n'a donc pas correspondu à celle de son contenu. La solution des problèmes nouveaux qui se sont posés à l'État en a été rendue plus difficile, alors que leur nature les rendait déjà plus malaisés à résoudre que ceux qui constituaient autrefois l'objet de la vie politique. L'adaptation des institutions et des comportements aux besoins nés de l'élargissement du champ de la politique ne s'est faite que partiellement, tardivement et par à-coups, les changements dus à cet élargissement étant le plus souvent tenus pendant un certain temps pour des accidents temporaires, appelés à se résorber d'eux-mêmes, ce qui permettrait de revenir au cours « normal » des choses. La force d'inertie des institutions, la persistance des habitudes acquises par ceux qui participaient à leur fonctionnement ont constitué autant d'obstacles à l'adaptation des structures de l'État et des comportements des citoyens à la transformation de la nature des problèmes relevant de la politique.

En 1913, Robert de Jouvenel pouvait encore constater : « La France est une terre heureuse, où le sol est généreux, où la fortune est morcelée, où l'artisan est ingénieux. La politique y est le goût des individus. Elle n'est pas la condition de leur vie. » Cela avait sans doute été vrai jusque-là. Mais cela ne l'est plus aujourd'hui.

Afin de donner une signification plus concrète à ces remarques d'ordre général, il convient de rappeler schématiquement quelle a été la nature des problèmes dont a eu à connaître la politique en France depuis l'époque où Robert de Jouvenel a formulé son diagnostic.

Avant 1914

Cette formulation, il faut le souligner, ne mentionnait que certaines catégories de Français dont, selon son auteur, la politique, même si elle était leur « goût », ne conditionnait pas la vie. « La terre est généreuse » : il s'agit des paysans. « La fortune est morcelée » : voilà la bourgeoisie, grande, petite et moyenne. « L'artisan est ingénieux » : ceci n'englobe pas le prolétariat moderne. Ne doit-on pas en conclure que la politique, dès avant 1914, était, au moins de façon négative, par les problèmes qu'elle ne traitait pas, une des conditions de la vie des travailleurs manuels de l'industrie?

D'autre part, on peut penser rétrospectivement que le jugement de Jouvenel, même pour ceux des Français qu'il concernait explicitement, n'a été tout à fait exact que jusque vers 1905. Une période s'achève alors, au cours de laquelle les problèmes que la politique a dû résoudre dans une atmosphère de tension — crise du Seize mai, boulangisme, scandale de Panama, affaire Dreyfus, expulsion des congrégations, séparation des Églises et de l'État — étaient sans incidence sur les conditions de la vie des Français, au moins dans l'immédiat. Sauf en 1885, au moment de l'évacuation de Lang-Son, la politique d'expansion coloniale n'a guère donné lieu à affrontements politiques. Quant aux relations internationales de la France, Émile Combes, à la tête du Gouvernement de 1902 à 1905, avait coutume de dire, lorsqu'on y faisait allusion en Conseil des ministres : « Laissez cela, Messieurs, c'est l'affaire de monsieur le président de la République et de monsieur le ministre des Affaires étrangères »...

Si l'année 1905 marque une coupure, c'est parce que le débarquement de Guillaume II à Tanger, destiné à porter un coup d'arrêt à la pénétration française au Maroc, et qui provoquera la démission du ministre français des Affaires étrangères, Th. Delcassé (qu'aucun de ses collègues n'a soutenu en Conseil lorsqu'il a proposé de refuser toute négociation au sujet du Maroc), vient brusquement rappeler aux Français qu'il existe un monde extérieur, dont la politique française peut subir les pressions, ce dont l'opinion a d'autant plus peine à prendre conscience que, depuis 1892, le protectionnisme douanier dû à Méline a tendu à isoler l'économie française de l'économie internationale.

Or, 1905, c'est aussi l'année au cours de laquelle l'unification des divers partis socialistes, par la création de la SFIO (Section Française de l'Internationale Ouvrière), statutairement engagée à ne jamais voter le budget de l'État bourgeois, manifeste que, sur le plan parlementaire, sinon sur celui des consultations électorales, une césure apparaît au sein de la gauche, de ce qu'on nommait alors « le parti républicain », et que cette césure provient du développement dans une partie des masses populaires d'une aspiration à un changement des structures de la société issue de la Révolution française.

Politique extérieure, politique sociale : de 1905 à 1914, les problèmes qu'elles posent continuent à se manifester dans la vie politique, à retenir l'attention du Parlement, à émouvoir l'opinion publique, à requérir des prises de position du Gouvernement. Le « coup d'Agadir », l'affaire des déserteurs de Casablanca, l'effort d'armement de l'Empire allemand rendent de plus en plus évidentes les intentions belliqueuses de Guillaume II, qui justifient aux yeux du pouvoir et de la majorité des parlementaires la prolongation à trois ans (au lieu de deux) de la durée du service militaire, ce qui n'est évidemment pas sans incidence sur les conditions de la vie des citoyens.

Les progrès d'un syndicalisme qui se dit révolutionnaire, les grèves de services publics, comme les postes, la distribution d'électricité et, en 1910, les chemins de fer paraissent révéler en même temps une certaine fragilité d'un ordre social dans lequel le souci de la dignité et des intérêts matériels de la classe ouvrière ne tient guère de place.

Il n'en reste pas moins qu'en 1913 un observateur aussi pénétrant que Robert de Jouvenel paraît encore considérer comme exclu que la politique puisse devenir un jour la condition de la vie des individus. Mais, le 2 août 1914, le déclenchement de la première guerre mondiale, au cours de laquelle vont perdre la vie un million et demi de Français, apporte à une telle prévision le plus brutal des démentis : désormais, c'est au sens le plus littéral du mot que la vie des individus va dépendre de la politique. Et cela ne changera plus.

La guerre de 1914-1918

De cette dépendance, chacun aura naturellement conscience pendant la durée du conflit, mais bien rares, si même ils existent, seront ceux qui percevront le caractère irréversible de la transformation apportée par la guerre dans les rapports entre la politique et la vie des Français.

La nécessité de développer les fabrications d'armements donne un coup de fouet à l'industrialisation de la région parisienne et de certains départements éloignés du théâtre des opérations militaires. Le nombre des travailleurs d'usine — parmi lesquels beaucoup de femmes — s'accroît notablement. Afin d'éviter des grèves qui compromettraient l'approvisionnement des armées en munitions, l'État se voit contraint d'intervenir dans les rapports entre patrons et ouvriers.

Financièrement, pour faire face aux dépenses de guerre, il a recours à l'emprunt (intérieur et extérieur) et aux avances de la Banque de France, beaucoup plus qu'à l'impôt. Une partie des achats faits hors de France est payée en or. Ainsi se constitue une lourde hypothèque sur l'avenir de la monnaie, rongée au cours des dernières années du conflit par une hausse des prix qui atteint de plein fouet les conditions de la vie des titulaires de revenus fixes.

Entre 1914 et 1918, le pouvoir, dans une France en guerre, n'a donc pas seulement à être stratège et diplomate, il lui faut aussi orienter, accroître et répartir la production nationale, réglementer le commerce extérieur, rationner certaines consommations, intervenir dans la détermination du niveau des salaires et de certains prix — comme ceux des loyers —, s'ingénier enfin à trouver les ressources nécessaires pour faire face à des dépenses publiques sans commune mesure avec celles de jadis.

Rien n'est cependant changé dans le fonctionnement des institutions de l'État. Du 2 août 1914 à la mi-novembre 1917, en moins de quarante mois, cinq gouvernements se succèdent au pouvoir, dont trois — présidés par Briand, par Ribot et par Painlevé — sont renversés ou se disloquent au cours des derniers onze mois de cette période : ainsi se révèle, dans le fonctionnement des institutions, un dérèglement qui coïncide, sur le plan des opérations militaires, avec la phase la plus sombre du conflit. Mais l'accession au pouvoir de Georges Clemenceau et l'ascendant que la volonté farouche de celui-ci et l'autorité qui émane de sa personne lui permettent de prendre sur le Parlement impriment à la conduite de la guerre, dans tous les domaines, à partir du 16 novembre 1917, la vigueur, la résolution et la cohérence qui permettront à la nation de supporter sans défaillance les revers militaires des premiers mois de 1918, puis à nos armées de participer de façon décisive aux offensives victorieuses des forces alliées, qui contraindront l'Allemagne à souscrire, le 11 novembre 1918, aux conditions de l'armistice qui enregistre sa défaite.

La victoire, obtenue sans qu'aucun changement ait été apporté aux institutions de la IIIe République, paraît apporter à celle-ci une consécration définitive. Mais, pour la grande majorité de l'opinion, cette consécration s'accompagne de l'illusion que, la parenthèse de la guerre ayant été victorieusement fermée, la politique, en France, va pouvoir reprendre le cours normal qui avait été interrompu le 2 août 1914.

Il n'en sera naturellement pas ainsi : à aucun moment, de l'armistice du 11 novembre 1918 au début de la seconde guerre mondiale, le 3 septembre 1939, la politique, articulée désormais autour de décisions d'ordre économique, social, financier, monétaire, diplomatique ou militaire, et non plus de manifestations d'ordre idéologique ou symbolique, comme avant 1905, ne sera sans influence sur la condition de la vie des citoyens.

La scène politique est dominée, de 1919 à 1926, à la fois par des problèmes extérieurs — comment obtenir de l'Allemagne le paiement des « réparations » auxquelles l'astreint le traité de Versailles? Comment établir un ordre international garantissant la « sécurité » de la France? — et par des problèmes financiers, économiques et monétaires — comment équilibrer le budget? Comment assainir et accroître l'activité économique? Comment arrêter l'inflation et la dégradation de la valeur de la monnaie?

Une brève période de rémission se produit de 1926 à 1931, après la restauration financière opérée par Poincaré (au prix d'une amputation des quatre cinquièmes de la valeur or du franc par rapport à l'avant-guerre) et lorsque le pacte de Locarno et l'entrée de l'Allemagne à la Société des Nations paraissent avoir écarté le risque d'un nouveau conflit en Europe. L'État n'en reste pas moins contraint d'agir dans le domaine économique (c'est le plan d'équipement national d'André Tardieu) et dans le domaine social (c'est l'adoption de la loi sur les assurances sociales).

De 1932 à 1939, les difficultés d'ordre économique, donc aussi d'ordre social et d'ordre financier, et les problèmes extérieurs redeviennent d'une redoutable gravité. Atteinte plus tardivement que le reste du monde occidental par la grande dépression des années trente, la France en sort aussi plus lentement, faute pour ses dirigeants (à l'exception de Paul Reynaud) d'en avoir saisi la véritable nature. De l'accession d'Adolf Hitler au pouvoir, en janvier 1933, au déclenchement de la seconde guerre mondiale, les questions du maintien de la paix, puis de la préparation à un conflit dont tout démontre qu'il devient inévitable, dominent complètement la politique en France. Politique rendue plus difficile encore par le fait que les antagonismes sociaux inhérents à toute économie moderne dans un État libéral sont exacerbés par les conséquences de la crise, au point de menacer la cohésion de la nation : c'est ce que prouve le développement du Parti communiste qui, aux élections de 1936, obtient près du sixième des suffrages exprimés.

A aucun moment ne s'est, en somme, esquissée la moindre chance de ce retour à une vie politique analogue à celle d'avant 1914, que les Français avaient confusément espéré après la fin victorieuse du premier conflit mondial, et dont leurs dirigeants n'avaient pas su leur faire comprendre qu'il ne pouvait pas se produire.

Mais aucun changement n'avait non plus été apporté aux règles et aux pratiques d'un fonctionnement des institutions politiques établi en une période infiniment moins difficile. D'où cette inadéquation entre le contenu de la politique en France et les conditions de son fonctionnement, manifestée, entre autres symptômes, par l'aggravation du phénomène de l'instabilité ministérielle : en un temps où la continuité et la cohérence de l'action de l'État auraient été absolument nécessaires, la durée moyenne d'existence d'un gouvernement était tombée de la fin de 1919 à septembre 1939 à six mois, contre plus de huit de mars 1876 à août 1914.

La IVᵉ République

Les problèmes avec lesquels la France se trouve aux prises après la deuxième guerre mondiale sont encore plus difficiles que ceux de l'entre-deux-guerres.

Dans l'ordre économique, il faut que soit reconstitué l'équipement industriel de la nation, profondément dégradé, non seulement par les destructions matérielles dues à la guerre et par les prélèvements opérés par l'occupant de 1940 à 1944, mais aussi par l'insuffisance des investissements réalisés de 1932 à 1939. Le développement de l'industrie et son orientation vers les marchés extérieurs sont d'autant plus nécessaires que, pour équilibrer sa balance des comptes, la France ne peut plus compter sur le revenu de placements extérieurs. Grâce aux plans de modernisation et d'équipement, et avec le concours de l'aide américaine du plan Marshall, cette œuvre s'accomplit. En même temps, l'agriculture, grâce à des modes de culture et d'élevage transformés, accroît considérablement sa production, en dépit d'une très forte diminution du nombre de ceux qui s'y consacrent.

Mais, à bien des égards, ce redressement économique, dans la mesure où il ne procède pas tout simplement du travail des Français, est moins l'œuvre du pouvoir politique que d'un pouvoir administratif, constitué notamment, autour du Commissariat au plan, par la Caisse des dépôts et consignations et par la Direction du trésor, doté de continuité dans ses vues et dans ses actions, et capable d'harmoniser celles-ci avec celles des entreprises. Il ne s'accompagne pas de succès analogues dans le domaine du budget de l'État qui dépend, lui, du pouvoir politique. Le déficit chronique des finances publiques — dû en grande partie aux dépenses de la guerre d'Indochine jusqu'en 1954, et ensuite de la guerre d'Algérie — provoque un endettement générateur d'inflation.

La France en effet ne comprendra que tardivement — ou ses dirigeants politiques n'oseront pas s'avouer — que l'ère des « empires coloniaux » est révolue. L'effort militaire accompli pour maintenir la « présence française » au Viêt-nam de 1947 à 1954, puis en Algérie, constitue une des causes majeures du déficit budgétaire, et donc de l'érosion de la valeur du franc. C'est seulement en Afrique noire et à Madagascar que, grâce à une loi-cadre votée en 1956 et mise en application l'année suivante, la politique française s'orientera vers un développement pacifique.

Quant à sa politique étrangère, à partir du printemps 1947, la France subit de façon de plus en plus rigoureuse les contraintes résultant de l'affrontement planétaire entre les démocraties occidentales militairement associées depuis le printemps 1949, sous l'égide des États-Unis, dans l'Organisation du traité de l'Atlantique nord (OTAN) et le bloc socialiste de l'Europe de l'Est, dominé par l'Union soviétique.

Cette situation n'est pas sans conséquence de politique intérieure. Le Parti communiste français — qui, tout au long de la IVᵉ République, obtiendra à chaque élection un quart environ des suffrages exprimés — prend fait et cause pour l'Union soviétique et combattra constamment, à certains moments de façon quasi insurrectionnelle, la politique « atlantique ». Lorsque se posera, de 1950 à 1954, le problème de la création d'une

« Communauté européenne de défense » (CED), placée sous commandement américain et dans laquelle devrait se fondre la plus grande partie de l'armée française, l'opposition du PC se doublera victorieusement de celle du général de Gaulle et de tous ceux qui se réclament de lui, ainsi que d'une partie des socialistes, des radicaux et des modérés, convaincus comme de Gaulle que la disparition de l'armée française sonnerait le glas de l'identité nationale.

Comme on l'a noté, la France, sous la IVe République, « a été le seul pays au monde à connaître comme déchirements intérieurs les deux grands conflits du milieu du xxe siècle : à savoir l'opposition entre le communisme et l'anticommunisme et l'affrontement entre vieux États et jeunes nations ».

C'est en définitive sur l'écueil de cet affrontement, sous l'aspect de la guerre d'Algérie, que se brisera la IVe République. Et cela, en grande partie, parce que, en dépit des illusions des constituants de 1946, ceux-ci avaient doté la France d'institutions dans lesquelles il était impossible qu'existât un pouvoir gouvernemental doté d'autorité, de durée et de cohésion. D'où une instabilité ministérielle aussi grande que pendant l'entre-deux-guerres, mais aggravée par une extrême prolongation de la durée des crises : au total, pendant les onze ans et cinq mois qui vont du 1er janvier 1947 au 1er juin 1958, la France aura eu, pendant tout près d'une année, des gouvernements seulement habilités à « expédier les affaires courantes ». Et il en sera ainsi, de mai 1957 à mai 1958, pendant 89 jours!

Il paraît évident que la prolongation de la guerre d'Indochine a tenu en grande partie à ce qu'aucun des gouvernements de coalition qui se sont succédé de janvier 1947 à juin 1954 — jusqu'à l'accession au pouvoir de Pierre Mendès France — ne s'est jamais senti assez fort pour dire, au Parlement et au pays, la vérité sur les perspectives de ce conflit.

Sans doute en proposant de créer la Communauté économique du charbon et de l'acier, puis en signant le traité de Rome, portant création de la Communauté économique européenne, la IVe République, malgré l'opposition des gaullistes, a-t-elle jeté les bases d'une œuvre d'avenir. Mais en l'hypothéquant par des tendances « supranationales », qui devaient longtemps en entraver le développement.

L'échec global du régime, en dépit du caractère positif de certains aspects de son bilan, est certes celui d'institutions qui avaient confié la souveraineté à une Assemblée nationale incapable de l'exercer. Mais il tient aussi au comportement du suffrage universel, qui, chaque fois qu'il a été consulté, en 1946, en 1951 et en 1956 (mais en partie, il est vrai, à cause de la représentation proportionnelle), n'a pas paru se soucier d'envoyer au Palais-Bourbon une majorité cohérente.

Tout concorde, en somme, à montrer que, de 1947 à 1958, le cadre dans lequel s'est déroulée la politique en France, tel qu'il se trouvait déterminé à la fois par la structure des institutions, par le comportement des partis et par celui des citoyens, était demeuré tout à fait inadapté aux problèmes qui se posaient alors à la nation et à l'État.

La Ve République

Après son retour au pouvoir, survenu à la fin de mai 1958, en raison de la gravité qu'avait prise le problème de l'Algérie, le général de Gaulle a considéré comme absolument prioritaire une profonde réforme des institutions de la République. Il a voulu que le pouvoir gouvernemental fût doté d'une autorité propre et qu'il fût mis fin à la dépendance constante dans laquelle il se trouvait par rapport à un Parlement sans majorité durable. Il a voulu aussi que fût placé à la tête de l'État un président mis en mesure, par son mode d'élection comme par ses prérogatives personnelles, d'être effectivement le guide de la nation et le garant de l'indépendance nationale.

Cette réforme, approuvée par le peuple français au référendum du 28 septembre 1958, à une majorité de tout près des quatre cinquièmes des suffrages exprimés, a mis fin à l'instabilité gouvernementale. En vingt-cinq ans, sous l'autorité de quatre présidents de la République, il n'y a eu que huit Premiers ministres. Un seul des gouvernements dont ils ont dirigé l'action a été renversé par l'Assemblée nationale.

Du référendum de 1958 aux élections législatives de 1981, le suffrage universel a eu à se prononcer dix-sept fois dans des scrutins de portée nationale — élections législatives, élections présidentielles ou consultations référendaires. Son vote négatif au référendum du 27 avril 1969 a conduit le général de Gaulle à renoncer au pouvoir. L'élection du candidat de la gauche, François Mitterrand, au scrutin présidentiel du 10 mai 1981, suivie de la dissolution de l'Assemblée élue en 1978 et de l'élection d'une majorité en accord avec le nouveau président, a démontré le caractère parfaitement démocratique (au moins quant aux modalités du choix de ceux qui auront à exercer le pouvoir, sinon toujours quant aux modalités de cet exercice) du régime constitué en 1958; l'alternance au pouvoir s'est réalisée dans le calme le plus remarquable, aussitôt que le suffrage universel l'a voulu.

Aucune modification n'a été apportée depuis lors aux règles inscrites dans la constitution. Toutes celles-ci ont été respectées, et les procédures initialement critiquées par la gauche comme trop restrictives du rôle des parlementaires ont été mises en œuvre, sans aucune exception, par les nouveaux titulaires du pouvoir.

Les transformations apportées en 1958 au cadre institutionnel dans lequel se déroule la politique en France ont donc atteint le résultat en vue duquel elles avaient été conçues. Appuyé par le pouvoir présidentiel, et toujours guidé par celui-ci, le pouvoir gouvernemental a été mis en mesure de s'exercer pendant un quart de siècle, avec une cohérence et une continuité qui, de 1876 à 1958, n'avaient pu exister que très rarement à la faveur de circonstances exceptionnelles, comme la guerre de 1914-1918 ou la crise monétaire et financière de 1926.

Quant aux électeurs, chaque fois qu'ils ont été consultés, ils ont envoyé au Palais-Bourbon des majorités favorables à la politique voulue par le président de la République.

Autrement dit, sous la Ve République, les échecs du pouvoir n'ont jamais été imputables à la faiblesse à laquelle le condamnaient les institutions mais, soit à la difficulté intrinsèque des problèmes à résoudre, soit à des erreurs de jugement commises par les responsables de la conduite des affaires publiques.

Il n'y a pas lieu de rappeler ici ce qu'ont été les problèmes qui se sont posés à l'État depuis 1958; il suffit de noter que, soit dans l'ordre international, soit dans les domaines économique, financier, monétaire et social, ils ont été, dans leur substance, analogues à ceux que la France a connus depuis la fin de la deuxième guerre mondiale. La crise de mai 1968 n'a pas été de nature proprement politique. A aucun moment, les affrontements entre partis n'ont présenté un caractère aussi exclusivement idéologique ou même symbolique, que celui qui prévalait ordinairement avant 1914.

On a donc le droit de dire qu'aujourd'hui, en France, la politique se déroule dans un cadre adapté à son contenu.

Mais l'élargissement constant, et peut être démesuré, du champ de la politique n'en pose pas moins un problème.

Le développement continu de l'action de l'État, d'un État centralisé, a donné naissance à des aspirations à plus d'autonomie dans leur action des instances régionales, départementales et communales. Les lois de décentralisation adoptées en 1972 par la création des établissements publics régionaux puis, après 1981, par l'octroi de nouvelles compétences aux collectivités territoriales, communes et départements (auxquels s'ajouteront les régions, lorque leur administration sera confiée à des assemblées élues), ont constitué une tentative de réponse à ces aspirations. Ainsi se manifeste une tendance à un certain rétrécissement du champ politique, au moins au niveau de l'État.

Par ailleurs, à partir du choc pétrolier de 1973, le ralentissement, puis la cessation de la croissance économique qui avait existé sans guère d'interruption depuis 1950 et qui s'était accélérée de 1959 à 1973, pose le problème de savoir si, au cours des années à venir, l'État demeurera en mesure de faire face lui-même à toutes les responsabilités qu'il a assumées depuis quelques décennies en matière de protection sociale. D'ores et déjà, les prélèvements obligatoires sur les ressources des personnes physiques et des entreprises, rendus nécessaires par l'exercice de ces responsabilités, atteignent un taux — près de 44 % en 1983 — dont toutes les formations politiques (à la seule exception du Parti communiste, favorable à une collectivisation à peu près complète de la société) s'accordent à considérer qu'il est devenu excessif et qu'il risque de paralyser le fonctionnement autonome de la société civile. La croissance des dépenses de santé, en particulier, atteint, en raison des progrès techniques incessants réalisés dans ce domaine, un rythme qui pose périodiquement le problème de l'équilibre des comptes de la Sécurité sociale.

La question risque donc de se poser de savoir si la puissance publique ne devra pas constater, un jour, que sa responsabilité, dans un domaine comme celui de la santé, ne doit être conservée intégralement qu'au bénéfice des plus démunis. Par ailleurs, le développement de compétences nouvelles de l'État, souvent dispendieuses, l'a conduit à ne pas consacrer de ressources suffisantes à des services publics traditionnels liés à sa souveraineté, comme celui de la Justice.

Il ne paraît donc pas certain que l'élargissement du champ de la politique, auquel la France a mis des décennies à adapter ses institutions et son comportement, constitue un phénomène irréversible. Encore paraît-il totalement exclu que les changements susceptibles de se produire à cet égard aillent jusqu'à comporter le retour à cette situation d'avant 1914, dans laquelle, selon Robert de Jouvenel, la politique n'était pas « la condition de la vie » des individus.

il est tombé en désuétude entre les deux guerres mondiales, ce qui lui a permis de reprendre son sens initial après 1946, lorsqu'il a été employé par les compagnons de route du Parti communiste.

Cependant, l'instabilité des groupes et des partis n'était pas la seule réalité. Il existait en effet *un haut degré de permanence* dans les forces respectives des grandes tendances de l'opinion, « axe solide de l'évolution politique », selon l'expression d'André Siegfried. Pour désigner ces tendances, sans doute inorganiques, mais constamment présentes derrière la confusion due aux soubresauts de la conjoncture à court terme, les observateurs devaient avoir recours à des termes autres que ceux dont les partis se servaient pour se désigner eux-mêmes. C'est ainsi qu'André Siegfried, dans son *Tableau des partis en France* (1930), distinguait les groupes de la gauche, du centre et de la droite. L'auteur de ces lignes a utilisé, dans un livre sur *La Politique des partis sous la IIIᵉ République* (1946), les expressions de parti de l'Ordre établi et parti du Mouvement. Aucune analyse à long terme n'aurait en effet été possible en se servant du vocabulaire obscur et mouvant des titres officiels des partis (qui était, par exemple, en 1936 le suivant : Parti populaire français, Parti social français, Fédération républicaine, Alliance républicaine démocratique, Parti démocrate populaire, Parti républicain radical et radical-socialiste, Union socialiste républicaine, Parti républicain-socialiste et socialiste français, Jeune-République, Parti frontiste, Parti socialiste SFIO, Parti communiste) ou celui des groupes parlementaires, encore plus compliqué (plusieurs groupes de la Chambre ou du Sénat ne correspondaient pas à un parti, certains partis n'avaient pas de groupe parlementaire).

Cette multiplicité, cette confusion constituent le signe d'un premier trait du comportement politique traditionnel en France : *l'individualisme, l'inaptitude des électeurs et des élus à accepter la discipline d'organisations politiques perfectionnées* propres à promouvoir une action collective efficace. « Les grandes choses que demande notre époque de civilisation matérielle, écrivait André Siegfried en 1930, doivent se faire chez nous en dehors de la politique et presque à son insu, parce que notre démocratie, née d'autres préoccupations et conçue pour d'autres buts, n'a ni méthode ni à vrai dire intérêt véritable pour semblable programme... Peut-être même ces « grandes choses », qui eussent séduit Colbert ou Napoléon, sont-elles par essence antidémocratiques, au sens où la France entend la démocratie, c'est-à-dire étrangères au génie d'un système où la masse ne veut pas s'organiser et refuse ce sacrifice de l'individu à la discipline venant d'en haut qu'exige toute puissante entreprise matérielle. De ce point de vue, la politique française, obstinément individualiste et jalouse, est sans doute ce qu'il y a de moins adapté chez nous aux besoins d'une époque de grande production industrielle. » Mais André Siegfried concluait : « ... J'hésite à la condamner tout à fait, car c'est peut-être un instinct vital qui nous conseille de défendre à tout prix *ce fondement de la civilisation française, l'individu.* »

Individualiste, donc multiforme et diverse : telle était la France politique traditionnelle. Diverse dans les programmes et dans les doctrines et, ce qui est sans doute plus important encore, dans les sentiments et les ressentiments, dans les fidélités et dans les aversions.

Mais cette diversité n'excluait pas *une manière commune d'envisager la politique.* Entre un conservateur anglais et un conservateur français, ou entre un socialiste anglais et un socialiste français (malgré l'existence de l'Internationale), il y avait sans doute sous la

IIIᵉ République bien plus de différences caractérielles qu'entre le conservateur et le socialiste français. C'est à cette manière d'envisager la politique, longtemps prédominante, encore présente de manière diffuse dans la France d'aujourd'hui, que correspond la notion de comportement politique traditionnel.

Selon les époques, selon les régions, selon les professions, selon les confessions, les Français de la IIIᵉ et de la IVᵉ République n'ont naturellement pas eu exactement le même comportement politique. On n'en peut pas moins tenter de dresser le tableau d'ensemble des traits communs qui faisaient traditionnellement l'originalité de ce comportement, en indiquant ce qui paraît avoir changé à cet égard sous la Vᵉ République, sans doute essentiellement parce que les règles de l'élection du président au suffrage universel limitent à deux le nombre de candidats qui peuvent affronter le second tour de scrutin, ce qui a été un puissant facteur de simplification de la vie politique française.

Contre l'État

Le premier de ces traits concerne l'attitude envers l'État : elle a longtemps été caractérisée — elle l'est encore en bien des cas — par une sorte d'inaptitude à prendre conscience de la nécessité des interventions d'un pouvoir politique dans la vie des citoyens, donc par une méfiance profonde envers l'État, et par une volonté délibérée d'affaiblir celui-ci. On a souvent parlé du manque de conscience civique des Français : la formule correspond sans doute à une réalité (à condition de ne pas en exagérer la portée, car ce qu'ils refusaient à l'État, beaucoup de Français étaient traditionnellement prêts à l'accorder à la Patrie), mais il faut bien voir que le terme de conscience ne doit pas être entendu seulement ni même principalement dans son sens moral. Les Français n'ont pas spontanément conscience de ce qu'ont d'indispensable l'existence et le pouvoir de l'État. Aussi ont-ils tendance à se méfier de celui-ci ; ils n'éprouvent guère de scrupule à éluder les prescriptions qu'il prétend leur imposer ; ils conçoivent leur *participation à la vie politique comme un moyen de l'affaiblir* plutôt que de le soutenir : il semble que ce soit cette hostilité envers l'État, cette tendance à ne pas comprendre son rôle et à se méfier de ceux qui l'incarnent qui, de toutes les caractéristiques du comportement politique traditionnel des Français, se manifestent aujourd'hui encore avec le plus de netteté.

Il est probable que la lenteur (au moins relative) de l'évolution de la structure économique française au xixᵉ siècle est pour une grande part à l'origine de cette attitude envers l'État. Pour de petites entreprises individuelles, travaillant dans la perspective d'un marché local, au mieux d'un marché régional, avec un outillage réduit, une main-d'œuvre salariée restreinte, formée sur place par le système de l'apprentissage, l'intervention de l'État en matière d'équipement énergétique, de transports, de recherche de débouchés et de matières premières, d'enseignement professionnel ou de politique sociale n'avait aucun caractère de nécessité. En dehors de sa fonction de défense de l'indépendance, parfois de la fierté, de la nation en face de l'étranger, on attendait seulement de lui le maintien de l'ordre, l'administration de la justice, l'octroi aux citoyens d'une liberté de pensée et d'action à peu près illimitée et l'imposition d'une charge fiscale aussi légère que possible, respectant le « secret des fortunes ». C'est dire qu'on se méfiait profondément de la tendance spontanée du pouvoir à élargir le champ de sa compétence et à accroître l'intensité de son emprise sur la vie des citoyens.

Cette méfiance avait de profondes racines dans l'histoire. Elle se rattache aux résistances féodales et provinciales contre l'établissement de la monarchie centralisée et absolue, aux réactions locales devant l'autorité des intendants et de l'administration napoléonienne. Ce qu'ont fait les intendants du XVIIIe siècle en matière d'urbanisme provoque aujourd'hui notre admiration. Mais, malgré le souvenir favorable qu'ont laissé un d'Étigny en Gascogne et un Tourny en Guyenne, dans l'ensemble, le fait que les populations n'aient été associées à ces réalisations que sous la forme de la corvée et des impôts, et que leurs représentants n'en aient eu que très rarement l'initiative, explique qu'elles n'aient pas éprouvé pareille admiration, mais ressenti au contraire hostilité et méfiance envers le pouvoir qui leur imposait tant de charges sans jamais les consulter.

C'est certainement de l'Ancien Régime que date la propension traditionnelle des Français à confondre l'État, entité permanente et abstraite, avec le Gouvernement, notion moins durable et plus concrète, parce qu'il est composé d'un petit nombre d'hommes. Au XIXe siècle, les divisions politiques nées de la Révolution ont accentué cette propension, parce qu'une partie importante de la population (pas toujours la même) s'est trouvée constamment en état de sécession morale par rapport au régime existant. Aussi la réaction habituelle du citoyen français à l'égard des hommes qui le gouvernaient a-t-elle longtemps été faite de plus d'hostilité que de loyalisme; se persuadant aisément que ces hommes servaient leur intérêt propre ou celui des coteries auxquelles ils appartenaient, avant de songer au bien commun, il avait bonne conscience en cherchant à se soustraire à leur autorité.

Cet état d'esprit est admirablement traduit par la philosophie politique d'Alain, qui exalte le « citoyen » dressé « contre les pouvoirs », et se fonde sur la conviction que l'action de l'État (pour nécessaire qu'elle puisse être à certains égards, ce qui implique l'obéissance à « l'affiche blanche ») n'en tend pas moins constamment à aller trop loin. C'est pourquoi « la résistance aux pouvoirs importe plus que l'action réformatrice », et le système politique doit être agencé de manière à assurer aux individus, grâce au contrôle de leurs élus sur les ministres et sur les fonctionnaires, le moyen de compenser en permanence la tendance de ceux-ci à abuser de leur position.

Il est plus significatif encore de relever les termes qu'emploie un observateur américain d'une rare pénétration, le professeur Laurence Wylie, pour exposer l'attitude envers le pouvoir et envers l'État qu'il a constatée en 1950 dans le village du Vaucluse où il a passé plus d'un an : « Lorsque Madame Arène dit : " *Ils* ont encore augmenté le prix du café ", elle ne pense pas aux *ils* du village, mais à une catégorie bien plus dangereuse de *ils* : ceux dont la menace provient de l'extérieur de la commune... ils sont anonymes, intangibles et tout-puissants... C'est d'eux que viennent les plus grands malheurs qui accablent les gens de Peyrane : l'inflation, les impôts, la guerre, le rationnement, la paperasserie administrative..., l'augmentation du prix des engrais, les dix-huit mois de service militaire... Le plus souvent, le terme *ils* désigne le gouvernement, sous tous ses aspects... Il serait naïf de prendre ces malédictions à la lettre, mais non moins naïf de les ignorer : *l'hostilité contre le Gouvernement est réelle et elle est profonde.* »

Cette attitude, notons-le, les séjours que L. Wylie a faits à Peyrane postérieurement à

1950 lui ont donné l'impression qu'elle était en train de s'atténuer. Elle n'en est pas moins très significative d'un comportement général et ancien, celui-là même décrit et en quelque sorte exalté par Alain, qui était encore il y a un tiers de siècle le fait de gens dont aucun ne connaissait l'œuvre du philosophe — et qui vivaient dans une région bien éloignée des campagnes et des petites villes de l'Ouest au contact desquelles celui-ci avait conçu *la vie politique comme destinée avant tout à résister contre les pouvoirs* et à affaiblir l'État[1].

Cette méfiance traditionnelle envers la tendance prêtée à l'État de se mêler trop souvent de ce qui ne devrait pas le regarder s'est paradoxalement toujours combinée avec *l'habitude d'attendre aide et protection de la puissance publique*. Les dirigeants de l'agriculture et de l'industrie, qui, à la fin du XIXe siècle, protestaient avec le plus de vigueur contre le projet d'introduire en France cet impôt sur le revenu qui existait en Grande-Bretagne dès l'époque des guerres napoléoniennes et qui venait d'être institué dans l'Empire allemand, ou qui prétendaient que l'établissement d'une responsabilité des employeurs pour les accidents du travail de leurs salariés causerait la ruine de leurs entreprises, étaient les mêmes qui, afin d'empêcher la concurrence de producteurs étrangers, obtinrent de l'État, en 1892, l'instauration, puis en 1910, le renforcement d'un protectionnisme douanier qui devait pour de longues années freiner la modernisation de l'économie française.

Il n'est guère en France de catégorie sociale, qu'il s'agisse des actifs ou des retraités, des fonctionnaires ou des salariés du secteur privé, des membres des professions libérales, des industriels, des commerçants ou des agriculteurs, dont l'attitude envers l'État ne comporte à la fois, de la part des individus, une profonde méfiance et, de la part du groupe qui les représente, une constante propension à revendiquer son aide chaque fois qu'ils éprouvent des difficultés.

Ainsi comprend-on que la méfiance invétérée des Français envers l'État n'ait pas fait obstacle à l'extension constante du domaine couvert par la politique évoquée dans l'introduction de ce livre, et qui résultait des circonstances nouvelles apparues depuis 1914. Il se peut au surplus que le consensus réalisé, quant à une intervention de l'État en faveur des catégories sociales les plus défavorisées par la structure de la société du début du siècle, ait contribué à légitimer, aux yeux de ceux qui n'en avaient pas besoin au même degré, la revendication d'autres mesures, prises cette fois en leur faveur.

Importance des désaccords métaphysiques

Seconde caractéristique du comportement politique traditionnel des Français : l'importance que des désaccords d'ordre métaphysique présentent quant à la démarcation entre partis politiques; en termes plus concrets, le fait que le problème de *l'attitude envers l'Église catholique* a été pendant longtemps le plus important et le plus significatif de ceux qui se posaient dans la vie politique. « Aucun militant de gauche, écrivait André Siegfried en 1930, n'a encore appris à croire que l'Église puisse sincèrement travailler pour la République »; rien n'était alors plus vrai.

---

1. Voir le chapitre 8.

D'où vient cette importance si longtemps primordiale des questions religieuses dans la vie politique française? A qui doit-on en imputer la responsabilité principale, aux catholiques ou à leurs adversaires? Cette question ne comporte pas une réponse facile. Lorsque, le 12 juillet 1790, les membres de l'Assemblée nationale ont voté la constitution civile du clergé, leur but était-il seulement de réorganiser l'administration ecclésiastique tout en accroissant, au bénéfice de l'État qu'ils étaient en train de créer, les possibilités de contrôle sur l'Église qui avaient appartenu jusque-là au Roi Très Chrétien, ou se proposaient-ils, en subordonnant étroitement le pouvoir religieux au pouvoir civil, de préparer pour l'avenir le triomphe des « lumières » sur « l'obscurantisme » du dogme catholique? Autrement dit, avaient-ils ou non conscience et volonté d'engager le conflit idéologique dont les suites devaient dominer la vie politique française pendant un siècle et demi? Toujours est-il que, par les réactions qu'elle provoqua chez les catholiques après sa condamnation par le Saint-Siège, la constitution civile du clergé a placé *l'Église de France dans le camp de la Contre-Révolution* et, corrélativement, les partisans des principes de 1789 dans celui des adversaires de l'Église — et cela pour de très longues années. Comme l'a écrit l'historien de la Révolution Georges Lefebvre : « Le schisme donna une extraordinaire impulsion à l'agitation contre-révolutionnaire. Beaucoup de gens ne voulurent pas risquer leur salut en renonçant aux "bons prêtres"; sans penser pour autant à rétablir l'Ancien Régime, ils n'en furent pas moins entraînés dans l'opposition... Les révolutionnaires, de leur côté, traitèrent les réfractaires en ennemis publics... Le mal était sans remède. »

C'est toute l'histoire politique de la France au xixe et dans la première moitié du xxe siècle qu'il faudrait retracer, de la loi sur le sacrilège à la loi Debré de 1959 sur l'aide de l'État à l'enseignement privé (c'est-à-dire à l'enseignement catholique), pour montrer comment et pourquoi les problèmes de la place de l'Église dans la société et de l'attitude de l'État à son égard ont si longtemps tenu une place essentielle dans les critères de démarcation entre partis français.

En ce qui concerne la IIIe République, le fait capital — qu'il suffit ici de rappeler sans en rechercher les causes — est que *l'Église de France,* par sa hiérarchie, par son clergé et par un très grand nombre des plus zélés de ses fidèles, *a pris parti après la guerre de 1870-1871 pour une restauration monarchique.* Voilà pourquoi, en 1876, Gambetta devait lancer son fameux mot d'ordre aux républicains, « le cléricalisme, voilà l'ennemi », et pourquoi, quelques années plus tard, Jules Ferry et Paul Bert allaient présenter leur œuvre d'organisation de l'enseignement public, laïc et obligatoire, comme un moyen de soustraire à l'influence catholique l'esprit des futurs citoyens. D'où, par une dialectique inévitable, l'appui donné par l'Église à l'attaque menée contre la République par Boulanger; l'échec du Ralliement conseillé aux catholiques français par Léon XIII; la participation de nombre de prêtres et de religieux à l'agitation antidreyfusarde, considérée comme le moyen d'enrayer enfin, au nom du patriotisme et de l'amour de l'armée, la consolidation de la République; la législation anticatholique votée en 1901 et 1905 par les républicains sortis vainqueurs de l'affaire Dreyfus; enfin, la participation d'évêques et de prêtres à la tentative de l'Action française pour grouper les forces hostiles à la République sous le drapeau du nationalisme intégral.

Cette succession d'événements explique que soit apparu dans les compétitions électorales, dès les premiers scrutins de la IIIe République, puis que se soit consolidé de façon très durable, un clivage des partis à peu près exclusivement déterminé par l'attitude des candidats en matière de politique religieuse. Il n'est pas douteux que l'existence du scrutin uninominal majoritaire à deux tours a contribué à cette consolidation d'une frontière politique dessinée par la question religieuse. Les coalitions de deuxième tour qu'implique un tel régime électoral se font en effet plus aisément contre un adversaire commun que pour un programme déterminé. De l'opportunisme, en somme conservateur en matière sociale, au radicalisme, un peu plus tard au socialisme, la coalition des républicains des premières années de la IIIe République ne pouvait se constituer, en plus de l'hostilité au principe monarchique, que sur la volonté commune de ses membres d'assurer l'indépendance de la société civile par rapport à l'Église et de réduire l'influence des prêtres sur l'esprit des citoyens. Inversement, les légitimistes, les orléanistes, les bonapartistes, plus tard les nationalistes, ne pouvaient justifier leur accord aux élections que par leur attitude favorable au catholicisme. Ainsi se sont constituées des habitudes qui sont vite devenues pour les citoyens comme une seconde nature : *l'opposition entre la droite et la gauche a eu tendance à se réduire à l'opposition entre partisans et adversaires de l'Église catholique,* et l'on en est arrivé à la situation des années immédiatement antérieures à la première guerre mondiale, qu'un candidat républicain, battu aux élections législatives dans l'Aveyron, pouvait décrire en ces termes : « Le plaisant de mon affaire, c'est que mon dissentiment avec mes compatriotes ne porte pas sur les affaires d'ici-bas, mais sur celles de l'au-delà. Je crois, parce que mes adversaires me l'ont mille fois répété, qu'ils m'auraient volontiers confié les intérêts publics en ce monde, si seulement nous étions d'accord sur l'autre. Je suis frappé d'incapacité politique pour des raisons théologiques. »

Jusqu'à 1914, la ligne de partage ainsi dessinée par les problèmes religieux entre électeurs et candidats se retrouvait à peine modifiée lorsqu'il s'agissait de former au Parlement une majorité pour soutenir un gouvernement. Quiconque « pactisait » avec l'Église, c'est-à-dire avec « la réaction », se trouvait automatiquement exclu du pouvoir. Lorsque les circonstances conduisaient un gouvernement républicain, combattu sur sa gauche, à accepter, voire à rechercher l'appui des catholiques (comme ce fut le cas de Rouvier en 1887, de Méline en 1896-98, de Briand, puis de Barthou en 1913), il ne le faisait qu'avec réticence et s'engageait fréquemment à ne rester au pouvoir que dans la mesure où il conserverait la confiance de la majorité des « républicains », c'est-à-dire des partisans de la laïcité de l'État. *Les catholiques se trouvaient rejetés dans une sorte de ghetto politique,* assez semblable en somme à celui qui, de nos jours, a si fréquemment isolé les parlementaires communistes au sein de la représentation nationale : l'attitude de refus prise, en 1954, par P. Mendès France à l'égard des voix communistes favorables à son investiture comme président du Conseil rappelle à beaucoup d'égards celle des chefs de gouvernement républicains envers les suffrages catholiques entre 1880 et 1900, voire jusqu'à 1914.

C'est la guerre de 1914-1918 qui, grâce à « l'Union sacrée », a mis fin à l'ostracisme qui frappait jusque-là les catholiques dans la République. Les nouvelles conditions de la vie politique créées par le conflit devaient par la suite empêcher que cet ostracisme reparût pleinement au Parlement et au Gouvernement. Mais, sur le plan des élections, la césure traditionnelle s'est montrée beaucoup plus difficile à réduire. C'est ainsi que, si le radicalisme devait à plus d'une reprise accepter entre les deux guerres de cohabiter au pouvoir avec des catholiques, il maintint presque partout jusqu'aux dernières élections de la IIIe République son attitude traditionnelle, fondée sur l'union de toutes les gauches, définies par une certaine conception de la laïcité, contre tous ceux, quel que pût être leur programme politique, international ou social, qui ne considéraient pas comme intangibles les lois « laïques » des années 1880 sur l'école, de 1901 sur les congrégations, de 1905 sur la séparation des Églises et de l'État.

Encore après la deuxième guerre mondiale, mais cette fois bien souvent sur l'initiative de l'extrême gauche, le problème religieux a menacé plus d'une fois, parfois avec succès, l'unité des majorités parlementaires dans lesquelles figuraient à la fois les socialistes, les radicaux et les démocrates-chrétiens du Mouvement républicain populaire. Mais il est apparu de plus en plus nettement que, si l'attitude des partis en matière religieuse conservait dans certaines régions rurales quelque importance dans la détermination de leurs alliances électorales, il en allait tout autrement dans les villes et les zones urbanisées. On peut dire en somme, que si la prédominance absolue d'un critère de nature politico-religieuse quant à la démarcation entre partis est dans une large mesure aujourd'hui *un fait du passé,* cette prédominance a duré trop longtemps pour avoir complètement cessé de se manifester dans les réflexes des électeurs, des parlementaires et des chefs de partis. L'envahissement de la vie politique par des préoccupations d'un autre ordre, de caractère plus immédiat et plus concret, a joué un rôle décisif dans les atteintes portées en ce domaine aux comportements traditionnels, que menace, d'autre part, le changement intervenu dans la vision qu'a l'Église catholique des problèmes sociaux et politiques.

Si le rôle que les considérations d'ordre religieux avaient longtemps tenu dans les luttes entre partis paraît aujourd'hui avoir à peu près complètement disparu au niveau de l'opinion dans son ensemble, il est probable que c'est avant tout parce que, dans la France de la fin du xxe siècle, *l'Église catholique ne prétend visiblement plus à régenter toute la vie sociale.* Un sondage d'opinion opéré par la SOFRES au printemps 1983 a montré que 77 % des Français trouveraient très grave et 16 % assez grave, de perdre la liberté de choisir l'école où ils enverront leurs enfants : voilà qui témoigne d'un profond changement par rapport à l'époque où la question de l'école libre, c'est-à-dire de l'école catholique, divisait l'opinion en deux moitiés sensiblement égales.

Mais, parmi les militants des partis de gauche, et surtout dans les syndicats qui rassemblent la grande majorité des membres de l'enseignement public, l'hostilité pour l'aide financière de l'État à l'école libre (qui ne pourrait plus exister sans cette aide) n'en demeure pas moins très vive. Et l'emprise de ces syndicats sur les partis de gauche explique que ce problème ait de nouveau été posé après l'alternance politique survenue en 1981. Sans doute d'ailleurs avait-il été imprudent de la part des défenseurs de l'école libre de faire voter, après la loi Debré de 1959 qui n'instituait en faveur de celle-ci qu'une aide de l'État, la loi Guermeur de 1974, aux termes de laquelle les collectivités locales peuvent être contraintes, contre leur gré, de contribuer à certaines dépenses en faveur de l'enseignement libre. Toujours est-il qu'il serait aujourd'hui aventuré d'affirmer que les problèmes d'ordre religieux — ou, plus exactement, d'ordre ecclésiastique — ont définitivement perdu toute importance dans la vie politique de la France.

La valorisation de la « gauche »

La valorisation du terme « gauche » dans la politique française traditionnelle n'est évidemment pas sans rapports avec le rôle qu'y ont longtemps joué les querelles religieuses, puisqu'en fait la gauche française s'est pendant longtemps définie essentiellement par son attitude hostile au catholicisme. Mais il y a là un phénomène aux aspects plus complexes. La primauté de la gauche, le « sinistrisme » permanent de la politique française, selon l'expression d'Albert Thibaudet, sont directement liés à *une certaine conception du progrès,* en même temps qu'à la tendance profonde des citoyens à se méfier de l'État.

La politique française s'est développée au xixᵉ siècle sous le signe d'une sorte de manichéisme, d'un conflit permanent entre adversaires et partisans des principes de la Révolution française. En un sens, le Premier et le Second Empire avaient tenté de dépasser ce conflit par la réalisation d'une synthèse entre la notion d'ordre (empruntée aux adversaires de la Révolution) et celle de souveraineté populaire (empruntée à ses partisans, mais transformée par le recours au plébiscite). Mais ces tentatives ont échoué, surtout la seconde, comme l'a prouvé très vite sous la IIIᵉ République le rapprochement entre bonapartistes et royalistes. L'évolution politique de la France au xixᵉ siècle a été finalement caractérisée par les échecs successifs de tous les régimes « de droite » (Restauration, monarchie de Juillet après 1840, Second Empire) et par les succès répétés de la gauche. Cette simple constatation explique pour une grande part la valorisation de la gauche : commencer une carrière politique à droite, n'était-ce pas en effet se condamner selon toute vraisemblance à ne jamais accéder au pouvoir? Du fait même que la IIIᵉ République, fondée en 1875 grâce à la lassitude et aux divisions des monarchistes, a été l'objet d'assauts répétés de la droite au cours de son premier quart de siècle d'existence, le régime politique que la France s'était donné s'est trouvé intimement lié à la gauche, il a paru être l'expression de ses principes et d'eux seuls, la chose de ses hommes et d'eux seuls. Comment, dans ces conditions, la gauche n'aurait-elle pas joui statutairement, dans la République, d'une sorte de régime préférentiel?

C'est ce qu'André Siegfried expliquait en ces termes « Théoriquement un vote de droite vaut un vote de gauche, mais pratiquement ce n'est pas toujours vrai : l'homme de gauche, par le prestige de son origine, bénéficie d'un privilège, et même s'il n'est que la minorité, il lui arrive encore d'imposer ses directives, comme s'il disposait d'actions à vote plural. C'est que la République, par le redressement d'une sorte d'instinct, ne se résigne qu'avec peine aux majorités qui la font dépendre d'hommes n'ayant pas son esprit. »

Il y avait d'ailleurs là, dans une certaine mesure, plus d'apparence que de réalité. Vers 1930, un professeur de droit qui avait siégé à la Chambre sur les bancs modérés, Joseph Barthélemy, expliquait à ses élèves qu'en France *un républicain de gauche était un homme du centre que le malheur des temps obligeait à siéger à droite.* C'était d'abord indiquer que l'épithète « de gauche » était revendiquée par des hommes dont les principes et le programme ne justifiaient pas vraiment cette revendication, puisqu'ils étaient en réalité « des hommes du centre ». Pourquoi donc voulaient-ils apparaître « de gauche »? Parce qu'à tort ou à raison, ils pensaient que cette apparence faciliterait soit leur élection, soit leur accès au pouvoir. C'était ensuite — l'allusion au « malheur des temps » le montrait —

constater que la progression constante des partis situés à l'extrême gauche de l'hémicycle parlementaire (radicaux-socialistes au tournant du siècle, socialistes unifiés à partir de 1906, communistes depuis 1924) tendait à rejeter sur le centre (au sens topographique du terme) les partis de gauche plus anciens, et donc à droite l'ancien centre...

Effectivement, lorsqu'en 1914 on décida au Palais-Bourbon de ne plus laisser les députés les plus anciens conserver dans l'hémicycle le siège qui leur avait été attribué lors de leur première élection, mais de classer les groupes, de l'extrême gauche à l'extrême droite (topographiques) en fonction de leur orientation politique, on put constater que toute la moitié gauche de l'hémicycle était occupée par des groupes dans les titres desquels ne figurait pas le terme de « gauche » : socialiste, républicain-socialiste, radical-socialiste — alors qu'au contraire les groupes de la gauche radicale, de la gauche démocratique et des républicains de gauche siégeaient dans la moitié droite de la salle des séances.

La primauté du terme gauche avait en somme pris un caractère qui lui avait ôté toute signification véritable. En dernière analyse, on aurait presque pu dire qu'il y avait en France deux catégories de partis : ceux qui, étant vraiment de gauche, n'avaient pas besoin de le dire pour être considérés comme tels par les électeurs ; et ceux qui, n'étant pas de gauche, prétendaient l'être, en arboraient l'étiquette, pour essayer de faire croire aux électeurs qu'ils l'étaient, ce qui, sans doute, ne trompait finalement personne.

Plus près de nous, n'est-il pas significatif que lorsque, aux débuts de la IVᵉ République, le Parti radical-socialiste s'est allié avec la droite, il l'ait fait au sein du Rassemblement des gauches républicaines, mais que, lorsqu'à partir de 1954 il s'est rapproché des socialistes, ce fut en utilisant de nouveau son étiquette propre? Cependant, la création plus récente, par suite d'une scission du Parti radical-socialiste, du Mouvement des radicaux de gauche (MRG) n'a pas eu tout à fait le même caractère, cette formation s'étant incorporée à l'Union de la gauche constituée par le Parti socialiste et par le Parti Communiste en 1972.

Ces remarques qui peuvent paraître humoristiques, ont cependant une signification qui n'est pas seulement pittoresque. Si les partis les plus divers et parfois les plus conservateurs au point de vue social voulaient paraître de gauche, c'était pour répondre à une tendance qu'ils sentaient exister chez certains électeurs, et qui consistait à *voter systématiquement pour le candidat le plus avancé* — donc le plus à gauche — parmi ceux qui sollicitaient leurs suffrages [1]. Cette tendance n'a certainement pas existé partout et toujours sous la IIIᵉ République : elle a été plutôt le fait du Midi que de l'Ouest ou du Nord. Mais, dans certaines régions, elle a vraiment dominé les comportements électoraux d'une importante partie des citoyens, non pas tellement qu'ils fussent partisans de réformes que parce qu'ils désiraient renforcer l'opposition pour faire contrepoids à *la tendance naturelle du pouvoir à pencher à droite.*

C'est cette dernière attitude que traduit assez bien le célèbre mot d'ordre (sans doute inventé, mais qui n'en est que plus significatif) prêté à un candidat radical dans le Midi : « Toujours à gauche, mais pas plus loin! » A gauche dans les principes, mais, autant que possible, pas dans les réalisations.

Finalement, le mouvement des électeurs vers la gauche a largement été compensé, sous la IIIᵉ République, par celui des partis ou des élus vers le centre, sinon vers la droite, et ces

---

1. Voir le chapitre 3.

deux mouvements inverses aboutissaient, derrière le paravent d'un vocabulaire politique de plus en plus avancé, *à un équilibre assez proche de l'immobilité* : c'est sans doute ce qui explique le contraste si souvent noté entre le caractère verbalement extrémiste de la politique française pendant la première partie de l'histoire de la IIIe République, et la minceur du bilan des réformes sociales réalisées pendant la même période : tout semble s'être passé à beaucoup d'égards, jusqu'à 1914, comme si la prédominance à peu près constante de l'idéologie de gauche avait été une sorte de rideau de fumée destiné à camoufler le conservatisme foncier de la société française.

Encore faut-il remarquer que cet état de choses n'a pas été sans porter atteinte à la notion même d'un État respecté et d'un gouvernement capable d'agir dans d'autres domaines que ceux de la politique étrangère et de l'expansion coloniale. L'axiome « pas d'ennemis à gauche » correspondait au manichéisme de la vie politique française, fondé sur l'excommunication de quiconque n'invoquait pas les principes de gauche, au moins verbalement, mais aussi, et de façon symétrique, sur la conviction d'une parenté fondamentale entre toutes les nuances de la gauche, de la plus modérée à la plus extrême. Sans doute, cet axiome, même avant 1914, n'avait-il valeur incontestée que sur le plan électoral, et tous les gouvernements, quelle que fût la composition de leur majorité, exerçaient-ils une certaine surveillance sur les éléments les plus exaltés de l'extrême gauche révolutionnaire, ne fût-ce qu'afin d'empêcher qu'en troublant l'ordre public, celle-ci ne servît finalement la droite parce qu'elle aurait procuré à celle-ci l'appui de tous ceux qu'aurait effrayés une mise en cause brutale de la structure sociale traditionnelle. Il n'en reste pas moins *qu'un véritable homme de gauche paraissait toujours avoir mauvaise conscience de se conformer à certains des devoirs élémentaires de quiconque a la responsabilité du Gouvernement.* C'est pourquoi on a pu dire, dans une boutade significative, que l'homme de gauche est celui qui est incapable d'imaginer qu'une fois au pouvoir il aura besoin d'un préfet de police. En 1930, André Siegfried pouvait encore constater que, « dans la vie publique, un républicain avancé [se croyait] tenu d'excuser, d'amnistier le désordre et l'indiscipline », d'où résultait, disait-il, que « beaucoup de Français, élevés à cette école, ne savent plus distinguer, dans l'exercice du pouvoir, ce qui est légitime de ce qui est malsain : un Gouvernement fort leur paraît réactionnaire ». Or, *seul un Gouvernement fort aurait pu concevoir et mener à bien les réformes inscrites au programme de la gauche* et que l'évolution des structures économiques et sociales rendait à tous égards de plus en plus nécessaires : telle est la contradiction fondamentale qui a fini, semble-t-il, par porter atteinte à cette primauté inconditionnelle de la gauche qui a longtemps été l'un des traits fondamentaux du comportement politique des Français.

Il semble d'autre part aujourd'hui que la connotation péjorative qui a si longtemps affecté le terme de droite soit en voie d'affaiblissement. Sans doute y a-t-il là un effet de la bipolarisation des forces politiques à laquelle, depuis 1974, ont si nettement contribué l'élection présidentielle au suffrage universel, et la règle selon laquelle deux candidats seulement peuvent rester en présence au second tour de scrutin. Certains préféreraient cependant que cette dichotomie s'exprimât sous la forme d'un affrontement entre la gauche et le centre. Il n'en reste pas moins que, dans le vocabulaire politique contemporain, *l'ostracisme qui frappait jadis le mot même de droite paraît être en voie d'atténuation.*

GOUVERNEMENT, PARLEMENT ET PARTIS

Le comportement politique traditionnel des Français possède nombre d'aspects collectifs, qui apparaissent dans l'activité des divers groupes qui participent à la vie politique. Traditionnellement les gouvernements, les assemblées parlementaires, les partis politiques possèdent ou ont longtemps possédé, en France, des traits particuliers qu'il nous faut maintenant analyser. Ces caractéristiques des groupes qui contribuent en France à l'exercice des fonctions politiques doivent beaucoup à la façon dont leurs membres — simples citoyens, membres de la « classe politique » et gouvernants — envisagent la politique. Encore faut-il examiner comment les comportements individuels ont pu se refléter au plan des comportements collectifs.

L'instabilité gouvernementale

La remarque fondamentale à faire en ce qui concerne le plus important des groupes politiques, celui qui se trouve statutairement à la tête de l'État, c'est-à-dire le Gouvernement, c'est qu'il a été traditionnellement affecté en France, des débuts de la IIIe République à la fin de la IVe, d'une extrême instabilité. En faisant abstraction des années 1940 à 1944 (c'est-à-dire du régime de Vichy, placé dans une situation à tous égards anormale), la France a eu, du début de 1876 au printemps de 1958, 119 gouvernements, dont la durée moyenne n'a pas atteint huit mois. Ce n'est que pendant dix années — de 1899 à 1909 — que cette instabilité a paru disparaître puisque, pendant ces dix ans, la France n'a connu que cinq gouvernements, dont trois (celui de Waldeck-Rousseau, celui de Combes et celui de Clemenceau) ont duré chacun plus de deux ans et demi. Si l'on fait abstraction de cette période, qui contraste à la fois avec celle qui l'a précédée et celle qui l'a suivie, la durée moyenne des gouvernements tombe à sept mois. De 1920 à 1940, elle recule encore, jusqu'à six mois; il en est de même pour la période 1945-1958; encore faudrait-il faire le compte du temps consacré, après la démission d'un cabinet, à la formation de son successeur : dans la dernière année de la IVe République, de mai 1957 à mai 1958, la durée cumulée de trois crises ministérielles a été à un jour près, d'un trimestre.

Le phénomène de l'instabilité ministérielle est *apparu dès les débuts de la IIIe République* (il y a eu huit gouvernements de 1876 à 1881); il s'est atténué au moment où ce régime avait atteint toute sa force, parce qu'il avait définitivement surmonté les offensives menées contre lui par la droite monarchiste et cléricale sur un terrain essentiellement idéologique; il a réapparu lorsque le régime s'est trouvé aux prises avec des problèmes d'ordre concret, qu'ils fussent sociaux, économiques ou internationaux; pendant un demi-siècle, *de 1909 à 1958,* et malgré le changement apparent des institutions opéré après la seconde guerre mondiale, *il n'a fait que s'aggraver.*

Cette instabilité chronique a eu des effets importants sur la manière dont les gouvernements remplissaient leur tâche. Pratiquement assurés de n'être à la direction des affaires que pour peu de temps, ils ont eu tendance à n'aborder les problèmes qu'à court terme, indépendamment de tout dessein à longue portée — quand ce n'était pas à reporter les difficultés, dans la certitude que ce ne serait plus à eux, mais à leurs successeurs, qu'il incomberait de les résoudre.

26

Le conservatisme de la politique française en matière économique et sociale, son habitude invétérée de n'envisager les questions les plus diverses que sous l'angle de la préservation du *statu quo* ou des « droits acquis », sont en rapports étroits avec cette incapacité organique de gouvernements éphémères à concevoir et à réaliser des projets à longue portée. Une part considérable de *l'activité* du chef et des membres d'un gouvernement de la IIIe ou de la IVe République était *consacrée, non pas à gouverner, mais à rester au pouvoir,* en repoussant ou en déjouant les attaques de leurs adversaires au Parlement. Il serait à peine exagéré de dire qu'aux yeux de beaucoup de ceux qui participaient à la vie politique ou qui l'observaient pour en rendre compte à l'opinion — députés, sénateurs, journalistes parlementaires et même des ministres eux-mêmes — *la tâche essentielle d'un homme d'État était moins de gouverner que d'expliquer et de défendre sa politique devant les Chambres.* Rien d'étonnant dans ces conditions à ce que l'administration ait joué en fait un rôle de plus en plus important dans la direction des affaires publiques, le ministre étant souvent moins un chef, imprimant une orientation donnée à l'activité de ses services, qu'une sorte d'intermédiaire ou d'ambassadeur de la bureaucratie devant le Parlement et l'opinion. Or, on sait la valeur du « précédent » dans toute administration, quelle que puisse être la capacité technique des hommes qui la composent. Les conditions de durée imposées à l'activité des gouvernants avaient en somme pour conséquence de donner à l'action de l'État un caractère de timidité et de conservatisme et de rendre particulièrement malaisée son adaptation à des problèmes nouveaux par leur nature, comme ceux qui n'ont cessé de se poser depuis 1914.

Le nombre même des ministères qui se succédaient au « pouvoir » (s'il n'est pas trop paradoxal d'employer ce terme pour désigner l'exercice d'une fonction gouvernementale enserrée dans des limites aussi étroites) rendait inévitable que beaucoup d'hommes politiques fussent membres de plusieurs gouvernements successifs. La pratique de ces « replâtrages » est apparue très tôt sous la IIIe République : le ministère Freycinet, formé en décembre 1879 après la démission de Waddington, comprenait six membres du précédent cabinet pour quatre ministres nouveaux. Elle a duré sans interruption jusqu'à la fin de la IVe République.

En un sens, *la stabilité des ministres* pouvait peut-être compenser l'instabilité des ministères[1]. Mais il arrivait que le membre d'un gouvernement démissionnaire réapparût dans le cabinet suivant à un département ministériel autre que celui qu'il avait précédemment dirigé. Et surtout, la pratique du « replâtrage » eut pour effet d'une part de diluer les responsabilités entre hommes et entre groupes au point qu'*une élection générale ne pût jamais constituer un jugement du suffrage universel sur la gestion des affaires par une équipe clairement définie,* d'autre part de conduire beaucoup de ministres à remplir leur rôle avec la préoccupation essentielle de se ménager le maximum de chances de participer au gouvernement qui succéderait à celui dont ils faisaient partie, c'est-à-dire en déplaisant le moins possible à une fraction au moins de l'opposition et, le cas échéant, en ne pratiquant que très imparfaitement la solidarité ministérielle. Les chefs de Gouvernement eux-mêmes semblent en plus d'une occasion avoir eu comme souci primordial, pendant la

---

1. Voir chapitre 8.

durée de leurs fonctions, d'agir de façon à rendre aussi aisé que possible leur retour ultérieur au pouvoir après la disparition, qu'ils devaient prévoir assez prochaine, du ministère qu'ils dirigeaient, et de choisir leur point de chute en conséquence.

Dans ce domaine *une sensible modification s'est produite sous la Ve République* : comme on l'a vu dans l'introduction, il n'y a eu, en vingt-cinq ans, que huit Premiers ministres, et un seul gouvernement a été renversé par l'Assemblée nationale. Les autres changements de Gouvernement ont été dus soit à une décision du président de la République, soit (en 1976) à la démission volontaire d'un Premier ministre, soit (en 1981) à une nouvelle orientation prise par le suffrage universel.

Le rôle nouveau dévolu au chef de l'État est de toute évidence à l'origine de ce profond changement par rapport à la IIIe et à la IVe République. Mais un nouveau comportement des électeurs y a aussi contribué. Depuis 1958, chacune des élections à l'Assemblée nationale a montré que le suffrage universel s'arrangeait désormais pour envoyer au Palais-Bourbon une majorité cohérente. Et les élections qui ont suivi une consultation faite dans le cadre national — qu'il se soit agi en 1958 et 1962 d'un référendum ou, en 1981, d'une élection présidentielle — ont prouvé que les Français tiennent aujourd'hui à éviter qu'une contradiction se produise entre les résultats de ces deux types d'élection, la consultation nationale jouant en quelque sorte un rôle de pilote pour les élections législatives, où s'abstiennent une partie notable de ceux qui appartenaient à la minorité dans le scrutin antérieur.

Le Parlement souverain

Toutes ces caractéristiques du comportement habituel des gouvernements de la IIIe et de la IVe République étaient naturellement en rapport direct avec celles du comportement des assemblées parlementaires, et principalement de celle qui était élue directement au suffrage universel, Chambre des députés sous la IIIe République, Assemblée nationale sous la IVe.

L'essentiel à cet égard est la conviction profondément ancrée dans l'esprit des députés que l'assemblée dont ils faisaient partie, émanation du peuple souverain, pouvait légitimement prétendre exercer elle-même, constamment et directement, la souveraineté. L'expression la plus exacte et la plus frappante de cet esprit a sans doute été donnée par Paul Reynaud, le 4 octobre 1962, lorsqu'après la décision du général de Gaulle de soumettre directement aux électeurs, par voie de référendum, un projet de révision tendant à faire élire le président de la République au suffrage universel, il s'est écrié, s'adressant au Premier ministre qui défendait, au nom du chef de l'État, ce recours au peuple souverain : « Pour nous, républicains, la France est ici et non ailleurs. »

Cet état d'esprit explique beaucoup des caractéristiques de la vie parlementaire française. Des expressions comme « la Chambre est toujours maîtresse de son ordre du jour » ou « *le Gouvernement est aux ordres de l'Assemblée* », pour avoir été ordinairement employées à l'occasion des circonstances particulières de la vie parlementaire, n'en étaient pas moins hautement révélatrices de la prétention des assemblées à la souveraineté. La susceptibilité protocolaire des députés (qu'André Siegfried a qualifié d'« invraisemblable »), leur indignation sincère lorsqu'un ministre invoquait les obligations autres que parlementaires de sa fonction pour excuser son absence à un débat ou le faire reporter, leur prétention à dicter des décisions particulières à l'administration, parfois à la justice, tout cela s'explique par la conscience qu'ils avaient, non pas seulement de représenter, mais d'incarner, mais d'être, tous ensemble, le souverain[1].

Cette souveraineté, le Parlement n'était, par malheur, guère capable de l'exercer de façon satisfaisante, parce qu'il est difficile à un groupe d'hommes nombreux d'agir avec continuité et avec cohérence, à moins qu'il n'accepte d'être dirigé par une équipe restreinte, ou qu'il ne soit organisé en sous-groupes homogènes et peu nombreux. Parce qu'elle se considérait comme souveraine, la Chambre des députés, sous la IIIe République, ou l'Assemblée nationale sous la IVe, n'acceptait que rarement que le Gouvernement fût l'organe directeur de ses travaux. Mais la multiplicité des partis et des groupes et le caractère très relâché de leur discipline, ne permettaient pas d'imprimer un minimum d'efficacité et de durée à l'action propre du Parlement. Il n'en va plus de même sous la Ve République, d'abord en raison des règles nouvelles insérées dans la constitution en matière de procédure parlementaire[2]. Mais l'essentiel tient à l'autorité que le Gouvernement tient de l'appui que lui donne le président de la République. Aussi, le Parlement s'est-il habitué à ne plus être souverain, et a-t-il lui-même consacré ce nouvel état de choses lorsqu'en 1974 l'Assemblée nationale et le Sénat ont adopté puis, réunis en congrès du Parlement, ratifié une révision constitutionnelle qui conférait à une minorité des membres de chaque assemblée la faculté de faire annuler, comme contraire à la constitution, une loi adoptée par la majorité — par une majorité qui n'a donc plus l'exercice de la souveraineté, puisqu'il existe une autorité supérieure à la sienne.

La faiblesse des partis

Il n'y a pas lieu de revenir sur la multiplicité des nuances politiques, évoquée plus haut et qui, en même temps qu'à l'individualisme du tempérament français, tient sans doute à l'existence dans notre pays de tempéraments politiques régionaux très divers et à la tendance de l'esprit français à attacher une importance considérable aux doctrines philosophiques en matière politique. C'est pourquoi la même attitude pratique à l'égard de problèmes concrets ne s'exprime traditionnellement pas chez nous par l'intermédiaire des mêmes partis selon les régions : la propension au conservatisme dans l'ordre économique et social a longtemps été représentée dans le Midi par un parti de tradition laïque alors que, dans l'Ouest, elle l'était par des groupements catholiques.

La multiplicité des partis s'est longtemps alimentée elle-même : la dialectique de formation, de dislocation et de reconstitution des majorités parlementaires, qui a constitué sous la IIIe et sous la IVe République l'essentiel de la vie politique, s'est en effet toujours nécessairement accompagnée de scissions de certaines des tendances politiques qu'elle affectait. Et les groupements nés de ces scissions ont bien souvent subsisté même lorsque leur raison d'être initiale avait disparu.

Les partis étant nombreux, aucun d'eux ne pouvait être très puissant ni très bien

---

1. Voir chapitre 7 et 8.
2. Voir chapitre 7.

organisé : il y avait là encore une raison pour que leur nombre n'eût jamais tendance à se réduire, car il était relativement aisé de se procurer les ressources en argent ou en hommes qui permettaient de maintenir en activité une organisation créée pour des raisons de circonstances.

C'est également la multiplicité des partis qui explique *la faiblesse du nombre de leurs adhérents*[1]. Le caractère presque ésotérique des différences de doctrine ou de programme entre groupements voisins avait en effet pour conséquence de limiter leur recrutement à une catégorie peu nombreuse de citoyens, ceux qui éprouvaient pour le jeu politique un intérêt personnel lié soit à l'ambition de participer eux-mêmes comme candidats à la vie politique, soit au désir d'exercer une influence directe sur les élus.

Ainsi s'explique sans doute le fait que la plupart des partis français n'aient longtemps pas cherché à recruter un grand nombre de militants ou d'adhérents, ni à leur donner une formation sérieuse. Il faut à cet égard faire *une exception pour l'extrême gauche* : les socialistes d'abord (tant dans les multiples groupements à base doctrinale, qui ont existé avant la réalisation de l'unité en 1905, que dans la SFIO, puis le PS depuis cette date), puis les communistes à partir de 1920, ont cherché à recruter et à imprégner de leur doctrine un nombre aussi élevé que possible d'adhérents. *Les démocrates chrétiens*, ceux du Parti démocrate populaire entre les deux guerres, ceux du Mouvement républicain populaire de 1945 à 1965, les ont, à bien des égards, imités.

Mais ni chez les radicaux, ni chez les modérés, il n'y avait eu de tentative sérieuse pour former des partis de masse. *Le Parti républicain radical et radical-socialiste* s'est constitué en 1901 par la fédération, sur le plan national, de comités locaux et départementaux créés dans les vingt années antérieures. Cette origine explique à la fois la large autonomie qu'il a toujours reconnue à ses fédérations départementales et l'aisance avec laquelle il s'est constamment accommodé, même au temps où il dominait la vie politique française, d'avoir relativement peu d'adhérents. Un comité radical ou radical-socialiste d'arrondissement, c'était au fond avant tout une réunion de notables, disposant tous d'une certaine influence personnelle dans leur commune ou leur canton, et qui mettaient en commun cette influence pour intervenir dans l'élection d'un député. Du fait même qu'il s'agissait de notables, un recrutement massif était exclu, car il aurait risqué de réduire le rôle de chacun d'eux. Mais par là même, tout effort pour discipliner et coordonner l'attitude des élus et des comités radicaux était rendu impossible, parce qu'il les aurait empêchés de s'adapter à la multiplicité des situations locales auxquelles ils avaient affaire.

Quant aux *modérés et aux conservateurs*, leurs organisations locales avaient un caractère à la fois fantomatique et squelettique. Alors que le Parti radical ne s'était constitué au centre — c'est-à-dire à Paris, place de Valois — qu'une fois créées ses formations locales, les tentatives faites pour fonder des organisations modérées ou conservatrices du même type — Alliance républicaine démocratique, Fédération républicaine, Action libérale populaire, Centre national des indépendants — sont toujours venues de Paris, sur l'initiative de personnalités du monde politique, du barreau ou des affaires, dont les contacts locaux étaient le plus souvent très rares. Aussi, jamais l'une de ces formations — dont il faut souligner qu'elles ont presque toujours évité de

---

1. Voir le chapitre 4.

prendre le nom de « parti » — n'est-elle parvenue à s'enraciner sérieusement dans la vie politique et électorale des provinces françaises.

A l'exception des socialistes, des communistes et des démocrates-chrétiens, dont le fait même qu'ils avaient tous créé leur organisation autour d'une orthodoxie doctrinale assez rigide limitait le recrutement, les partis français n'avaient donc jamais pu pénétrer sérieusement dans l'opinion, leur recrutement s'était toujours limité à cette catégorie peu nombreuse de citoyens qu'on peut qualifier de « classe politique », et qui est composée de personnes toutes désireuses, à des titres divers, de jouer personnellement un rôle politique. Leur *structure était rudimentaire et leur discipline pratiquement inexistante,* parce que leur but était d'agir sur les votes des électeurs beaucoup plus que de rendre cohérente et efficace l'action parlementaire et gouvernementale. Ainsi s'explique-t-on aisément que le Parlement, malgré l'existence de partis ou de pseudo-partis, qui auraient pu constituer un lien entre lui et l'opinion, se soit longtemps senti entièrement libre de mener à son gré ce qu'on est bien forcé d'appeler le « jeu politique ».

Jusqu'aux années précédant immédiatement la première guerre mondiale, la « classe politique », composée d'élus locaux, de journalistes, de candidats en puissance et de parlementaires en place, qui formait l'armature des partis de cette époque, était d'ailleurs en droit de considérer qu'elle représentait assez exactement l'ensemble de l'opinion.

On l'a vu, depuis 1914, *la politique est devenue,* au sens le plus littéral du terme, à bien des époques de crise internationale ou de dépression économique, la « *condition de la vie des citoyens* ». Il aurait alors fallu à ceux-ci, pour pouvoir exprimer leurs points de vue et leurs besoins de façon efficace, agir par l'intermédiaire d'un système de partis tout à fait différent de celui qui s'était constitué en France entre 1875 et 1914, de façon à pouvoir transformer l'état d'esprit du Parlement et à rendre possible une action gouvernementale efficace.

A cet égard encore, la situation, un quart de siècle après la naissance de la Ve République, diffère sensiblement de ce qu'elle était auparavant. Sans doute existe-t-il en France un plus grand nombre de partis qu'en Grande-Bretagne ou en Allemagne fédérale. Mais *il n'y a plus que quatre groupes à l'Assemblée nationale,* chacun d'eux correspondant à une des grandes formations autour desquelles s'ordonne aujourd'hui la politique en France : du côté de l'opposition, le Rassemblement pour la République (RPR), issu du gaullisme, et l'Union pour la démocratie française (UDF), issue du giscardisme; du côté de la majorité, le Parti socialiste (PS), flanqué de ses satellites du MRG, et le Parti communiste (PCF). L'UDF n'est cependant qu'une fédération qui unit le Parti républicain (PR), héritier de la tradition modérée, le Centre des démocrates sociaux (CDS), héritier de la démocratie chrétienne, et ce qui subsiste du vieux Parti radical-socialiste. A côté des quatre forces dominantes, subsistent de petits groupes : Parti des forces nouvelles (PFN) et Front national (FN), à l'extrême droite; Centre national des indépendants (CNI) à droite; Parti socialiste unifié (PSU), Ligue communiste révolutionnaire et Parti communiste marxiste-léniniste (tous deux d'inspiration trotskiste) à l'extrême gauche.

La liste paraît longue : il n'en reste pas moins que la constellation des forces politiques sérieusement organisées s'est considérablement simplifiée par rapport aux traditions de la IIIe et de la IVe République.

LECTURES COMPLÉMENTAIRES

Le mieux est sans doute de se reporter aux livres importants de l'entre-deux-guerres, notamment à :

- ○ ALAIN, *Éléments d'une doctrine radicale,* Gallimard, 1925, 317 p.
- ○ FOURNIOL Étienne, *Manuel de politique française,* Éd. des Portiques, 1933, 254 p.
- ○ HALÉVY Daniel, *Visites aux paysans du Centre,* Grasset, 1935, 352 p.
- ○ JOUVENEL Robert de, *La République des camarades,* Grasset, rééd. 1934.
- ○ SIEGFRIED André, *Tableau des partis en France,* Grasset, 1930, 247 p.
- ○ THIBAUDET Albert, *La République des professeurs,* Grasset, 1927, 267 p.
- ○ THIBAUDET Albert, *Les Idées politiques de la France,* Stock, 1932, 265 p.

On pourra y ajouter, en dehors des livres mentionnés dans les lectures du chap. 7 et surtout dans l'Orientation bibliographique finale :

- ○ HOFFMANN Stanley, *Sur la France,* Éd. du Seuil, 1976, 311 p.
- ○ LUETHY Herbert, *À l'heure de son clocher,* Calmann-Lévy, 1955, 342 p.
- ○ WYLIE Laurence, *Un Village du Vaucluse,* Gallimard, 1979, 432 p.
- ○ MORAZÉ Charles, *Les Français et la République,* Colin, 1956, 256 p.

et aussi la satire de :

- ○ GATERAT Pierre, *Vademecum du petit homme d'État,* Éd. du Seuil, 1952, 202 p.

Sur les problèmes posés par le développement du rôle de l'État, on tirera grand profit de la lecture de :

- ○ CANNAC Yves, *Le Juste Pouvoir. Essai sur les deux chemins de la démocratie,* Éd. Lattès, 1983, 255 p.
- ○ MINC Alain, *L'Après-Crise est commencée,* Gallimard, 1982, 245 p.

Chapitre 2

LA VIE POLITIQUE LOCALE

Ce n'est pas seulement dans le cadre de la nation que se posent les problèmes politiques, que se sont agencées les institutions destinées à traiter ces problèmes, que se manifestent les forces qui agissent dans ces institutions : la gestion des affaires publiques s'opère nécessairement, pour nombre d'entre elles, à un niveau plus modeste que celui de l'État, celui de la cité, grande ou petite, celui du « pays », de la province ou de la région. En France, l'existence des communes et des départements est inscrite dans la constitution. Celle-ci dispose que toute autre collectivité territoriale ne peut être créée que par la loi. Communes et départements sont donc les cellules de base de la structure politique et administrative que couronnent les institutions de l'État, en même temps que les cadres dans lesquels votent les citoyens et s'organisent les partis politiques.

On affirme souvent que *les collectivités territoriales constituent un lieu privilégié pour l'éducation des citoyens*, parce qu'elles sont plus proches que l'État de la vie quotidienne de ceux-ci, qui peuvent y prendre directement conscience de la nécessité d'une organisation de la vie collective et de l'utilité qu'il y a pour eux à y participer. N'est-ce pas pour cette raison que la reconstruction d'un système d'institutions s'est si souvent opérée en commençant par la base? En France, après la Libération de 1944, le Gouvernement a convoqué les électeurs dès avril 1945 pour la désignation des conseils municipaux, puis en septembre pour celle des conseils généraux des départements, en octobre enfin pour l'élection de l'Assemblée nationale. De même dans l'Allemagne de l'Ouest, après 1945, les institutions locales ont été reconstituées, sur l'initiative des puissances occupantes, bien avant la naissance de la République fédérale. Il y a du vrai dans cette conception : en bien des pays, à bien des époques, c'est à l'échelon municipal que la participation des citoyens — ou de certains d'entre eux — à la gestion des affaires publiques est apparue le plus tôt et a le mieux fonctionné; il est historiquement exact que l'éducation des citoyens a souvent commencé à se faire dans le cadre de communautés proches de leur vie quotidienne.

Mais il ne s'ensuit pas, comme on a parfois tendance à le prétendre, que les droits des collectivités territoriales soient supérieurs, parce qu'antérieurs, à ceux de l'État. Responsable de la vie commune de la nation tout entière, celui-ci doit pouvoir définir les compétences de ces collectivités, préciser leurs responsabilités et, le cas échéant, réformer leur cadre.

C'est ce qu'exprime la constitution, en disposant qu'elles s'administrent librement par des conseils élus, mais « dans les conditions prévues par la loi ».

LE POIDS DU PASSÉ

En France, le problème de l'organisation des collectivités territoriales se pose en termes qui sont largement déterminés par le passé, qu'il s'agisse de la délimitation de ces collectivités, de la latitude d'action reconnue à ceux qui ont la charge de les administrer, ou de leurs finances.

La délimitation territoriale

Elle remonte pour l'essentiel à la fin du XVIIIᵉ siècle.

La plupart des *communes* rurales correspondent à des paroisses de l'Ancien Régime, et nombre de villes qui se sont développées depuis lors ont la même origine. C'est par la diversité de l'organisation ecclésiastique d'un diocèse à l'autre, que s'expliquent les différences considérables existant aujourd'hui entre départements quant au nombre des communes, à leur superficie et à leur population. Pour n'en citer que deux exemples, pris l'un et l'autre dans les régions d'habitat dispersé de la France de l'Ouest, les 519 716 habitants du Calvados sont répartis en 704 communes, d'une population moyenne de 738 personnes, alors que les 540 474 habitants du Morbihan le sont en 261 communes, d'une population moyenne de 2 070 personnes. Sous la Révolution, on avait institué beaucoup plus de communes qu'il n'en existe aujourd'hui. On constata vite que nombre d'entre elles étaient bien trop petites pour être viables. Après l'expérience éphémère des municipalités cantonales du Directoire, le Consulat, l'Empire et la Restauration opérèrent de multiples regroupements. Sauf exceptions en nombre négligeable, la carte actuelle des communes a donc plus d'un siècle et demi d'âge. C'est dire qu'elle correspond à une époque où la grande majorité des Français vivaient dans des communes rurales, aujourd'hui largement minoritaires.

Quant aux *départements,* à quelques exceptions près (Vaucluse, Loire, Tarn-et-Garonne, Savoie, Haute-Savoie, Alpes-Maritimes, Meurthe-et-Moselle, Belfort, ainsi que les sept départements (dont Paris) créés en 1964 sur les anciens territoires de la Seine et la Seine-et-Oise), ils ont été délimités en 1790 par l'Assemblée constituante. Contrairement à une idée reçue, celle-ci n'a pas agi dans l'abstrait, mais en s'inspirant de considérations très concrètes, reposant sur des analyses du type de celles de la géographie humaine. « Combien de départements, a pu écrire Jean Brunhes, combien d'arrondissements de chez nous, représentent de séculaires connexions entre le sol et l'activité humaine! » Certes beaucoup de ces connexions séculaires ont aujourd'hui perdu de leur importance. Mais près de deux siècles de vie dans le même cadre administratif ont donné naissance entre les habitants à des souvenirs et à des comportements générateurs de véritables « tempéraments » départementaux : la réalité humaine de la plupart de ces circonscriptions administratives est aujourd'hui indiscutable. N'en est-ce pas un signe, modeste mais révélateur, que le cadre départemental soit à peu près toujours celui qu'adoptent, dans les grandes villes, les « associations d'originaires » au sein desquelles se réunissent ceux qui sont désireux d'entretenir le souvenir du pays natal?

L'organisation administrative

Jusqu'à une date très récente (1982), les règles de l'organisation administrative des communes et des départements étaient, pour l'essentiel, celles qui avaient été définies par deux lois intervenues en 1871 pour les départements, en 1884 pour les communes. Confiée à des conseils élus, cette administration n'en était pas moins soumise à une « tutelle », qu'exerçait l'administration préfectorale. Les délibérations d'un conseil général, les arrêtés d'un maire et les délibérations du conseil municipal d'une commune ne devenaient exécutoires qu'après un contrôle qui ne portait pas seulement sur leur légalité, mais aussi, dans une large mesure, sur leur opportunité. Certaines dépenses, dites obligatoires, pouvaient être inscrites d'office par le préfet au budget d'une commune ou d'un département dont le conseil avait refusé de les voter. Certains crédits adoptés illégalement par un conseil pouvaient être annulés par le préfet.

Depuis 1884 (sauf à Paris et, pendant quelques années, à Marseille), le pouvoir exécutif était confié dans *la commune* à *un maire élu* par le conseil, qui procédait à l'instruction des affaires soumises à celui-ci, puis assurait l'exécution de ses délibérations une fois que celles-ci avaient été approuvées. Mais il n'en était pas de même pour *le département* : c'était au *préfet* qu'incombait l'instruction préalable des délibérations du conseil général, puis leur exécution. Le président du conseil général avait pour rôle essentiel d'en diriger les discussions.

Les finances

Avant 1918, un lien étroit a existé entre les impôts directs, perçus par l'État et ceux qui alimentaient les budgets des collectivités territoriales. Ces impôts étaient les « quatre vieilles » contributions directes (en fait au nombre de cinq), assises sur des bases forfaitaires : patente, contribution personnelle mobilière, contribution foncière (divisée en « foncier bâti » et « foncier non bâti ») et contribution sur les portes et fenêtres. Communes et départements percevaient des « centimes additionnels » qui s'ajoutaient au « principal » perçu pour chaque contribution par l'État, et dont leurs conseils fixaient le nombre.

Mais, *en 1917,* a été institué, pour remplacer ces contributions directes comme recettes de l'État, un système d'impôts sur le revenu, fondé sur une déclaration contrôlée des redevables, et *la fiscalité des collectivités territoriales a alors été dissociée de celle de l'État :* on a continué à calculer ce que les anciennes contributions (sauf celle sur les portes et fenêtres) auraient rapporté à celui-ci si elles avaient été maintenues, et c'est sur ces « principaux fictifs » qu'ont été appliqués les centimes additionnels perçus par les départements et les communes. L'inconvénient de ce système fiscal avait été de ne comporter aucune élasticité des recettes, sauf augmentation du nombre de centimes. Mais, jusqu'à la première guerre mondiale, il s'agissait d'un inconvénient mineur, parce que le montant des budgets départementaux et communaux était lui-même très stable, en un temps où l'inflation monétaire n'existait pas et où la plupart des collectivités territoriales se bornaient à faire fonctionner des services peu développés et à entretenir leurs immeubles et leur voirie.

Après la première guerre mondiale, les inconvénients du système de fiscalité directe appliqué pour alimenter les budgets des départements et des communes sont devenus très graves. D'une part, en raison de l'inflation monétaire, par laquelle a été rendue indispensable la multiplication dans d'énormes proportions du nombre de centimes, ce qui a rendu le système d'autant plus critiquable que, les bases forfaitaires servant à l'assiette des « principaux collectifs » n'étant pas sérieusement remises à jour, quant à l'évaluation de la valeur locative et du revenu cadastral des logements et des biens fonciers, l'impôt auquel étaient assujettis les contribuables n'avait plus guère de rapport avec leurs facultés contributives réelles.

D'autre part, en raison de ce qu'à partir de cette époque les municipalités ont été contraintes d'intervenir dans des domaines nouveaux, comme l'électrification, les adductions d'eau, le traitement des ordures ménagères, cependant que les départements ressentaient la même obligation, notamment à l'égard de l'établissement de réseaux de transport automobile (souvent déficitaires) et de la construction d'hôpitaux.

On tenta d'améliorer la situation financière des collectivités territoriales en les autorisant à percevoir diverses taxes d'importance secondaire. Mais ce fut seulement en 1941 que l'institution d'une taxe locale sur les transactions apporta au système de la fiscalité locale une amélioration vraiment sensible, puisque le produit de cette taxe devait en venir à représenter près du tiers du total des ressources des collectivités territoriales. Cette taxe avait cependant l'inconvénient de rendre nécessaire un système fort complexe de péréquation, de façon à atténuer, par l'octroi d'un minimum garanti, le désavantage dont souffraient les communes rurales et ce qu'on appelle les « communes dortoirs ».

36

1955-1981 : des réformes ponctuelles

C'est essentiellement en raison de l'élargissement du domaine d'action des pouvoirs publics qu'ont été ressentis les inconvénients d'un système trop centralisé, selon lequel l'État intervenait lui-même à propos de problèmes dont les données véritables auraient été mieux connues par des services et des autorités existant là où ils se posaient qu'elles ne pouvaient l'être par les administrations centrales des ministères. Il apparut également que la manière dont s'exerçait la tutuelle de l'État sur l'administration des collectivités territoriales, au moins lorsque celles-ci souhaitaient procéder à des investissements, en partie financés par des subventions spécifiques de l'État, était souvent une cause de lenteurs et de complications. D'où la tendance à souhaiter que fussent prises des mesures de déconcentration, tendant à rapprocher les lieux où se prenaient les décisions de ceux où celles-ci devraient être appliquées, ou de décentralisation, tendant à reconnaître aux autorités élues sur place des compétences jusque-là exercées par les représentants de l'État.

Les changements apportés à l'organisation municipale

Si les inconvénients présentés par l'existence de milliers de communes ayant trop peu d'habitants et disposant de trop peu de ressources pour être en mesure de s'administrer correctement[1] en sont venus à paraître insupportables, c'est parce que, après la deuxième guerre mondiale, *la conception de ce que doivent être les services publics locaux n'a cessé de s'élargir,* et qu'on en est venu à penser que tous les citoyens d'une même nation devraient bénéficier de services identiques. Il y a certainement eu là un effet du développement des moyens de communication de masse, par lesquels les conditions de l'existence dans les villes ont été portées à la connaissance des ruraux. Pour n'en donner qu'un exemple, il paraissait normal à tous, il y a un demi-siècle, que les enfants vivant dans les campagnes d'habitat dispersé fussent tenus d'accomplir chaque jour à pied de longs trajets pour se rendre à l'école. On ne l'admet plus aujourd'hui, et les communes doivent donc organiser des services automobiles de « ramassage scolaire ». Le perfectionnement du système hospitalier, la création de stades, de piscines, de bibliothèques sont également entrés aujourd'hui dans ce qu'on tient pour le domaine normal de l'action des municipalités.

L'État s'est d'abord efforcé d'*encourager les plus petites communes à fusionner entre elles,* mais sans grand succès : il est naturel que tout être tende à persévérer dans son être, et la petite commune qui a été créée il y a deux siècles dans le cadre d'une paroisse très ancienne constitue indiscutablement un être collectif, même si l'on doit se méfier de certains propos littéraires sur « l'âme » des communes. C'est d'autant plus le cas que l'existence d'une commune distincte comporte pour son maire et ses conseillers municipaux quelques satisfactions d'amour-propre, et qu'il existe souvent entre communes voisines des antagonismes très anciens dont l'origine peut être oubliée sans que cela les affaiblisse. Le fait que les collèges électoraux du Conseil de la République, puis du

---

1. Les trois cinquièmes des 37 000 communes françaises ont moins de 500 habitants ; celles qui en ont entre 500 et 1 000 en représentent à peu de chose près un autre cinquième.

Sénat, fussent composés pour l'essentiel de délégués des conseils municipaux n'incitait guère d'autre part la seconde chambre du Parlement à envisager favorablement une réduction drastique du nombre des communes. Aussi les fusions pures et simples de communes sont-elles demeurées très rares.

Une loi de 1971 a donc assoupli les conditions de telles fusions, en instituant une formule de *fusion-association,* selon laquelle des transitions sont ménagées. Initialement, le conseil municipal de la commune nouvelle peut comprendre tous les membres des conseils antérieurement en fonctions. Les communes qui ont décidé de s'associer conservent chacune leur nom, et disposent, même après la période transitoire, d'un maire-délégué et d'une commission consultative élue, à laquelle le conseil municipal peut déléguer certaines compétences. Les fusions-associations ont été dès lors plus nombreuses que les fusions pures et simples, mais sans atteindre cependant un chiffre annuel vraiment important.

C'est d'une autre manière qu'on a pu corriger certains des inconvénients provenant de la trop petite dimension de la grande majorité des communes françaises.

Celles-ci avaient depuis longtemps la faculté de constituer entre elles *des syndicats* ayant pour objet une coopération pour l'exécution de certains services publics. De tels syndicats jouèrent entre les deux guerres un rôle important dans l'électrification des campagnes, et dans les adductions d'eau. Conformément à une ancienne suggestion de Léon Blum, on mit en œuvre dans ce cadre juridique *des syndicats à vocation multiple,* habilités à gérer pour le compte des communes qui y adhèrent plusieurs services différents. A la limite, ce système pourrait conduire une commune à ne plus avoir à s'occuper seule que de la tenue des registres d'état civil. Cette formule a connu un grand développement, plus de la moitié des communes françaises participant désormais à de tels syndicats.

Une formule d'intégration plus complète, mais sans fusion des communes intéressées, est celle *des districts,* organisée par une ordonnance de janvier 1959. Lorsque la demande en est faite par les deux tiers des conseils municipaux d'un ensemble de communes contiguës, représentant plus de la moitié de la population de cet ensemble, ou par la moitié des conseils, représentant plus des deux tiers de la population, l'entrée dans le district est obligatoire pour toutes les communes de cet ensemble, qui doivent lui confier la gestion des services en vue desquels il a été institué. Le district est administré par un conseil composé de délégués des conseils municipaux des communes qui en font partie. Si cette formule n'a pas connu tout le succès escompté par ceux qui l'avaient imaginée, c'est parfois en raison de différences d'orientation politique entre banlieues et villes-centres; mais c'est aussi souvent parce que les communes les moins peuplées ressentent péniblement le rôle dominant des autres, et parce qu'inversement les élus des villes qui fournissent au district la majeure partie de ses ressources considèrent qu'ils n'ont pas un poids suffisant dans sa gestion.

Une loi de décembre 1966 a institué la catégorie *des communautés urbaines,* qui a été appliquée obligatoirement le 1ᵉʳ janvier 1968 aux agglomérations de Bordeaux, Lille et Strasbourg, puis, un an plus tard, à celle de Lyon. Des communautés urbaines se sont ensuite constituées volontairement à Dunkerque en 1969, au Creusot-Montceau-les-Mines et à Cherbourg en 1970, au Mans en 1971 et à Brest en 1973; mais aucune autre n'a été créée depuis lors. L'intégration des services municipaux et des finances est beaucoup plus poussée dans une communauté urbaine que dans un district. Les compétences essentielles des communes y sont en effet confiées à un conseil de communauté composé de délégués des conseils municipaux.

Syndicats intercommunaux, districts et communautés urbaines ne sont pas des collectivités territoriales, mais de simples établissements publics. Leur création est donc sans incidence sur la composition des collèges électoraux du Sénat.

Il faut souligner que toutes ces formules ont en commun d'être des réformes de superposition et non des réformes de substitution. Elles laissent subsister, au moins en apparence, l'institution qu'il y a lieu de réformer, mais elles lui en superposent une autre, qui, en fait, la vide en grande partie de sa substance. Ainsi sont ménagés les amours-propres et les particularismes locaux. Mais cet avantage psychologique est obtenu au prix de la complication du système.

Départements et régions

Aucun changement (en dehors de la substitution déjà mentionnée de sept départements à ceux de la Seine et de la Seine-et-Oise) n'a été apporté à la structure des départements. Il avait été proposé par Michel Debré, en 1947, de substituer quarante-sept grands départements à ceux hérités de l'histoire. Ayant accédé au pouvoir en 1959, l'auteur de cette proposition ne put la reprendre : cette impossibilité tenait de toute évidence, non seulement à l'enracinement profond des départements dans la réalité de la vie française, mais aussi au fait que toute la vie politique de la nation se trouvant structurée depuis longtemps dans le cadre départemental, la rupture de ce cadre aurait mis en cause, à tous les échelons, un nombre très élevé de situations acquises.

Cependant, le développement par l'État de la politique d'aménagement du territoire, destinée à rééquilibrer l'ensemble du pays au point de vue économique et démographique, devait faire prendre conscience, au cours des années cinquante, du fait que les départements, en raison de leur nombre trop élevé et de leur dimension trop réduite, ne pouvaient pas constituer des relais efficaces pour l'élaboration et la mise en œuvre des actions d'aménagement. Élaboration et mise en œuvre qui concernent en effet à la fois l'État, responsable de la planification économique d'ensemble, les diverses branches industrielles (qu'elles soient ou non nationalisées) et des instances locales. Elles postulent non seulement des études techniques, mais aussi des choix entre plusieurs solutions, choix qui ont des répercussions sur les intérêts des diverses villes et zones territoriales et ne peuvent être faits sans la consultation d'autorités locales.

Si celles des départements ne sont pas à même de constituer à cet égard un rôle de relais de l'action de l'État, c'est parce que les départements ne sont pas assez vastes et que leur économie n'est souvent pas assez diversifiée pour qu'ils puissent servir de cadres à des programmes d'équipement et d'investissement destinés à promouvoir un système économique à la fois équilibré et complexe.

Il a donc fallu concevoir et mettre en place un système selon lequel, au-dessus des départements, des instances plus étendues recevraient une mission de participation à l'élaboration, puis à la mise en œuvre de programmes cohérents d'aménagement régional. L'évolution en ce domaine a été lente et difficile. En 1955, une loi a posé le principe de l'établissement de programmes d'action régionale. Puis *les régions de programme* ont été créées en 1956. Mais leur organisation n'a pris forme véritable qu'avec des décrets de 1964 : elle comportait alors, sous l'autorité d'un « préfet de région », une « conférence administrative régionale », composée des préfets des départements intéressés et de certains fonctionnaires. A côté d'eux, on avait amorcé un système de représentation des populations dans le cadre régional : chaque région (sauf celle de Paris où le système du district de la région parisienne était différent) avait été dotée *d'une commission de développement économique régional (CODER)* ayant, selon le nombre des départements de la région de programme, de vingt à cinquante membres. Un quart de ceux-ci étaient désignés par les conseils généraux, soit parmi leurs membres, soit parmi les maires du département, le maire du chef-lieu de la région appartenant de droit à la commission. Une moitié représentait les chambres de commerce et d'industrie, les chambres d'agriculture, les chambres de métiers et les syndicats d'employeurs et de salariés ; le surplus était désigné par le Premier ministre parmi les « personnalités compétentes ».

Le rôle des CODER était purement consultatif : elles n'avaient qu'à formuler des avis sur les tranches régionales du plan national, c'est-à-dire sur l'utilisation des crédits de l'État et non pas sur ceux des départements. Mais, en fait, les investissements du département doivent être coordonnés avec ceux de l'État. Aussi les conseils généraux s'estimaient-ils insuffisamment représentés dans les CODER.

En 1969, par un texte soumis le 27 avril à un référendum, le général de Gaulle proposa de constituer des régions qui auraient eu la qualité de collectivités territoriales. L'État leur aurait transféré sa compétence pour la réalisation de nombreuses opérations concernant l'activité économique, culturelle et sociale, en même temps que les ressources qu'il consacrait lui-même à ces opérations. Mais ce texte prévoyait, quant à la composition des conseils régionaux, la présence de membres désignés par les syndicats professionnels et les organismes représentant les intérêts et les activités économiques, sociales et culturelles de la région, à côté des membres élus au suffrage universel. Il y eut peut-être là (en plus du fait que le référendum portait également sur une réforme analogue du Sénat) une des causes du résultat négatif du scrutin.

Le problème de la création des régions fut repris un peu plus tard sous une forme moins ambitieuse. Une loi du 5 juillet 1972, entrée en vigueur le 19 octobre 1973, institua en effet les régions sous forme de simples établissements publics, et non de collectivités territoriales. *Le conseil régional* fut composé pour moitié des parlementaires élus dans les départements de la région[1] et, pour le surplus, de représentants des collectivités territoriales (maires et conseillers généraux) désignés par les conseils généraux, enfin de représentants des chefs-lieux des départements et des communes de plus de 30 000 habitants ainsi que, le cas échéant, des communautés urbaines. A côté de ce conseil régional, entièrement composé d'élus (mais dont certains sont désignés par d'autres élus, et dont les autres y siègent au titre d'un mandat qu'ils détiennent par ailleurs), était constitué un organisme consultatif, le comité économique et social, représentant les intérêts socio-économiques, et composé, pour partie de membres désignés par les

---

1. Pour la région d'Île-de-France, députés et sénateurs désignent respectivement, à la proportionnelle, ceux d'entre eux qui siégeront au conseil régional.

NORD
PAS-DE-CALAIS
NORD
SOMME
HAUTE- PICARDIE AISNE ARDENNES
SEINE-MARITIME
NORMANDIE
OISE
MANCHE CALVADOS EURE MARNE MEUSE MOSELLE
BASSE- ILE-DE- LORRAINE BAS-RHIN
NORMANDIE ORNE FRANCE CHAMPAGNE MEURTHE- ET-MOSELLE
FINISTÈRE COTES-DU-NORD EURE-ET-LOIR AUBE VOSGES ALSACE
BRETAGNE ILLE-ET-VILAINE HAUT-
MORBIHAN MAYENNE SARTHE LOIRET YONNE HAUTE- HAUTE- RHIN
LOIRE PAYS MAINE-ET- LOIR-ET- MARNE SAONE
ATLANTIQUE DE LA LOIRE CHER CENTRE COTE-D OR FRANCHE de Belfort
LOIRE INDRE-ET- BOURGOGNE DOUBS
LOIRE CHER NIÈVRE COMTÉ
VENDÉE DEUX- INDRE SAONE-ET-LOIRE JURA
SÈVRES VIENNE
POITOU-
CHARENTES ALLIER AIN HAUTE-SAVOIE
CHARENTE CREUSE PUY-DE-DOME RHONE
MARITIME HAUTE LOIRE RHONE-
CHARENTE VIENNE SAVOIE
LIMOUSIN ISÈRE
CORREZE AUVERGNE ALPES
DORDOGNE CANTAL HAUTE-LOIRE
GIRONDE LOT ARDÈCHE DROME HAUTES
AQUITAINE LOT-ET- AVEYRON LOZÈRE ALPES
GARONNE MIDI- PROVENCE
LANDES TARN-ET- GARD VAUCLUSE BASSES-ALPES ALPES
GAR COTE D'AZUR MARITIMES
GERS PYRÉNÉES TARN BOUCHES VAR
BASSES- HAUTE HÉRAULT DU-RHONE
PYRENEES GARONNE LANGUEDOC-
HAUTES- ROUSSILLON
PYRÉNÉES ARIÈGE AUDE
PYRÉNÉES-
ORIENTALES

CORSE

RÉGIONS

La nouvelle région de la Corse comprend deux départements : la Corse du Sud et la Haute-Corse.

organisations professionnelles, et pour partie de personnalités nommées en raison de leur compétence.

Prises après avis de ce comité, les délibérations du conseil régional étaient exécutées par le préfet de région. Celui-ci utilisait, d'autre part, les services de l'État existant dans la région, et non pas des services proprement régionaux, pour l'instruction des affaires soumises pour avis au comité économique et social et délibérées ensuite par le conseil régional. De même, c'était à lui qu'il incombait de préparer le projet de budget régional puis, après son adoption par le conseil, d'en assurer l'exécution.

Les ressources fiscales de ce budget sont limitées : en 1984, elles ne peuvent dépasser 165 francs par habitant dénombré dans la région au dernier recensement. Elles consistaient initialement, d'une part dans la taxe sur les permis de conduire, d'autre part dans des taxes additionnelles établies par le conseil régional sur certains impôts de l'État et certains impôts locaux : taxe sur les « cartes grises » de mise en circulation de véhicules automobiles, taxe de publicité foncière, droits d'enregistrement sur les mutations immobilières, taxe d'habitation, taxes foncières et taxe professionnelle.

A l'aide de ses ressources propres, la région pouvait participer au financement d'équipements collectifs d'intérêt régional réalisés par des collectivités territoriales (départements et communes), mais sans avoir le droit d'en réaliser elle-même de sa propre initiative. Elle pouvait néanmoins, par conventions conclues avec les collectivités intéressées ou avec l'État, entreprendre elle-même la réalisation d'équipements collectifs, pour le compte de collectivités territoriales, d'autres établissements publics ou de l'État, les cocontractants devant en ce cas comme dans le précédent, assurer une part (en fait prépondérante) du financement de ces équipements.

Enfin, la région pouvait, de sa propre initiative, effectuer et financer elle-même des études sur le développement régional, en vue de coordonner et de rationaliser les investissements des collectivités publiques. Mais elle ne pouvait pas conférer en ce domaine un caractère obligatoire à ses recommandations, *le législateur de 1972 ayant tenu à ne porter aucune atteinte à l'autonomie des collectivités territoriales dont l'existence a valeur constitutionnelle, qu'elles fussent communales ou départementales.*

Les finances

La réforme de l'ancienne fiscalité locale a été amorcée en 1959, date à laquelle une ordonnance a prescrit que fût entreprise une nouvelle évaluation de la valeur locative de tous les biens immobiliers. Il s'agissait d'un travail considérable dont l'achèvement a permis, à partir de 1974, d'asseoir *une taxe d'habitation* (analogue à l'ancienne contribution personnelle mobilière) et les *deux taxes foncières* (sur les immeubles bâtis et non bâtis) sur des valeurs évaluées au 1er janvier 1970. Ces valeurs, pour tenir compte de l'érosion monétaire, ont fait depuis lors l'objet de plusieurs majorations forfaitaires. Sous réserve des abattements que la loi prévoit en matière de taxe d'habitation, selon le nombre des personnes à la charge du contribuable, l'impôt à payer résulte de l'application à la valeur locative d'un taux fixé, dans certaines limites, par le conseil régional, le conseil général et le conseil municipal, ainsi que, le cas échéant, par le syndicat inter communal, le district ou le conseil de la communauté urbaine. En 1980, une loi a élargi la liberté des collectivités territoriales et de leurs établissements publics pour la fixation de ce taux.

Quant aux *patentes,* c'est une loi de 1975 qui leur a substitué *une taxe professionnelle.* Celle-ci est due par toute personne physique ou morale exerçant une activité professionnelle non salariée — sauf les exploitants agricoles — : ce sont essentiellement les membres des professions libérales et les entreprises (commerciales, artisanales, industrielles et de services) qui en sont redevables.

La taxe professionnelle est assise, pour une part, sur la valeur locative des immobilisations corporelles (immeubles et outillage) utilisées pour les besoins de l'activité professionnelle des redevables, et, pour une autre part, ou bien sur les recettes des titulaires de revenus non commerciaux employant moins de cinq salariés, ou bien, pour les autres redevables, sur le montant total des salaires qu'ils ont versés à leur personnel. Les taux sont fixés dans les mêmes conditions et par les mêmes autorités qu'en matière de taxe d'habitation et de taxes foncières.

Un régime transitoire avait été prévu dès l'origine, afin de ne pas modifier trop rapidement la charge correspondant au paiement de la taxe professionnelle par rapport à celle de la patente. Il a fallu prolonger et étendre ces mesures transitoires, car les prévisions faites sur l'importance de ces modifications étaient fort inexactes.

L'existence de ce système transitoire serait très défavorable pour les entreprises nouvelles, ce qui serait économiquement très fâcheux, si les autorités des collectivités territoriales n'avaient la faculté, pour ne pas décourager leur création, de les dispenser temporairement du paiement de la taxe professionnelle, ou d'en alléger le taux en ce qui les concerne. Mais, de toute façon, ce système est très lourd pour les entreprises utilisant une main-d'œuvre importante, ce qui n'est pas souhaitable en période de difficultés pour l'emploi. Aussi a-t-il été envisagé de substituer la valeur ajoutée au montant des salaires payés comme base de calcul de la taxe professionnelle. Mais rien d'effectif n'a été réalisé à cet égard dans les lois de décentralisation adoptées en 1982 et 1983.

Le 1er janvier 1968 *la taxe locale* sur les transactions a dû être supprimée en raison des règles sur l'harmonisation de la fiscalité dans les États membres de la Communauté économique européenne. Elle a été alors remplacée par la taxe sur les salaires, jusque-là perçue sur les employeurs au profit de l'État, et qui fut affectée pour 85 % de son produit aux budgets des collectivités territoriales, auxquelles elle devait assurer globalement une recette un peu supérieure à celle que leur aurait procurée le maintien de la taxe locale. Mais le produit de l'impôt sur les salaires ne pouvait pas être réparti entre les collectivités territoriales en fonction de son lieu de perception, comme c'était le cas, à l'égard d'une notable partie de son produit, pour la taxe locale. Le système de péréquation applicable à cette dernière dut donc être remplacé par un système de répartition. Système fort complexe, puisqu'il tenait compte à la fois de l'effort fiscal que les collectivités territoriales imposaient à leurs propres contribuables et de la nécessité de garantir à chacune d'elles des recettes au moins équivalentes à celles qu'elle percevait auparavant au titre de la taxe locale.

Mais, à l'automne 1968, la taxe sur les salaires fut supprimée, afin d'alléger les charges des entreprises exportatrices, et le taux de la taxe à la valeur ajoutée (TVA) perçue au profit de l'État fut majoré pour compenser cette perte de recettes. Dès lors, les collectivités territoriales reçurent de l'État des versements, dits « représentatifs de la taxe sur les salaires », et d'un montant égal à ce qui leur serait revenu si cette taxe n'avait pas été supprimée.

En 1979, enfin, ce « versement représentatif » a été remplacé par *une dotation globale de fonctionnement (DGF)* versée par l'État à chaque collectivité territoriale. Le montant total du crédit budgétaire consacré à la DGF est calculé en fonction du produit de la TVA perçue par l'État, ce qui doit assurer aux collectivités territoriales une progression de cette ressource. Mais les modalités de calcul de la DGF à laquelle a droit une collectivité tiennent compte non seulement de l'effort fiscal qu'elle impose à ses habitants, mais aussi de celui qu'elle pourrait leur demander, qu'on qualifie de « potentiel fiscal ». Ce système s'est révélé très défavorable pour certaines communes, notamment pour la ville de Paris, où la taxe d'habitation est sensiblement inférieure à ce qu'elle est dans d'autres très grandes villes.

Toutes ces mesures n'ont pas suffi à régler le problème des finances locales. Ni les taxes directes perçues par les collectivités territoriales, ni la DGF ne leur assurent des ressources à la mesure de leurs besoins — ou de leurs ambitions. La part des investissements dans les budgets communaux est en effet très supérieure à ce qu'elle est dans le budget de l'État. Les collectivités territoriales, surtout les communes, devaient donc recourir à l'emprunt, et obtenir de l'État des subventions spécifiques pour chaque opération entreprise par elles, ce qui les plaçait dans une situation de dépendance financière et technique (car l'État ne subventionnait que des projets approuvés par ses représentants) peu compatible avec leur autonomie théorique.

LA DÉCENTRALISATION DEPUIS 1982

Après l'élection de François Mitterrand à la présidence de la République, et conformément aux intentions que celui-ci avait exprimées au cours de sa campagne, le Gouvernement a engagé un processus ambitieux de refonte complète de la législation sur les collectivités territoriales. Aux réformes ponctuelles de la période antérieure succédait donc *une action globale,* par la force des choses *étalée dans le temps,* mais dont les éléments essentiels étaient tous énoncés dès le point de départ.

Une première loi, celle du 2 mars 1982, intervenant huit mois seulement après la formation du nouveau Gouvernement, a défini les « droits et libertés des communes, des départements et des régions ». Son article 1er indique la structure complète de la réforme envisagée, en annonçant que des lois ultérieures devront déterminer la répartition des compétences entre les communes, les départements, les régions et l'État, ainsi que la répartition des ressources publiques résultant des nouvelles règles de la fiscalité locale et des transferts de crédits de l'État aux collectivités territoriales, l'organisation des régions, les garanties statutaires accordées au personnel des collectivités territoriales, le mode d'élection et le statut des élus et, enfin, les modalités de la coopération entre communes, départements et régions, et le développement de la participation des citoyens à la vie locale.

Un programme d'une telle ampleur ne pouvait pas être rapidement réalisé. En dehors des dispositions particulières concernant la Corse et les départements d'Outre-Mer, les premiers des textes annoncés par la loi du 2 mars 1982 qui ont été effectivement adoptés ont été deux lois du 7 janvier et du 22 janvier 1983 sur la répartition des compétences entre les communes, les départements, les régions et l'État, ainsi que deux textes sur le régime des élections municipales, la loi du 19 novembre 1982 et celle du 31 décembre de la même année, concernant les villes de Paris, Lyon et Marseille. En outre, a été adopté à la fin de 1983 le texte concernant le statut du personnel des communautés territoriales.

Le tableau du nouveau régime des collectivités territoriales qui va suivre présente donc à certains égards un caractère provisoire.

L'administration

Les changements fondamentaux apportés aux règles de l'administration des collectivités territoriales par la loi du 2 mars 1982 concernent *la suppression de la tutelle a priori* exercée jusque-là par l'administration préfectorale sur les décisions des conseils municipaux, généraux et régionaux, ainsi que, pour les départements et les régions, *le transfert au président du conseil général et à celui du conseil régional des fonctions exécutives antérieurement exercées par le préfet du département et le préfet de région.* La suppression de la tutelle *a priori* confère un caractère immédiatement exécutoire aux arrêtés pris par les maires et aux délibérations des conseils élus, qui devaient auparavant avoir été approuvés par le préfet ou le sous-préfet avant d'entrer en vigueur.

Toutefois, ces textes doivent être communiqués au commissaire de la République (nouveau titre ajouté à celui de préfet pour désigner le « délégué du Gouvernement » dans les départements, mentionné à l'article 72 de la constitution). S'il estime qu'un arrêté ou une délibération est entaché d'illégalité, le commissaire de la République doit le déférer au tribunal administratif aux fins d'annulation; il a la faculté d'assortir ce recours d'une demande de sursis à exécution sur laquelle il doit être statué dans les quarante-huit heures, le même délai s'appliquant en cas d'appel devant le Conseil d'État. A un contrôle *a priori* portant à la fois sur l'opportunité et sur la légalité, est donc substitué un contrôle *a prosteriori* ne portant que sur la légalité.

Par ailleurs, mais après intervention des nouvelles chambres régionales des comptes, le commissaire de la République conserve le droit qu'avait le préfet d'inscrire au budget d'une collectivité territoriale une dépense légalement obligatoire pour celle-ci, même si les crédits y afférents n'ont pas été adoptés par son conseil, et même, dans des cas graves, de régler lui-même ce budget.

Le transfert à leurs présidents du pouvoir d'exécuter les délibérations des conseils généraux et des conseils régionaux, antérieurement dévolu aux préfets, consiste en somme dans l'application aux départements et aux régions du système existant dans les communes, où c'était déjà le maire qui exécutait les délibérations du conseil municipal. Ce transfert concerne également l'instruction préalable des affaires à soumettre aux délibérations des conseils. Les présidents disposent à cet égard des concours des services d'État qui assistaient antérieurement les préfets dans cette tâche. De même, des agents des départements antérieurement affectés à l'exécution des tâches d'État sont mis à la disposition du commissaire de la République.

Il en est de même en ce qui concerne la région, à cette différence près que celle-ci ne disposait pas, selon la loi de 1972, de services propres et que, à cet échelon, les mises à disposition se font donc à sens unique, certains services d'État devenant des services régionaux.

Les modalités de ces mises à disposition et de ces transferts doivent être précisées, cas par cas, au moyen de conventions passées entre le commissaire de la République du département et le président du conseil général, ou entre le commissaire de la République de la région et le président du conseil régional. La latitude d'action reconnue aux communes, aux départements et aux régions — ces dernières pouvant désormais engager d'elles-mêmes certaines opérations — a été considérablement étendue par la loi du 2 mars 1982. On peut toutefois se demander si, malgré les amputations que lui a fait subir le Conseil constitutionnel, le texte concernant les garanties statutaires accordées au personnel de la fonction publique territoriale, adopté par l'Assemblée nationale en décembre 1983, contre le gré du Sénat, ne restreindra pas en fait de manière appréciable cette latitude d'action, et cela en raison de l'atteinte qu'il risque de porter à l'autorité des maires et des présidents sur le personnel administratif des collectivités. La gestion de ce personnel devra en effet être à l'avenir assurée par un centre national, des centres régionaux et des centres départementaux de la fonction publique territoriale. Les communes employant moins de deux cents agents des catégories inférieures de ce personnel seront obligatoirement affiliées aux centres départementaux. Quant à la gestion du personnel des catégories supérieures, y compris leur recrutement, elle sera assurée, à de très rares exceptions près, dans le cadre régional et dans le cadre national.

Les compétences nouvelles

Avant même l'intervention des lois de 1983 sur la répartition des compétences entre les communes, les départements, les régions et l'État, la loi du 2 mars 1982 a habilité les collectivités territoriales à intervenir directement en matière économique et sociale par des aides directes ou indirectes à des entreprises, ou en se substituant à l'initiative privée défaillante pour assurer le maintien des services nécessaires à la satisfaction des besoins de la population en milieu rural. Toutefois, sauf autorisation donnée par décret, ces collectivités ne peuvent participer au capital d'organismes à but lucratif ayant un autre objet que l'exploitation des services communaux ou départementaux. Par la même loi, la formule ancienne, selon laquelle « le conseil municipal règle par ses délibérations les affaires de la commune » — formule dont l'interprétation jurisprudentielle avait permis au cours de l'entre-deux-guerres une notable extension du domaine d'action ouvert aux communes —, a été reprise en ce qui concerne le conseil général qui règle les affaires du département, et le conseil régional qui règle celles de la région.

Pour l'essentiel, ce sont *les deux lois du 7 janvier et du 22 juillet 1983, qui ont défini les domaines dans lesquels des compétences jusqu'ici exercées par l'État devront être transférées aux régions, aux départements et aux communes.* Ce sont l'urbanisme et la sauvegarde du patrimoine et des sites; le logement; l'apprentissage et la formation professionnelle continue; certains des problèmes concernant les transports, en ce qui concerne les ports et voies d'eau; certains aspects de l'enseignement public; les transports scolaires; l'action sociale et la santé; l'environnement et l'action culturelle. Il s'agit le plus souvent de questions dans lesquelles les collectivités territoriales interviennent déjà et dont l'État leur confiera toute la responsabilité. Mais chacune des collectivités intéressées y aura le plus souvent une certaine compétence, ce qui risque de poser des problèmes quant aux rôles respectifs de la région, du département et de la commune. Les transferts de compétence prévus par les lois de 1983 devront être rendus effectifs, par décret, dans des délais qui peuvent aller jusqu'à trois ans. Dès maintenant cependant, les régions ont été appelées à formuler des avis en vue de l'élaboration du plan national. Dans le cadre de celui-ci, elles devront établir des plans régionaux. Seuls les problèmes concernant l'apprentissage et la formation professionnelle ont été transférés aux régions dès 1983.

La loi du 7 janvier dispose qu'aucune collectivité territoriale ne peut exercer de tutelle sur une autre. La superposition des trois échelons régional, départemental et communal risque cependant de rendre parfois difficile l'application de ce principe.

Les finances

Aux termes de la loi du 7 janvier 1983, « les transferts de compétences... sont accompagnés du transfert concomitant par l'État aux communes, aux départements et aux régions des ressources nécessaires à l'exercice normal de ces compétences... Les charges correspondant à l'exercice des compétences transférées font l'objet d'une évaluation préalable au transfert... » Mais il est à prévoir, malgré les dispositions légales sur la procédure de cette évaluation et compte tenu de la situation difficile du budget de l'État, que certains conflits se produiront à cet égard.

Par ailleurs, la loi du 7 janvier 1983 a prévu le tranfert total aux régions de la taxe perçue sur les « cartes grises » de mise en circulation de véhicules automobiles, taxe sur laquelle elles ne pouvaient antérieurement qu'établir un montant additionnel. Mais le transfert aux départements de certains impôts actuellement perçus au profit de l'État (taxe sur les véhicules à moteur et divers impôts sur les mutations immobilières) a été renvoyé à « des lois de finances ultérieures », et aucun transfert de ressources fiscales n'a été mentionné en faveur des communes.

Il est donc certain que ce n'est pas essentiellement par le recours à l'impôt que les collectivités territoriales pourront faire face aux charges liées à l'élargissement de leurs compétences. Aussi la loi du 7 janvier a-t-elle prévu que ces collectivités devront recevoir à cette fin des versements provenant de l'État : une dotation générale d'équipement (DGE) (sauf pour les régions) et une dotation générale de décentralisation (DGD) s'ajoutant donc à la dotation globale de fonctionnement (DGF) instituée en 1979 et dont le mode de répartition a été modifié en 1983. Elles devront, en principe, assurer aux collectivités territoriales les ressources nécessaires à l'exercice de leurs compétences nouvelles, et la dotation globale d'équipement se substituera progressivement aux subventions spécifiques antérieurement accordées par l'État.

C'est dire que le dispositif prévu ne permettra pas aux régions, aux départements et aux communes d'acquérir véritablement la maîtrise des ressources de leurs budgets. L'État continuera à leur fournir une importante fraction de ces ressources, ce qui conduit à penser que, dans sa réalité, la décentralisation amorcée en 1982 ne correspondra pas à tous les espoirs qu'elle a suscités. D'ores et déjà certaines collectivités territoriales se sont vues contraintes de prévoir une réduction sensible de leurs dépenses d'investissement.

Le mode d'élection des conseils

La loi du 2 mars 1982 a dû laisser aux régions la qualité d'établissements publics, renvoyant leur accession au rang de collectivités territoriales à la date où, comme le veut l'article 72 de la constitution, elles seraient administrées par des « conseils élus ».

On aurait donc pu s'attendre à ce que fût déposé rapidement, après le vote de la loi du 2 mars 1982, un projet de loi déterminant le régime électoral des conseils régionaux, et cela d'autant plus que, selon certaines informations, le Gouvernement avait initialement envisagé de faire procéder à leur élection le jour du scrutin de mars 1983 pour le renouvellement des conseils municipaux. Cependant les seules lois intervenues en la matière ont concerné *l'élection du conseil régional de la Corse,* puis celle des conseils régionaux des départements d'outre-mer. Contrairement à ce qu'avait paru impliquer une décision du Conseil constitutionnel relative à la première de ces deux lois, ce régime n'est pas identique dans les deux cas. Il s'agit toujours d'un scrutin à la représentation proportionnelle dans le cadre d'une circonscription unique. Mais, pour la région de Corse, aucun seuil minimal de suffrages n'est requis pour qu'une liste ait droit à un siège : il lui suffit d'avoir obtenu le quotient qui, aux élections d'août 1982 pour lesquelles dix-sept listes furent présentées, fut d'environ 2 000 voix (pour 140 000 suffrages exprimés). Pour les régions créées en Guyane, à la Guadeloupe, à la Martinique et à la Réunion, les listes ayant obtenu moins de 5 % des suffrages exprimés n'ont au contraire pas le droit de participer à l'attribution des sièges. Le système appliqué en Corse a eu pour effet l'élection d'un conseil régional incapable de dégager en son sein une majorité, dont le bureau n'a été désigné que par 23 voix sur 61 votants, et qui n'est manifestement pas en mesure de remplir les tâches qui sont théoriquement les siennes : c'est ainsi qu'à la fin de 1983, il n'avait pas pu établir le contrat de plan qu'il aurait dû proposer à l'État.

A la fin de 1983, certaines déclarations du Premier ministre ont donné à entendre que le scrutin pour l'élection des conseils régionaux de la métropole pourrait ne pas avoir lieu avant 1986. Il est difficile de ne pas penser que les reports successifs de cette élection (qu'il avait un moment été question de jumeler avec le scrutin de juin 1984 pour l'Assemblée des Communautés européennes) s'expliquent par les résultats, peu favorables pour la majorité d'union de la gauche, des élections cantonales de 1982 et des élections municipales de 1983.

Aucun changement n'a été apporté au *mode d'élection des conseillers généraux*, qui sont désignés par cantons au scrutin uninominal majoritaire à deux tours; mais un nombre appréciable de cantons beaucoup plus peuplés que la moyenne dans le département où ils sont situés ont été dédoublés avant le scrutin de mars 1982. Tout canton, si peu peuplé qu'il soit, a cependant à élire un conseiller général. Cela se justifie par le fait que le conseil général, qui administre une collectivité « territoriale », doit représenter le territoire en même temps que les citoyens, et qu'il est donc indispensable que les habitants des zones les moins peuplées y soient spécifiquement représentés.

Le régime électoral des conseils municipaux a été modifié à l'automne 1982. Il comportait antérieurement, pour les communes de 30 000 habitants et plus, un scrutin majoritaire de liste à deux tours, avec interdiction de panachage et de la fusion entre listes pour le second tour. Les villes les plus grandes — Paris, Lyon, Marseille, Toulouse — étaient divisées en secteurs pour chacun desquels on votait selon ce système. Dans les communes de moins de 30 000 habitants on votait au contraire selon un système majoritaire plurinominal à deux tours comportant pour l'électeur le droit d'inscrire sur son bulletin les noms de candidats figurant sur des listes différentes, c'est-à-dire de le « panacher ».

Ce système n'existe plus que dans les communes de moins de 3 500 habitants. Le mode d'élection dans les autres est majoritaire, mais garantit la représentation des minorités. Il s'agit d'un scrutin de liste bloquée, selon lequel l'électeur, à peine de nullité, ne doit pas modifier le bulletin de la liste pour laquelle il se prononce. Si, dès le premier tour, une liste obtient la majorité absolue des suffrages exprimés, la moitié des sièges à pourvoir lui sont attribués, la seconde moitié étant répartie à la représentation proportionnelle entre toutes les listes qui ont recueilli au moins 5 % des suffrages exprimés, y compris celle qui a déjà la moitié des sièges. Si, au premier tour, aucune liste n'a eu la majorité absolue des suffrages, celles qui en ont eu moins de 10 % ne peuvent se maintenir pour le second tour.

Mais, à condition d'avoir recueilli au moins 5 % des suffrages exprimés, elles peuvent fusionner avec une liste en ayant eu au moins 10 %. L'attribution des sièges se fait comme au premier tour, la liste ayant eu la majorité relative obtenant d'abord la moitié des sièges, puis participant à l'attribution des surplus à la proportionnelle.

Ce système a le double avantage de garantir l'existence d'une majorité dans le conseil et de donner la certitude que la manière dont cette majorité gère les affaires municipales sera contrôlée de l'intérieur. Cependant, dans les communes qui ne dépassent que de peu 3 500 habitants, il a l'inconvénient de priver les électeurs, qui peuvent fort bien connaître les candidats, de toute possibilité de rayer les noms de certains d'entre eux et de se prononcer, pour des raisons personnelles, en faveur de certains de ceux qui figurent sur une liste autre que celle à laquelle va leur préférence. Ce fait a abouti à une augmentation sensible du nombre des bulletins nuls dans beaucoup de ces communes, certains électeurs n'ayant pas accepté d'être mis dans l'impossibilité d'exprimer leurs préférences particulières. La fixation du seuil à 5 000 habitants, comme l'avait proposé le Gouvernement, aurait été préférable à la solution finalement adoptée sur amendement du groupe socialiste.

Paris, Lyon et Marseille ont, pour la désignation de leurs conseils municipaux, un système spécial. Au début de l'été 1982, le ministre de l'Intérieur a fait connaître que le Gouvernement allait déposer un projet de loi selon lequel chacun des 20 arrondissements municipaux de la capitale serait érigé en commune de plein exercice, obligatoirement rattachée à une communauté urbaine. La motivation partisane de cette réforme ne faisait guère de doute : il s'agissait de priver Jacques Chirac, leader d'une des formations de l'opposition, du titre prestigieux de maire de Paris. Mais l'étrangeté d'un système qui aurait brisé l'unité historique de la capitale et qui, au surplus, aurait assuré aux arrondissements les moins peuplés, ceux du centre de Paris, des ressources bien plus importantes qu'à ceux de la périphérie, n'a pas permis de s'y tenir. La loi du 31 décembre 1982 s'est donc bornée à créer dans chaque arrondissement municipal une mairie et un conseil dotés d'attributions minimes et purement locales, le conseil municipal de la ville continuant à élire un maire de Paris et à administrer la commune dans son ensemble. Pour atténuer l'aspect partisan du système, il a été étendu à Lyon et à Marseille. Mais alors qu'à Paris et à Lyon, les secteurs de vote ont été les arrondissements municipaux existants, le ministre de l'Intérieur, maire sortant de Marseille, a fait procéder dans sa ville à un découpage particulier, ce qui lui a permis d'être réélu maire, alors que les listes qu'il patronnait avaient recueilli au total, dans l'ensemble de la commune, moins de suffrages que celles de son concurrent de l'opposition.

Bilan provisoire

La réalisation complète de la décentralisation ne pouvait, de toute évidence, s'effectuer rapidement, compte tenu de la multiplicité et de l'enchevêtrement des structures administratives et financières dont elle impliquait la transformation. Telle n'est cependant pas, selon toute vraisemblance, la seule raison du ralentissement que, deux ans après la promulgation de la loi du 2 mars 1982, on ne peut pas ne pas constater dans le processus qui a alors été engagé.

Deux autres facteurs ont contribué à ce ralentissement. Aux élections cantonales de mars 1982, les partis de la majorité parlementaire d'union de la gauche ont subi un échec, manifesté par le fait qu'après cette consultation, près des deux tiers des présidences de conseils généraux se sont trouvées aux mains de l'opposition. Il est compréhensible que le pouvoir ait été alors moins pressé qu'il n'avait paru l'être auparavant de transférer de nouvelles compétences à ces présidents, d'autant que le poids des administrations centrales, peu désireuses de se voir déposséder de certaines de leurs attributions, ne jouait pas en faveur d'une accélération de ce changement. D'autre part, l'équilibre du budget de l'État (ou, plus exactement, le maintien de son déficit dans des limites acceptables) s'est trouvé beaucoup plus difficile à obtenir, pour les exercices 1982 et 1983, et pour la loi de finances de 1984, que cela n'avait été prévu au moment où la gauche avait accédé au pouvoir en juin 1981 : il y a certainement eu là un nouveau facteur de ralentissement dans des transferts de compétences avec lesquels doivent être concomitants des transferts de ressources.

On peut par ailleurs s'interroger sur la rationalité d'un système selon lequel doivent exister trois niveaux superposés de collectivités territoriales ayant tous les trois, en certains domaines (par exemple celui des interventions directes en matière économique et sociale), des compétences identiques, chacune dans les limites de la circonscription territoriale qu'elle a pour rôle d'administrer. Il risque d'y avoir là une source de conflits, d'incohérence ou, au moins, de doubles emplois dont le coût risque d'être important. Il faut cependant reconnaître que, puisqu'en créant les régions on était résolu à ne porter aucune atteinte au rôle des départements, la solution de cette difficulté n'aurait pu être trouvée que dans un système ne conférant de compétence aux régions que dans des domaines restreints, comme on l'avait fait en 1972. Et, dès 1969, le projet de création des régions soumis au référendum du 27 avril par le général de Gaulle aurait créé, s'il avait été adopté, trois niveaux de collectivités territoriales. Mais la distinction entre leurs compétences aurait été mieux définie.

La simple lecture des textes légaux intervenus en 1982 et 1983 montre que certaines de leurs dispositions pourraient être interprétées dans un sens qui en dénaturerait l'objet. Il en va ainsi de ceux de ces textes qui autorisent les conseils généraux et régionaux à déléguer à leurs bureaux l'exercice de certaines de leurs attributions. Ces bureaux étant élus au scrutin majoritaire et pouvant fort bien, par conséquent, ne comporter aucun représentant de la minorité du Conseil, des délégations trop étendues pourraient pratiquement empêcher cette minorité de jouer pleinement le rôle qui doit être le sien.

Autre problème : les présidents des conseils généraux sont élus pour trois ans, après chaque renouvellement triennal d'une moitié du conseil. Cette règle, naturelle en un temps où le seul rôle du président était de conduire les délibérations du conseil, l'est beaucoup moins maintenant qu'il doit en outre en exécuter les délibérations. Il peut se faire en effet que la majorité d'un conseil général change, du fait d'élections partielles, au cours de cette période triennale : c'est ce qui s'est produit en 1983 dans la Corrèze et la Saône-et-Loire. Il serait sans doute normal que fût instituée une procédure permettant à un conseil général, lorsqu'en majorité il n'a plus confiance en son président, de contraindre celui-ci à se retirer, en créant ainsi une responsabilité politique du pouvoir exécutif devant le pouvoir délibérant, analogue à celle qui existe, en ce qui concerne le Gouvernement, devant l'Assemblée nationale.

L'expérience a enfin montré, dans certains départements, que la réduction du rôle du commissaire de la République par rapport à ce qu'était autrefois celui du préfet peut aboutir à exacerber les antagonismes partisans au sein d'un conseil général. Parce que c'était lui qui avait à exécuter les délibérations du conseil général, le préfet était souvent en mesure de jouer un rôle d'arbitre, d'arrondir les angles, de provoquer des compromis grâce à des contacts informels entre conseillers de la majorité et de la minorité.

Cela est beaucoup plus difficile au commissaire de la République, parce qu'il est devenu tout à fait exceptionnel qu'il soit présent aux séances du conseil général.

Telles sont quelques-unes des questions que l'on peut se poser à l'égard des premiers aspects de la décentralisation annoncée en 1982. Mais seule l'expérience de plusieurs années d'application de cette réforme du rôle des collectivités territoriales permettra d'apprécier en quoi le monument de droit administratif constitué par les lois intervenues en ce domaine, et par celles qui les suivront, devra être remanié, pour que puissent être atteints tous les objectifs en vue desquels a été entreprise sa construction.

POLITIQUE LOCALE ET POLITIQUE NATIONALE

Depuis deux ou trois décennies, les conditions de la vie politique locale se sont beaucoup rapprochées de celles de la vie politique nationale.

L'ancien effet stabilisateur

Pendant longtemps et en grande partie à cause du mode de scrutin selon lequel elles avaient lieu, *les élections municipales et cantonales ont été caractérisées en France par l'importance qu'y présentaient les considérations de personnes.* Tel canton qui votait régulièrement à gauche aux élections législatives n'en demeurait pas moins fidèle à un conseiller général modéré. Telle commune réélisait sans difficulté un maire d'une autre nuance politique que le député pour lequel votaient la majorité de ses électeurs.

L'opinion, telle qu'elle s'exprimait dans les scrutins locaux, paraissait, en somme, ne pas être concernée par les changements d'orientation qui caractérisaient parfois deux élections législatives : c'est ainsi que l'éruption boulangiste des années 1887-1889 ne s'est pratiquement pas traduite sur le plan local.

Après la deuxième guerre mondiale, puis au cours des premières années de la Ve République, on put encore constater que des formations politiques qui venaient d'obtenir d'excellents résultats aux élections législatives — MRP en 1945 et 1946, UNR en 1958 et 1962 — ne parvenaient pas à opérer une percée de même ordre aux élections municipales et cantonales : la fidélité des électeurs à des personnalités qu'ils connaissaient bien et qui se réclamaient d'étiquettes politiques traditionnelles constituait en somme un obstacle à l'entrée de formations nouvelles dans les conseils généraux et les conseils municipaux.

Sans doute, le succès considérable obtenu aux élections municipales d'octobre 1947 par les listes patronnées par le RPF, fondé par le général de Gaulle au printemps de la même année, paraît-il démentir cette affirmation. Mais ce succès était dû dans une large mesure à la présence sur les listes du RPF de personnalités locales d'origine modérée ou radicale, et il a d'ailleurs surtout concerné les communes de plus de 9 000 habitants où l'on votait alors à la proportionnelle. Dix-huit mois plus tard, les élections cantonales de mars 1949 devaient donner des résultats bien différents.

On pouvait donc considérer alors que, dans la mesure où elle avait une influence sur la vie politique nationale, la vie politique locale tendait à y exercer un effet stabilisateur et modérateur : tel était bien le rôle du Sénat, désigné par des élus locaux, et qui, sous ce nom, ou de 1946 à 1958, sous celui de Conseil de la République, n'a jamais connu de renversements de majorité comme ceux constatés au Palais-Bourbon en 1924, en 1936, en 1951 ou en 1956. Sans doute y avait-il là pour partie la conséquence d'un système de renouvellement partiel, mais l'essentiel était que la stabilité du personnel électif local se traduisait directement lors des élections sénatoriales par le caractère mineur des changements qu'elles provoquaient dans la composition politique de la seconde chambre du Parlement.

Le changement de nature des élections locales

Aujourd'hui, les élections municipales et cantonales traduisent beaucoup plus nettement que jadis des changements dans l'opinion analogues à ceux qui résultent des élections législatives. S'il en est ainsi, c'est sans doute essentiellement à cause des profonds changements apportés dans la manière dont les citoyens sont informés politiquement par la radiodiffusion et la télévision. Cette information n'a que très subsidiairement un caractère régional ou local, elle est essentiellement de nature nationale, ce qui tend nécessairement à minimiser l'importance des facteurs personnels dans les consultations locales, que nombre d'électeurs considèrent aujourd'hui comme un moyen pour eux d'exprimer ce qu'ils pensent de la politique du Gouvernement autant que de l'action de leur maire ou de leur conseiller général.

Un des signes de ce changement, c'est la réduction du pourcentage des abstentions aux élections cantonales : de 46 % des inscrits en 1973, ce pourcentage est tombé à 34,7 % en 1976, à 33,9 % en 1979 et à 31,5 % en 1982. On constate aussi que, dans toutes les consultations locales, les clivages et les alliances entre partis tendent à devenir identiques à ceux qui caractérisent les élections nationales, qu'il s'agisse des désistements du second tour ou des coalitions formées en vue du premier. En 1971, par exemple, dans beaucoup de villes de plus de 30 000 habitants, les socialistes et les centristes s'étaient unis aux élections municipales à la fois contre le Parti communiste et contre les représentants de la majorité parlementaire. En 1977, au contraire, à cause de l'adoption par le PC, le PS et le MRG du programme commun de 1972, le PS et le MRG ont très largement participé avec le PC à des listes d'Union de la gauche.

Les succès obtenus par la gauche aux élections cantonales de 1976 et municipales de 1977 n'ont cependant pas été suivis d'une victoire aux élections législatives de 1978 : mais cela parce que, en septembre 1977, les négociations entre MRG, PS et PC pour une « actualisation » du programme commun de 1972 avaient abouti à une rupture entre ces partis. Le succès de la gauche à l'élection présidentielle et aux élections législatives de 1981 n'en peut pas moins être tenu pour une suite de ce qui s'était produit en 1976 et 1977.

On ne saurait évidemment en conclure que les victoires de l'opposition aux élections cantonales de 1982 et municipales de 1983 annoncent que la gauche perdra les élections législatives de 1986.

Mais il est hors de doute que ces succès ont traduit une déception de l'opinion — ou tout au moins, d'une fraction marginalement décisive de l'opinion — devant la manière dont les affaires publiques avaient été conduites depuis la formation du gouvernement Mauroy. Des facteurs d'ordre national se sont donc traduits très clairement dans ces élections locales.

Tout donne, en somme, à penser qu'en France, depuis les années soixante-dix, la vie politique locale tend à se modeler de plus en plus étroitement sur la vie politique nationale. Encore constate-t-on à cet égard certaines différences entre partis.

Les partis et la vie politique locale

Tous les partis politiques sont organisés en instances locales dans les limites de collectivités territoriales : fédérations régionales ou, plus souvent, départementales, sections cantonales, communales ou, dans les grandes villes, d'arrondissement. Mais la réalité de la vie de ces instances locales, comme le rôle qu'elles jouent effectivement dans la détermination des objectifs et de la tactique des formations dont elles relèvent sont extrêmement variables.

La structure très élaborée du *Parti communiste* comporte des cellules d'entreprises, qui rassemblent ses membres sur leur lieu de travail, mais aussi des cellules locales, des sections et des fédérations départementales. Les rouages de cette structure sont conçus essentiellement pour permettre de diffuser rapidement à la base les consignes élaborées au sommet : c'est un des aspects du « centralisme démocratique ». Mais cette organisation devrait également permettre aux dirigeants de connaître les réactions de la base et, par l'intermédiaire de ses militants, de mesurer les atteintes de milieux dans lesquels vivent ces derniers. On peut se demander si ce mécanisme d'information fonctionne toujours parfaitement. Les échecs sévères subis par le PC aux élections municipales de 1983, notamment dans la banlieue de Paris où certains de ces échecs sont intervenus dans des communes gérées depuis très longtemps par le PC, paraissent en certains cas avoir été dus, au moins partiellement, à une sorte de sclérose de cet appareil de communication. Des maires choisis parmi les permanents du PC, souvent sans attaches anciennes avec la commune où le parti les avait délégués pour être candidats, semblent n'avoir pas réussi à s'implanter localement, sans doute pour avoir eu recours à des méthodes trop bureaucratiques, qui leur ont fait perdre tout contact réel avec le milieu dans lequel pouvait se recruter leur électorat.

L'organisation du *Parti socialiste* est très démocratique, et ses instances locales jouent un rôle décisif dans les orientations qu'adoptent ses congrès (qui ont lieu tous les deux ans). Toutefois, l'inégalité de son implantation géographique a pour conséquence que celles de ses fédérations départementales qui ont le plus grand nombre de militants (celles où la SFIO était implantée depuis le plus longtemps : Bouches-du-Rhône, Paris, Nord et Pas-de-Calais) jouent en fait un rôle décisif dans l'orientation de sa politique, et cela au détriment de l'influence des militants de ses « terres de mission », par exemple dans l'Ouest de la France : l'exclusion du parti, en 1983, du maire d'Angers, quelques semaines après sa brillante réélection, mais au titre d'une liste sur laquelle il avait refusé la présence de candidats communistes, en constitue un exemple. Or, la baisse constatée, lors de ces élections municipales, dans l'audience obtenue par le PS dans des régions où il était autrefois dominant (Languedoc, Provence, et même Nord-Pas-de-Calais) donne l'impression que l'implantation géographique des membres du PS ne coïncide pas avec celle de ses électeurs, ou de ceux qu'il pourrait gagner à sa cause, ce qui risque de lui poser des problèmes difficiles.

Malgré la faiblesse du *Mouvement des radicaux de gauche* sur le plan national, celui-ci conserve dans le Sud-Ouest, en Corse et dans certains départements de la périphérie du Bassin parisien une influence liée à la présence de notables municipaux et départementaux qui lui sont demeurés fidèles. La relève inévitable des générations risque cependant de rendre difficile la survie d'un organisme, dont certains des élus parlementaires les plus jeunes ont rejoint le PS après avoir été élus avec l'appui de celui-ci en 1983.

Les formations « centristes », d'origine modérée, radicale-socialiste ou démocrate-chrétienne, qui ont constitué l'*Union pour la démocratie française* au temps de la présidence de Valéry Giscard d'Estaing, ont toujours eu tendance (sauf au temps où les démocrates-chrétiens avaient constitué le MRP) à s'appuyer plutôt sur un réseau de notables influents que sur un grand nombre de militants. Les efforts que font certaines des composantes de l'UDF, principalement le Parti républicain, issu de la Fédération des républicains indépendants, pour modifier cet état de choses, témoignent de la conscience qu'ont les dirigeants de cette formation de la nécessité qu'il y a pour les modérés à s'adapter aux conditions nouvelles de la vie politique française, en s'organisant au niveau local par un recrutement de militants en nombre comparable à ce qui existe pour les autres partis. Mais il n'est pas certain que ces efforts puissent rapidement produire leurs effets.

Le Rassemblement pour la République, a pris la suite de la formation gaulliste qui, constituée en 1958, s'était appelée successivement Union pour la nouvelle république, puis Union des démocrates pour la république. Il dispose d'un grand nombre de militants, souvent issus de milieux plus populaires que ceux où se recrutent les notables de l'UDF, et qui sont localement fort bien encadrés. Le rôle de ses instances départementales dans la détermination de la politique du RPR est cependant beaucoup moins réel que ce n'est le cas au PS : il s'agit plutôt d'instruments, dont disposent les instances nationales pour agir sur le plan local, que d'autre chose. Les élections cantonales de 1982 et municipales de 1983, à la suite desquelles le RPR a réalisé des gains importants dans les conseils généraux et les conseils municipaux (où l'UNR, après 1958, avait au contraire eu grand mal à pénétrer), témoignent de l'efficacité de cette structure centralisée pour la conception et décentralisée pour l'action. Un jour peut venir cependant où les militants des fédérations départementales du RPR souhaiteront être consultés sur les orientations du mouvement auquel ils appartiennent.

Quelles que soient ces différences entre partis politiques quant à la manière dont ils agissent au niveau local, tout donne à penser que la réalisation progressive de la décentralisation amorcée en 1982 les conduira tous à chercher les moyens d'adapter efficacement leur structure et leurs méthodes aux changements que cette décentralisation ne peut manquer d'apporter dans l'avenir aux conditions de la politique nationale.

LECTURES COMPLÉMENTAIRES

Pour mesurer l'ampleur des problèmes que posent les dimensions historiques et sociologiques, on lira :

○ BONNET Serge, *Sociologie politique et religieuse de la Lorraine*, Colin, 1972, 512 p.

Un recueil ordonné et une synthèse d'observations directes introduiront aux études particulières :

○ MABILEAU Albert, dir., *Les Facteurs locaux de la vie politique*, Pedone, 1972, 413 p.
○ KESSELMAN Mark, *Le Consensus ambigu, Étude sur le gouvernement local*, Cujas, 1972, 191 p.

Un ouvrage, mettant en lumière les contrepoids au centralisme si souvent dénoncé, est celui de :

○ GREMION Pierre, *Le Pouvoir périphérique, Bureaucrates et notables dans le système politique français*, Éd. du Seuil, 1976, 478 p.

On se reportera aussi à :

○ MOREAU Jacques, *Administration régionale, locale et municipale*, Dalloz, 6ᵉ éd., 1983, 155 p.
○ MADIOT Yves, *L'Aménagement du territoire*, Masson, 1979, 233 p.
○ GUICHARD Olivier, *Vivre ensemble*, Rapport de la Commission de développement des responsabilités locales, La Documentation française, sept. 1976, 650 p.
○ PEYREFITTE Alain *et al.*, *Décentraliser les responsabilités. Pourquoi? Comment?*, 1976, 133 p. (Livre de poche).

Sur l'ensemble des réformes de 1982-1983, on trouvera des indications détaillées dans :

○ LUCHAIRE François et Yves, *Le Droit de la décentralisation*, PUF (coll. Thémis), 1983, 511 p.

Le niveau communal

Des indications concrètes sur la situation juridique actuelle dans :

○ BRUNEAU Pierre, *Conseil municipal, Maire, Adjoints, Conseillers, Personnel communal, Finances communales*, Delmas, 2ᵉ édition, 1983.
○ ZEMOR Pierre et HOCQUARD Hervé, *La Commune mise à jour*, Éd. du Moniteur, 1983, 270 p.

On pourra encore se reporter à :

○ SCHMITT Charles, *Le Maire de la commune rurale*, Berger-Levrault, 3ᵉ éd., 1972, 236 p.
○ BERNARD Paul, *Le Grand Tournant des communes de France*. Des communautés nouvelles à l'épreuve de l'équipement, Colin, 1969, 351 p.
○ SOUCHON Marie-Françoise, *Le Maire, élu local dans une société en changement*, Cujas, 1968, 271 p. (ex. du Gard).
○ CAUMONT R. de, TESSIER M., *Les Groupes d'action municipale*, Éd. Universitaire, 1971, 227 p.
○ ROUSSEAU A., BEAUNEZ R., *L'Expérience de Grenoble. L'action municipale*, Éd. Ouvrières, 1971, 191 p.

On gagnera à opposer méthodologie juridique et méthodologie « idéologique » :

○ ROUSSILLON Henry, *Les Structures territoriales de la commune*. Réformes et perspectives d'avenir, LGDS, 1972, 493 p.
○ BOUCHET C. *et al., Institution communale et pouvoir politique. Le cas de Roanne*. Mouton, 1973, 208 p.

Mais on lira surtout, pour comprendre les mécanismes subtils d'une grande ville, le beau livre de :

○ LAGROYE Jacques, *Société et politique : Jacques Chaban-Delmas à Bordeaux 1947-1965*, Pedone, 1973, 345 p.

Et, sur divers aspects de la vie politique locale :

○ LACORNE Denis, *La Construction municipale de l'Union de la gauche*, Presses de la FNSP, 1980, 256 p.

La vie politique locale est bien présentée dans :

○ LAGROYE Jacques, LORD Guy et al., *Les Militants politiques dans trois partis français*, Pedone, 1976, 186 p.
○ TARROW Sidney, ed., *Between center and periphery. Grassroot politicians in Italy and France*, Newhaven, Yale UP, 1977, 272 p.

Le niveau départemental

○ GRÉMION Pierre, *La Structuration du pouvoir au niveau départemental*, CNRS, 1969, 70 p.
○ DAWSON Georges, *L'Évolution des structures de l'administration locale déconcentrée en France*. L'exemple du département du Pas-de-Calais et de la région du Nord, LGDS, 1969, 568 p.
○ ESCUDIER J.-A., *Le Conseil général*, Berger-Levrault, 2 éd. 1970, 182 p.
○ MARCHAND Marie-Hélène, *Les Conseillers généraux en France*, Colin, 1970, 214 p.
○ LONGEPIERRE Michel, *Les Conseillers généraux dans le système administratif français*, Cujas, 1971, 215 p.
○ BERNARD Paul, *L'État et la Décentralisation. Du Préfet au Commissaire de la République* (Notes et Études Documentaires. N°s 4711-4712), La Documentation Française, 1983, 284 p.
○ AUDY Jean-François, *Le Commissaire de la République*, PUF (coll. Que Sais-je?), 1983, 128 p.

Le débat de 1969

○ PISANI Edgard, *La région... pour quoi faire?*, Calmann-Lévy, 1969, 231 p.
○ Club Nouvelle Frontière, *Le Dossier du 27 avril*, Grasset, 1969, 189 p.
○ DURRIEU Yves, *Régionaliser la France*, Mercure de France, 1969, 356 p.
○ Club Jean Moulin, *Quelle réforme? Quelles régions?*, Éd. du Seuil, 1969, 78 p.

Le niveau régional

Sur les réformes de 1982-83, on se reportera au manuel de la collection Thémis précité de François et Yves Luchaire.
Et on consultera :

○ VEDEL Georges et DELVOLVE Pierre, *Droit Administratif*, Paris, PUF (coll. Thémis), 8e édition, 1982. 1174 p.

Sur l'aménagement du territoire

○ Centre d'études régionales et d'aménagement du territoire (Grenoble), *Aménagement du territoire et développement régional, les faits, les idées, les institutions*, La Documentation française, 6 vol., 1965-1973.

Chapitre 3

REPRÉSENTATION ET ÉLECTIONS

LE PRINCIPE DE LA SOUVERAINETÉ POPULAIRE

Depuis 1814, tous les régimes français, sauf un, ont comporté l'élection d'au moins une assemblée pour exercer ou partager le pouvoir législatif, et remplir certaines attributions politiques. L'exception est celle de l'État français, installé à Vichy de juillet 1940 à août 1944. Même un gouvernement aussi autoritaire que celui du Second Empire à ses débuts, tout en se prévalant du suffrage des électeurs consultés par voie de plébiscite, a reconnu certains pouvoirs à un « Corps législatif » élu. Quant aux « Gouvernements provisoires » qui, en 1848, en 1871 et en 1944, ont pris la succession d'un régime disparu, tous trois ont considéré qu'un de leurs premiers devoirs était de préparer la réunion d'une assemblée nationale élue.

Les élections sont donc en France *un des phénomènes politiques fondamentaux* de l'époque contemporaine. Elles se sont faites depuis 1848 au suffrage universel masculin, après avoir été d'abord réservées aux contribuables les plus aisés. L'extension du droit de vote aux femmes, réclamée depuis les premières années du xxe siècle, est entrée en vigueur en 1945. Depuis juillet 1974, l'âge de la majorité électorale, comme celui de la majorité civile, a été abaissé de 21 à 18 ans.

La notion qu'un Gouvernement n'est légitime que s'il s'appuie sur la consultation du peuple par voie d'élections n'est pas propre à la France. Bien des dictatures contemporaines ont comporté pseudo-parlements et pseudo-élections. Les démocraties populaires de l'Europe de l'Est combinent de façon paradoxale le système du parti unique, ou au moins de la liste unique de candidats, avec l'existence d'élections qui, si elles ne constituent pas un choix, peuvent au moins être présentées comme une adhésion du peuple à son gouvernement. Les nouveaux États, nés dans les territoires autrefois coloniaux, se sont tous dotés d'assemblées élues, à défaut desquelles il leur aurait été difficile d'être reconnus diplomatiquement par les autres puissances et d'obtenir leur admission à l'ONU.

L'élection directe ou indirecte des titulaires du pouvoir politique par le suffrage universel paraît être en effet *la conséquence logique et nécessaire du principe de la souveraineté populaire*. A partir du moment où l'on n'a plus admis que la souveraineté pût appartenir à une dynastie, ni osé défendre l'idée qu'elle devrait être confiée à une élite, définie par la noblesse du sang, par la richesse ou par la compétence, on ne pouvait pas chercher la source du pouvoir ailleurs que dans le suffrage des citoyens.

Les critiques adressées au principe de l'élection par ceux qu'on peut qualifier d'opposants de droite — ceux qui dénoncent l'inaptitude de la masse à discerner ses véritables intérêts et à choisir judicieusement les hommes chargés de la gouverner — ont aujourd'hui perdu en France à peu près toute portée. Si fondées que puissent paraître certaines des objections traditionnelles au principe électif, aucun parti n'ose les faire siennes et se présenter comme le défenseur du gouvernement par les élites, c'est-à-dire, en fait, par les privilégiés.

C'est d'un autre côté que la conception libérale et individualiste des élections au suffrage universel, telle qu'elle a été formulée au XIXe siècle, est aujourd'hui remise en cause. *L'analyse marxiste du pouvoir* a mis en lumière ce qu'il y a d'illusoire dans l'idée qu'il suffirait de remettre un bulletin de vote à chacun des citoyens et de proclamer la souveraineté de l'assemblée élue par eux, pour que le pouvoir fût effectivement confié au peuple. La richesse, la puissance économique, le prestige social, la compétence technique, l'aptitude à l'analyse intellectuelle et à la discussion, si elles demeurent le monopole de certaines catégories sociales, confèrent par là même à ces dernières, en matière politique, une autorité sans rapport avec le nombre des citoyens qui en font partie. La liberté politique, symbolisée par le bulletin de vote, n'émancipe la masse que si elle s'accompagne d'une véritable promotion sociale, notamment dans les domaines économique et culturel, et si les membres des classes matériellement défavorisées peuvent, en s'organisant en partis et en syndicats, réagir contre le handicap dont ils sont les victimes dans une société comportant des privilèges décisifs au bénéfice d'une minorité. A la limite, cette critique de la conception traditionnelle du suffrage universel peut aller, selon le principe longtemps admis par les communistes, jusqu'à soutenir que la liberté de la masse sera mieux garantie par la dictature d'un parti unique, rassemblant les éléments les plus conscients et les plus déterminés du prolétariat, que par un système quelconque d'élections.

A la vérité, ces controverses, quel qu'en puisse être l'intérêt intrinsèque, n'ont pas grande importance dans la France contemporaine. *Les communistes*, jadis partisans de la dictature du parti représentatif du prolétariat, *sont actuellement, en fait, très attachés au système des élections,* grâce auquel ils sont présents dans l'État et maîtres d'un nombre appréciable de municipalités. Ceux qui, au fond d'eux-mêmes, souhaiteraient sans doute que le pouvoir politique fût statutairement confié aux « élites sociales », voient cependant dans le système électoral, tel qu'il fonctionne, une garantie d'ordre, de stabilité et d'équilibre pour la société. Il existe donc une sorte d'accord général sur le principe des élections faites au suffrage universel : les controverses portent moins sur le principe lui-même que sur ses applications, en ce qui concerne les modalités de la loi électorale, la fréquence des consultations et les attributions respectives dans l'État de ceux de ses organes qui, directement ou non, sont issus du suffrage des citoyens.

REPRÉSENTATION ET REPRÉSENTATIVITÉ

Qu'est-ce que « représenter » ?

On considère généralement que le rôle des assemblées élues est de « représenter » le peuple. Avant l'introduction en France du régime parlementaire, caractérisé par la responsabilité politique du gouvernement devant une ou plusieurs assemblées, la monarchie censitaire était déjà dite « représentative ». Lors de l'établissement de la Seconde République, les membres de l'Assemblée nationale élue au suffrage universel prirent le titre de « représentants du peuple ». Il en fut de même en février 1871, après la chute du Second Empire. Par contre, en 1945, les membres de la première Assemblée constituante préférèrent au terme de représentant du peuple, celui de « député » : ce dernier vocable, malgré ses origines royalistes (il date de la Restauration et fut repris en 1875 par une majorité conservatrice), évoquait depuis la IIIe République l'idée que celui qui le portait appartenait à une assemblée souveraine, et la préférence des constituants de 1945 n'était donc pas sans signification.

Mais que faut-il entendre exactement par « représentation » ? Le terme, en soi, est ambigu. *Un portrait* représente une personne parce qu'il reproduit ses traits particuliers. Mais *un mandataire* la représente, en langage juridique, simplement parce qu'elle l'a chargé de ses intérêts. En quel sens le mot doit-il être pris lorsqu'il concerne une assemblée élue ? Si, pour représenter ceux dont elle émane, une telle assemblée devait être un microcosme de l'ensemble de son corps électoral, il est douteux que le suffrage serait le meilleur moyen de la recruter. Les sociologues contemporains ont mis au point une technique de sélection d'« échantillons représentatifs » de l'ensemble d'une population dont les résultats sont remarquables. La répartition des membres d'un tel échantillon, par âges, par sexes, par niveaux d'éducation, par professions, par types d'habitat, est toujours beaucoup plus proche de l'ensemble représenté que ne l'est, par rapport à ceux qui les ont choisis, celle des membres d'une assemblée élue.

Mais il est probable qu'une assemblée désignée selon les méthodes employées pour sélectionner l'échantillon de la population soumis à un sondage d'opinion serait incapable de remplir son rôle. Reproduisant fidèlement toutes les divisions de l'opinion, à propos de tous les problèmes, elle ne pourrait dégager en son sein aucune majorité cohérente. Composée surtout de ménagères et de travailleurs manuels, elle serait inapte à la discussion approfondie de problèmes économiques, techniques ou juridiques. Une petite minorité de ses membres aurait seule le goût de la gestion des affaires publiques. Une telle assemblée serait des plus faciles à manipuler, à moins que l'absentéisme de ses membres ne l'empêchât de se réunir.

Les catégories socio-professionnelles

La technique de l'élection présente le grand avantage d'impliquer une première sélection, du fait qu'il faut faire acte de candidature pour pouvoir être élu. Grâce à cela, ne seront membres d'une assemblée que ceux qui l'auront désiré, soit par ambition, soit par désir désintéressé de servir leurs concitoyens et de défendre un idéal auquel ils tiennent, soit encore, le plus souvent, par une combinaison de ces divers sentiments. Par là même, en un sens, l'assemblée ne sera pas « représentative », au premier sens du terme, puisque tous les citoyens ne ressentent pas une telle vocation; nécessairement, les membres de certaines catégories socio-professionnelles y seront proportionnellement bien moins nombreux que dans l'ensemble du pays. Des travaux savants et minutieux ont été consacrés depuis quelques années à l'étude comparée de la composition socio-professionnelle des assemblées et de leurs corps électoraux à diverses époques et en divers pays. L'intérêt de ces recherches est de permettre de déceler certaines différences entre systèmes politiques en apparence analogues et de déterminer s'il existe ou non une tendance de longue durée au remplacement dans les assemblées de telle catégorie professionnelle par telle autre, par exemple à la substitution d'ingénieurs et de fonctionnaires aux avocats et aux médecins.

Mais il n'y a aucunement lieu d'en conclure que la représentativité d'une assemblée élue s'accroît lorsque diminuent les différences entre sa composition socio-professionnelle et celle de l'ensemble du pays. *Élue pour représenter le peuple, une assemblée reçoit de lui délégation pour remplir certaines tâches spécialisées* — c'est le sens juridique du terme représentation. Elle serait inapte à cette spécialisation si elle était sociologiquement identique à son corps électoral. Il est bon que les ouvriers comptent parmi leurs représentants au Parlement des avocats et des professeurs, parce que ceux-ci défendront leurs intérêts et exprimeront leurs points de vue plus efficacement qu'ils ne sauraient le faire eux-mêmes. Il serait déplorable que les paysans catholiques de provinces traditionalistes fussent représentés seulement par des prêtres intégristes et les populations détachées du christianisme d'autres provinces par des militants de la libre pensée, parce que cela rendrait impossibles les compromis nécessaires entre les conceptions des uns et des autres.

On peut même penser que lorsque, comme c'est le cas en Russie soviétique, les différences socio-professionnelles entre une assemblée élue et son corps électoral sont négligeables, c'est le signe que cette assemblée n'a qu'un rôle apparent, et qu'elle n'est jamais appelée à prendre elle-même des décisions de quelque importance.

La représentation des opinions

Il est un domaine, cependant, dans lequel il peut sembler normal qu'une assemblée élue reproduise aussi exactement que possible la physionomie du peuple qu'elle représente : c'est celui des opinions politiques. Les partisans de la représentation proportionnelle en ont pris argument depuis la fin du XIXe siècle pour préconiser l'adoption d'un mode de scrutin agencé de façon que la force respective des diverses tendances dans une assemblée fût aussi proche que possible de ce qu'elle est dans le corps électoral : tout parti ayant obtenu les voix d'un certain pourcentage des électeurs aurait en somme, d'après cette conception, un véritable droit à disposer du même pourcentage de sièges dans l'assemblée.

Il y a là un aspect particulier de la notion de représentation fondée sur l'identité entre représentant et représenté, cette identité n'étant ici considérée comme nécessaire que dans le seul domaine des opinions politiques, à l'exclusion des caractéristiques socio-professionnelles.

Cette conception fait bon marché du fait que *les assemblées politiques doivent nécessairement*, pour remplir convenablement leur mandat, *être capables de prendre des décisions cohérentes*. Il faut pour cela qu'elles possèdent une majorité, c'est-à-dire qu'il existe entre plus de la moitié de leurs membres une volonté commune de s'unir durablement pour faire prévaloir une certaine politique, et pour donner, à un gouvernement en accord avec eux sur cette politique, les moyens de l'appliquer.

Pour qu'une assemblée soit représentative, son régime électoral doit, certes, être conçu de façon à éviter qu'une majorité existant dans le corps électoral n'ait aucune chance de se retrouver dans l'assemblée. La pratique du *gerrymandering*, jadis courante aux États-Unis, et qui consiste à découper le territoire en circonscriptions de population inégale, pour garantir que la majorité des élus représenteront des circonscriptions rurales groupant une minorité de la population, est certainement contraire au principe représentatif.

Mais un régime électoral conçu de façon à décourager la multiplication des nuances politiques et à donner le maximum de chances qu'une majorité puisse se dégager dans l'assemblée, en accentuant la prédominance, parmi les élus, du ou des partis qui auront obtenu le plus de suffrages, ne tombe pas sous le coup de la même critique. Il serait malsain qu'un parti ayant la confiance d'une proportion appréciable des électeurs n'eût aucune chance d'avoir des élus. Mais, si ce parti est minoritaire dans l'ensemble du pays, importe-t-il beaucoup qu'il soit proportionnellement plus faible dans l'assemblée que dans le corps électoral? Ne suffit-il pas qu'il puisse y faire entendre sa voix et y exposer ses conceptions? Inversement, il n'y a que des avantages à ce qu'un parti, ou une coalition de partis disposant d'une petite majorité parmi les électeurs, soit en plus forte majorité dans l'assemblée : cela permettra d'éviter les votes de surprise dus à des absences ou à des dissidences individuelles et le Gouvernement pourra ainsi consacrer l'essentiel de ses efforts à gouverner et non à rester au pouvoir.

Lorsqu'il existe plusieurs partis d'opposition, aux programmes inconciliables, et tous minoritaires, mais qui, par l'addition de leurs voix, pourraient constituer une majorité négative, la conception sommaire, purement arithmétique, de la représentation entraînerait l'élection d'une assemblée incapable d'émettre un vote positif et donc de soutenir aucun gouvernement, comme cela s'est produit dans l'Allemagne de Weimar, au cours des années qui ont précédé la prise de pouvoir d'Adolf Hitler. Il faut donc un système électoral tel que, dans cette hypothèse, il existe le maximum de chances pour que la plus forte des tendances politiques existant dans le pays dispose de la majorité dans l'assemblée, même si elle ne groupe pas derrière elle plus de la moitié des électeurs. S'il en était autrement, le principe même de l'élection comme moyen de permettre la représentation du peuple serait bientôt en péril d'être abandonné, parce que son application rendrait tout gouvernement impossible.

Il faut en somme *se garder de toute interprétation simpliste et trop rigide du principe de la représentation du peuple par les élus,* qu'elle s'étende au domaine des structures socio-professionnelles ou qu'elle se limite à celui des opinions politiques. La notion de représentation politique ne doit comporter l'exigence d'une ressemblance entre peuple représenté et assemblée représentative que dans la mesure où cette ressemblance n'empêche pas l'assemblée de gérer les intérêts communs qui lui sont confiés. Une assemblée trop exactement analogue à un pays divisé ne peut remplir cette tâche ; elle tend à perpétuer les antagonismes de l'opinion au lieu de les réduire, et elle met finalement en danger le principe représentatif lui-même.

Notables et partis

Telle qu'on la formulait, et même, dans une certaine mesure, telle qu'on la pratiquait en France au XIXᵉ siècle, la doctrine de la représentation du peuple par ses élus ne tenait compte de l'existence ni des classes sociales, ni des partis politiques : *l'individualisme libéral* de cette époque n'admettait pas que de tels corps intermédiaires s'interposassent entre le citoyen et l'État. Cette doctrine faisait également fi de la diversité géographique de la nation ; chaque élu était censé représenter le peuple tout entier, et non pas seulement ceux des électeurs qui avaient suscité sa candidature ou qui avaient voté pour lui, ni même tous ceux de sa circonscription. Aucun mandat impératif ne pouvait être donné à l'élu, aucun groupement, quel qu'il fût, n'avait qualité pour peser sur ses décisions. C'était à lui seul, dans l'autonomie de sa conscience individuelle, qu'il appartenait de décider en chaque circonstance le sens du vote qu'il émettrait dans l'assemblée. Selon cette doctrine, la souveraineté populaire s'exprimait en somme, grâce à une mystérieuse alchimie, par la combinaison d'une majorité de souverainetés individuelles.

Si artificielle qu'elle fût, cette conception libérale et individualiste de la représentation du peuple souverain n'a pas été sans conséquences. Elle a contribué à la suspicion dont sont frappés en France, dans bien des milieux, les partis politiques. Elle a retardé l'organisation de groupes dans les assemblées parlementaires, où ils n'ont été reconnus officiellement qu'en 1910. (Les comptes rendus officiels des votes ne comportent aujourd'hui encore à cet égard aucune indication.)

Le caractère fictif de cette doctrine traditionnelle devait la rendre progressivement de plus en plus difficile à soutenir. Sans doute, pendant longtemps, le maintien du scrutin uninominal à deux tours permit aux candidats de ne se lier à aucun parti. Il leur fallut cependant organiser, pour soutenir leur candidature, des « comités » qui donnèrent peu à peu naissance à des embryons de groupements politiques.

Le facteur le plus important du déclin de la doctrine individualiste de la représentation fut, à la fin du XIXe siècle, l'apparition de tendances politiques favorables à des réformes sociales de nature à améliorer le sort des classes défavorisées. Aussi longtemps que l'élément essentiel du choix des électeurs fut la personnalité et la notoriété des candidats, la plupart de leurs élus, même appartenant à la gauche, furent des membres des milieux privilégiés, fût-ce seulement d'une moyenne bourgeoisie provinciale qui ne pouvait guère concevoir que la structure de la société née de la Révolution française fût remise en cause. Les candidats appartenant à ce milieu se faisaient souvent élire sur un programme de réformes. Leur tendance, au Parlement, n'en était pas moins d'ajourner la réalisation des mesures qu'ils avaient évoquées devant les électeurs jusqu'au moment « opportun » (de là le nom d'opportunistes donné vers 1880 aux républicains anticléricaux mais modérés), ou d'en atténuer la portée. La victoire des républicains sur les conservateurs, au moment du 16 mai 1877, avait fait naître dans les milieux populaires l'espoir d'un progrès dans leurs conditions de vie. En fait, les réformes votées par les opportunistes furent à peu près uniquement de nature politique. C'est seulement sur la diffusion de l'enseignement public, laïc, gratuit et obligatoire qu'ils comptèrent pour créer plus d'équité dans la société, en égalisant au départ les chances de réussite dans la vie de tous les enfants.

Une telle conception de la justice sociale aurait eu un sens dans la France artisanale et paysanne de la première moitié du XIXe siècle. Dans la France capitaliste, en voie d'industrialisation, des débuts de la IIIe République, elle en avait de moins en moins.

La déception créée par l'immobilisme social du régime sur lequel les masses avaient compté pour introduire concrètement plus de justice et plus d'égalité dans les conditions de vie des citoyens fut un des facteurs de succès du boulangisme. Bien vite, après l'échec de celui-ci, elle contribua au *développement des premiers partis politiques, ceux qui se réclamèrent*, sous une forme ou sous une autre, *du socialisme*. Si faibles que fussent à l'origine ces petits groupements socialistes, ils n'en introduisirent pas moins dans la politique française une notion nouvelle, celle d'un contrôle de l'action parlementaire des élus, qui devaient s'engager à l'avance à se conformer aux décisions prises à la majorité par les membres du groupement dont ils relevaient. A la conception de la représentation par des hommes, se substituait celle de la représentation par des partis. Ainsi, pensait-on, pourrait être évité l'oubli de leurs promesses qui avait si souvent été reproché aux parlementaires élus à titre uniquement personnel : *la sélection des candidats par le parti*, le contrôle exercé par celui-ci sur ses parlementaires permettraient une représentation plus exacte de la volonté des électeurs.

Jamais, cependant, cette nouvelle notion de la représentation ne fut unanimement acceptée. L'organisation de partis politiques dotés d'un minimum de discipline et d'une structure telle que leurs adhérents fussent effectivement en mesure d'en déterminer l'orientation resta propre aux tendances d'extrême gauche. Le nombre de leurs militants demeura au surplus si réduit, par rapport à celui de leurs électeurs, qu'on put toujours contester leur caractère représentatif.

Il existe bien des raisons de penser que c'est justement parce que la notion individualiste de la représentation a conservé en France tant de partisans, alors qu'elle a pour effet de conférer·un véritable monopole à une « classe politique » peu nombreuse, que le régime représentatif a connu dans notre pays depuis quelques années la perte de prestige que l'on

65

sait. La responsabilité en incombe autant aux citoyens, qui n'ont pas cherché à imposer à leurs élus la modification de cet état de choses, qu'à la classe politique elle-même.

Mais le fait est là : si le peuple en est venu à considérer qu'il n'était pas vraiment représenté par ses élus, c'est que les formes de cette représentation ne se sont pas adaptées aux transformations de la société, dans laquelle à notre époque, en tous domaines, l'action collective tend à devenir dominante.

D'où la nécessité d'un renouvellement des techniques de représentation, qui a tendu pendant quelques années à s'opérer par le recours au référendum, mais dont on peut penser qu'il gagnerait à comporter également l'apparition, dans les secteurs importants de l'opinion, de groupements politiques capables d'être des intermédiaires efficaces entre la masse des citoyens et ceux qu'ils élisent pour les représenter [1].

LES LOIS ÉLECTORALES ET LEURS EFFETS

Avant 1914

Si, depuis 1848, les élections législatives ont toujours été faites au suffrage universel, la France n'en a pas moins connu au cours du dernier siècle *des régimes électoraux très divers*, dont les conséquences sur le fonctionnement des assemblées, et donc sur la réalité de la vie politique, comportent certains enseignements.

L'Assemblée constituante de 1848 a été élue par un scrutin départemental, dans lequel chaque électeur devait voter pour plusieurs candidats. Il s'agissait en fait d'un scrutin à un tour, selon lequel étaient élus les candidats ayant obtenu le plus grand nombre de suffrages, à la seule condition que 2 000 électeurs au moins eussent voté pour eux. Ce système fut maintenu en 1849 pour l'élection de l'Assemblée législative, avec une seule correction : au minimum fixe de 2 000 voix, on substitua l'exigence d'un nombre de suffrages au moins égal au huitième des électeurs inscrits.

Ce régime électoral eut pour conséquence, comme tout scrutin à un tour, de permettre l'élection d'une majorité parlementaire bien définie. Il bénéficia en 1848 aux républicains modérés, en 1849 aux conservateurs qui avaient su s'unir dans le « parti de l'Ordre », alors que leurs adversaires étaient divisés entre modérés et démocrates-socialistes de la « Montagne ».

Le Second Empire substitua au scrutin de liste *un scrutin uninominal*, et, à l'élection à la pluralité des suffrages, l'exigence de la majorité absolue au premier tour, avec un second tour (dit improprement ballottage) si cette majorité n'avait été obtenue au premier tour par aucun candidat.

Le scrutin uninominal avait été choisi par les conseillers de Napoléon III pour favoriser l'influence de l'Administration. La liberté de candidature au second tour (alors qu'un véritable ballottage se limite à un choix entre les deux candidats les plus favorisés du premier tour) avait comme but de rendre possibles des manœuvres éventuelles pour diviser les suffrages des opposants.

---

1. Voir le chapitre 4.

Pendant les premières années de l'Empire, alors que l'éducation politique des électeurs était encore rudimentaire, ce régime électoral dota le Corps législatif de majorités massives. Mais, en 1869, les progrès du « tiers parti » et de l'opposition républicaine furent tels qu'il n'y eut plus de majorité homogène.

Pour l'élection de l'Assemblée nationale, le 8 février 1871, le Gouvernement provisoire remit en vigueur la législation de 1849. *Le scrutin de liste à un tour* aboutit alors à l'élection d'une majorité conservatrice. Mais cette majorité était divisée par des considérations dynastiques. Après plusieurs élections partielles dans lesquelles un candidat républicain l'avait emporté sur deux ou trois conservateurs, alors que ceux-ci avaient recueilli au total plus de suffrages que lui, la majorité de l'Assemblée vota, en 1873, une loi qui, tout en maintenant le cadre départemental du scrutin, établissait l'exigence de la majorité absolue des suffrages exprimés pour l'élection au premier tour.

Le vote de cette loi de 1873 est significatif. Il prouve que, contrairement à ce qu'on pense parfois, *le système de l'élection à un tour*, à la simple pluralité des suffrages, *ne suffit pas à obliger les tendances politiques proches les unes des autres à s'unifier*. Lorsqu'il existe entre elles de puissants facteurs de division — telles que des loyautés dynastiques opposées — leur multiplicité tend à rendre difficilement praticable un régime électoral à un seul tour.

En 1875, les républicains souhaitaient le maintien du scrutin de liste départemental, dont ils pensaient qu'il les favoriserait, en se prêtant mieux qu'un vote uninominal à l'affirmation dans le corps électoral du grand courant d'opinion qu'ils avaient conscience d'incarner. Mais les conservateurs, persuadés que l'autorité des notables et l'influence de l'Administration les aideraient plus efficacement si la lutte électorale avait lieu dans un cadre étroit, rétablirent le système électoral de l'Empire, en substituant toutefois l'arrondissement administratif — éventuellement divisé par voie législative si sa population dépassait un certain seuil — aux circonscriptions du régime impérial définies par décret.

Le scrutin d'arrondissement à deux tours allait avoir d'importantes conséquences. L'expérience montra vite que les électeurs ne subissaient guère l'influence de l'Administration et des grands notables conservateurs. Mais l'existence de deux tours de scrutin encouragea la division des républicains, et provoqua *une surenchère permanente à l'intérieur de la gauche*. Qu'il y eût plusieurs candidats républicains au premier tour ne risquait pas de favoriser le conservateur, puisque celui-ci ne pouvait être élu qu'à la majorité absolue. Rien n'empêchait donc un ambitieux, désireux de prendre la place du député sortant, de se présenter contre celui-ci, en justifiant sa candidature par un programme plus avancé. L'union des républicains — qu'on appela très vite la « discipline républicaine » — se réalisait au second tour par des désistements au profit du candidat le plus favorisé du premier tour. Le système comportait ainsi en lui-même une incitation à la division du parti majoritaire, qui devait se traduire à la Chambre des députés par la multiplicité des groupes, par la fragilité des majorités de coalition et par l'instabilité ministérielle.

C'est parce qu'il en eut conscience que Gambetta, invoquant les principes des républicains de 1848, fit campagne en 1881 pour *le rétablissement du scrutin de liste*, et pour son inscription dans la constitution. Il espérait que cette réforme, tout en réduisant la place des considérations de clocher dans la vie politique, provoquerait la formation de deux grands partis, qui s'affronteraient aux élections dans le cadre d'une campagne menée clairement, à l'échelon national, et qui pourraient alterner au pouvoir parce que l'un d'eux obtiendrait toujours une majorité nette à la Chambre.

Cette réforme, refusée à Gambetta en janvier 1882 par une coalition de radicaux et de conservateurs, fut adoptée après sa mort, en vue des élections de 1885. L'expérience montra alors que Gambetta s'était fait certaines illusions, en ce sens que les effets qu'il attendait d'un scrutin de liste ne se seraient produits que si ce scrutin avait comporté un seul tour. En 1885, les conservateurs arrivèrent en tête au premier tour, mais furent battus au second par des listes de coalition entre opportunistes et radicaux qui, une fois élus, recommencèrent à se combattre, au point d'avoir successivement recours à l'alliance des conservateurs, les opportunistes en 1887, sous le ministère Rouvier, puis une partie des radicaux, en 1888, dans le mouvement boulangiste.

Le scrutin d'arrondissement fut rétabli avant *les élections de 1889* pour empêcher Boulanger de prendre dans tous les départements la tête de listes de coalition conservatrice et radicale. On poussa la précaution jusqu'à interdire à un même candidat de se présenter dans plus d'une circonscription. *Les républicains l'emportèrent et se persuadèrent que le vote uninominal à deux tours était le rempart du régime.*

Mais *son effet d'émiettement des tendances politiques* se reproduit — avec ses corollaires inévitables quant à l'instabilité des gouvernements. A mesure que progressaient les partis socialistes, une autre conséquence de ce mode de scrutin commença à apparaître. La discipline républicaine jouait aux élections entre socialistes et radicaux. Mais, à la Chambre, à partir de 1905, les premiers furent contraints par les statuts de leur parti unifié de combattre tous les gouvernements « bourgeois ». Les radicaux, après la période de domination exclusive de la Chambre, dont ils bénéficièrent entre 1902 et 1910, durent, pour pouvoir gouverner, se rapprocher de certains modérés. D'où la différence entre coalitions électorales et coalitions gouvernementales, qui allait être un des traits caractéristiques de la seconde partie de la IIIᵉ République.

Les socialistes, désireux d'affirmer leur complète autonomie, même sur le terrain électoral, et *les modérés catholiques,* exclus de la « discipline républicaine », et donc défavorisés par le scrutin d'arrondissement à deux tours, s'unirent alors pour préconiser l'adoption d'un système de représentation proportionnelle avec scrutin de liste, dont une partie de l'opinion croyait devoir attendre un assainissement des mœurs parlementaires.

L'entre-deux-guerres

La réforme électorale ne put être votée qu'au lendemain de la première guerre mondiale, et il s'en fallut de beaucoup que le scrutin de liste presque partout départemental alors adopté fût vraiment proportionnel : il s'agissait d'un scrutin à un tour, comportant d'abord l'élection de tout candidat ayant obtenu personnellement la majorité absolue des suffrages exprimés; puis, si des sièges restaient disponibles, leur attribution aux candidats les plus favorisés de chaque liste, selon le système du quotient (d'après lequel chaque liste a droit à autant de sièges que la moyenne des suffrages obtenus par ses candidats contient de fois le produit de la division du nombre des suffrages exprimés dans la circonscription par le nombre des sièges à y pourvoir); enfin, s'il restait encore après cette seconde opération des sièges disponibles, leur attribution aux candidats les plus favorisés de la liste ayant la plus forte moyenne, c'est-à-dire la pluralité des suffrages.

La loi électorale de 1919 mécontenta à la fois les proportionnalistes et les partisans du scrutin d'arrondissement. En réalité, il s'agissait d'un *système plurinominal majoritaire*, faisant une large place à la règle de l'élection à la simple pluralité. Appliquée deux fois, en 1919 et en 1924, cette loi permit, dans chaque cas, l'élection d'une Chambre comportant une majorité de coalition bien définie, le Bloc national en 1919, le Cartel des gauches en 1924. La gauche avait souffert en 1919 de sa division entre radicaux et socialistes; elle profita en 1924 de l'unité qu'elle avait su retrouver grâce au Cartel, et de l'existence de listes modérées dissidentes.

De 1919 à 1924, la majorité fut cohérente et durable, et le nombre de crises ministérielles très réduit. Mais, après 1924, les contradictions existant entre radicaux et socialistes en matière de politique financière et monétaire, et le refus des socialistes de participer au Gouvernement provoquèrent une multiplication sans précédent des crises ministérielles, jusqu'au renversement de majorité opéré en 1926, sous la direction de Raymond Poincaré, par une coalition entre les modérés et la plus grande partie des radicaux.

Socialistes et radicaux désiraient cependant maintenir leur entente électorale. Il leur aurait été impossible de se présenter aux élections de 1928, comme à celles de 1924, sur les mêmes listes. Aussi décidèrent-ils, d'un commun accord, en 1927, de *rétablir le scrutin uninominal à deux tours*, qui leur permettrait d'appliquer contre les modérés une tactique de désistements réciproques.

Ainsi se trouvèrent rétablies, dans une conjoncture plus difficile qu'avant 1914, les conditions de la différence entre coalitions électorales et coalitions de Gouvernement, en même temps que la multiplication des nuances politiques dues au scrutin uninominal à deux tours. En 1928, les modérés obtinrent la majorité à la Chambre, parce qu'une proportion appréciable des électeurs radicaux du premier tour refusèrent de donner leur suffrage au candidat socialiste de « discipline républicaine ». En 1932 et 1936, au contraire, la coalition de gauche l'emporta, limitée aux radicaux et aux socialistes la première fois, étendue aux communistes la seconde.

Mais, dans l'un et l'autre cas, *les désaccords internes de la coalition victorieuse* provoquèrent, deux ans après le scrutin un renversement de majorité et la formation d'une coalition de modérés et de radicaux. Le système de scrutin uninominal à deux tours conduisait en somme, dans des conditions plus nettes que jamais, à *un contraste entre les élections* — caractérisées par l'union de tous les partis de gauche — *et la vie parlementaire et gouvernementale* — dans laquelle ces partis se désunissaient et où s'imposait alors une entente entre modérés et radicaux. Un tel état de choses avait de graves inconvénients; on pouvait en conclure que le scrutin d'arrondissement, malgré son caractère traditionnel, ne répondait plus aux nouvelles données de la vie politique française.

La proportionnelle et le scrutin uninominal

Aussi fut-il abandonné après la Libération pour un scrutin de liste départemental, avec représentation proportionnelle et listes bloquées (c'est-à-dire dans lequel les candidats d'une liste étaient proclamés élus selon leur rang d'inscription sur la liste, et non selon le nombre des suffrages obtenus personnellement par chacun d'eux, comme en 1919 et 1924). Du fait qu'il ne comportait aucune attribution de sièges, dans le cadre national, aux suffrages non représentés sur le plan départemental, ce mode de scrutin n'instituait, en réalité, qu'*une proportionnelle approximative* et défavorisait très sensiblement les partis les moins importants. Dans nombre de départements, en effet, trois listes au maximum avaient des chances d'obtenir des sièges. La conjoncture politique de 1945 et de 1946 — années au cours desquelles furent successivement élues deux Assemblées constituantes et l'Assemblée nationale de la première législature de la IVe République — était telle que trois partis, le Parti communiste, le Parti socialiste SFIO et le Mouvement républicain populaire, furent les grands bénéficiaires de ce système électoral, dont radicaux et modérés furent au contraire doublement les victimes : d'abord parce que le nombre de leurs élus fut toujours proportionnellement inférieur à celui de leurs suffrages ; ensuite, parce qu'un nombre appréciable d'électeurs, qui leur étaient cependant demeurés fidèles aux élections cantonales de septembre 1945, ne votèrent plus pour eux en octobre de la même année, ni en juin et novembre 1946, de crainte de perdre leurs suffrages en les portant sur des listes qui n'avaient guère de chances d'obtenir un élu.

La représentation proportionnelle aboutissait donc à fausser la physionomie politique du pays ; *l'écart entre le nombre moyen de suffrages par siège à l'Assemblée entre le parti le plus favorisé et celui qui l'était le moins était presque du même ordre que celui qu'on avait constaté avant la guerre avec un scrutin majoritaire.*

La législation électorale de 1945-1946 eut d'autres effets : elle avait été conçue, notamment par son système de liste bloquée, pour renforcer l'emprise exercée par les partis sur leurs élus, l'indiscipline éventuelle d'un député dans ses votes parlementaires pouvant être efficacement sanctionnée par sa radiation ou par son recul sur la liste du parti aux élections suivantes. Aussi, les trois Assemblées élues en 1945 et 1946 furent-elles caractérisées par la prépondérance absolue et massive des trois groupes communiste, socialiste et républicain populaire, dont chacun disposait d'environ un quart des sièges. La formation d'une majorité de Gouvernement dépendait donc essentiellement de *négociations entre les organismes directeurs de ces trois partis.* Lorsqu'au printemps 1947 une rupture intervint entre les communistes et leurs anciens partenaires, ceux-ci durent chercher un appoint du côté de certains modérés et de certains radicaux, qui le leur donnèrent à titre individuel, sans garantie de durée ; on en vint alors à combiner les inconvénients d'un régime de partis rigides, avec ceux d'un système de coalitions parlementaires fragiles ; l'instabilité ministérielle fut aussi grande que sous la IIIe République, et les gouvernements, difficilement constitués après de longs marchandages entre partis et entre personnalités, ne parvinrent jamais à obtenir l'autorité dont ils auraient dû disposer pour faire face avec succès aux difficultés de leur tâche.

La loi électorale de 1946 fut modifiée en 1951 pour parer au risque de l'élection d'une assemblée dans laquelle une double opposition, celle du Parti communiste et celle du Rassemblement du peuple français (créé en 1947 par le général de Gaulle pour lutter contre ce qu'il appelait « le régime exclusif des partis »), aurait obtenu la majorité, ce qui aurait rendu tout gouvernement impossible. Afin d'éliminer ce risque, on autorisa des « *apparentements* » entre listes distinctes et on introduisit le principe majoritaire au sein de la proportionnelle : quand plusieurs listes apparentées auraient obtenu ensemble la majorité absolue des suffrages exprimés, elles se partageraient, au prorata de leurs nombres de voix respectifs, la totalité des sièges de la circonscription. Là où la répartition se ferait à la proportionnelle, le calcul se ferait comme si les apparentés constituaient une liste unique. Ce mécanisme atteignit son but, en ce sens que communistes et gaullistes additionnés furent loin d'avoir la majorité dans l'Assemblée nationale de la seconde législature. Mais les désaccords entre partis apparentés n'en empêchèrent pas moins la formation d'une majorité; les Gouvernements continuèrent, jusqu'à la fin de la IVᵉ République, à manquer de la stabilité et donc de l'autorité qui auraient été nécessaires pour que le régime pût durer.

En 1958, après l'approbation massive, au référendum du 28 septembre, du projet de constitution de la Vᵉ République, élaboré par le Gouvernement du général de Gaulle, une nouvelle réforme électorale fut réalisée par voie d'ordonnance : elle consista dans le *rétablissement d'un scrutin uninominal majoritaire à deux tours*, qui différait en deux points de celui de la IIIᵉ République. D'une part, les circonscriptions établies par l'ordonnance d'octobre 1958 furent, à l'origine, beaucoup moins inégalement peuplées que celles d'autrefois, sauf en ce qui concernait les petits départements, tous dotés de deux sièges [1]. D'autre part, on n'autorisa pas la présentation de nouvelles candidatures au second tour, dont furent même exclus ceux des candidats qui auraient obtenu moins de 5 % des suffrages exprimés au premier tour, et ce seuil a été élevé à 10 % du nombre des électeurs inscrits en 1966, puis à 12,50 % en 1976.

En outre, depuis 1958, chaque candidat doit se présenter avec un « remplaçant éventuel » (ou suppléant) appelé, s'il est élu, à lui succéder en cas d'incompatibilité ou de décès (mais non de démission). L'institution des suppléants (qui existe aussi pour les sénateurs) a été imaginée parce que *la constitution de 1958 a créé une incompatibilité entre le mandat parlementaire et l'exercice de fonctions ministérielles*. On a voulu éviter que la formation d'un nouveau Gouvernement fût nécessairement suivie d'une série d'élections partielles et, en interdisant au suppléant devenu député de se présenter à l'élection suivante contre son titulaire, on a voulu faciliter aux anciens ministres leur rentrée au Parlement. Mais cette institution soulève certaines critiques. L'incompatibilité entre mandat parlementaire et fonction ministérielle ne prend effet qu'après un délai d'un mois, pendant lequel le parlementaire devenu ministre n'a le droit de prendre part à aucun scrutin dans l'Assemblée dont il reste membre. En avril-mai 1967, la majorité ne disposant sur les groupes d'opposition que d'une avance de quelques sièges, cette règle a obligé le président de la République à ne nommer le nouveau Gouvernement qu'après l'élection du président de l'Assemblée nationale, puis elle a privé ce Gouvernement de majorité pendant un mois. Il peut d'autre part arriver que le titulaire et son suppléant, d'accord entre eux au moment de l'élection, en viennent à ne plus partager les mêmes opinions, ce qui donne un caractère paradoxal et choquant au remplacement éventuel du premier par le second.

L'incompatibilité entre le mandat parlementaire et la fonction de ministre avait été préconisée à la fin de la IVᵉ République comme un moyen de raréfier les crises

---

1. Mais les déplacements de population survenus depuis lors ont provoqué progressivement une inégalité entre circonscriptions à laquelle il est fâcheux qu'il n'ait pas été remédié, encore qu'elle n'ait jamais eu d'effet décisif sur le résultat d'une élection générale.

ministérielles, dont on pensait que la fréquence tenait, au moins en partie, au désir qu'éprouvaient nombre de députés de siéger quelques mois au Gouvernement pour avoir droit ensuite, pendant toute leur carrière politique, à la considération qui s'attache au titre d'ancien ministre. A l'expérience, on peut penser que la constitution de 1958 comporte suffisamment de mécanismes efficaces en faveur de la stabilité gouvernementale pour que cette incompatibilité soit quelque peu superfétatoire. Elle a cependant l'avantage de décourager les manœuvres personnelles d'un ministre qui quitterait le Gouvernement dont il fait partie afin de préparer un renversement de majorité propre à lui donner une influence personnelle accrue, manœuvre dont il y a eu bien des exemples sous la IIIᵉ et la IVᵉ République : peut-être inutile s'il s'agit de garantir la stabilité ministérielle, la règle de l'incompatibilité ne l'est certainement pas quant au maintien de la solidarité entre membres d'un même Gouvernement.

L'institution des suppléants avait été remise en cause en 1974 par le nouveau président de la République, qui proposa de la modifier en permettant aux parlementaires devenus ministres de retrouver automatiquement leur siège à l'Assemblée nationale ou au Sénat six mois après avoir cessé d'appartenir au Gouvernement. Mais la révision constitutionnelle tendant à instituer cette nouvelle règle, bien que votée par les deux Chambres, ne fut pas soumise à la ratification du Congrès parce que les scrutins intervenus au Palais-Bourbon et au Palais du Luxembourg ne permettaient pas d'espérer qu'elle réunirait la majorité des trois cinquièmes requise pour le vote par le Congrès d'un projet de révision.

Aux élections de novembre 1958 et novembre 1962, *le scrutin uninominal à deux tours n'a pas produit les mêmes effets que sous la IIIᵉ République* quant à la formation d'une majorité. Ce fait s'explique par des raisons de conjoncture : chacune de ces deux élections a eu lieu quelques semaines après un référendum par lequel le suffrage universel venait de manifester sa confiance et son attachement au général de Gaulle, ce qui a donné un grand avantage aux candidats qui se réclamaient de celui-ci. En 1958, beaucoup d'entre eux étaient des modérés, des radicaux ou des républicains populaires, souvent même des socialistes, de sorte que la majorité de l'Assemblée nationale a manqué d'homogénéité. En 1962, les candidats proprement gaullistes — en immense majorité membres de l'UNR, mais parfois aussi indépendants ou républicains populaires — s'opposaient à ceux de tous les partis qui, de la droite à l'extrême gauche, avaient fait campagne pour le vote NON au référendum, ce qui permit, pour la première fois dans l'histoire électorale française, l'élection d'une Assemblée possédant une majorité véritablement unie.

Aux élections de mars 1967, dans une conjoncture politique dont les circonstances — c'est-à-dire l'absence de tout problème dramatique — avaient fait qu'elle n'était plus dominée au même degré que lors des consultations précédentes par la personnalité du général de Gaulle, le scrutin uninominal à deux tours n'a pas eu tout à fait les mêmes conséquences qu'en 1958 et 1962. La majorité n'a été atteinte que de justesse par les candidats favorables au Gouvernement nommé par le président de la République, et la cohésion de cette majorité a pu paraître sujette à caution. En juin 1968, après les troubles de mai-juin, les élections qui ont suivi la dissolution de l'Assemblée élue en mars de l'année précédente ont donné naissance à une majorité comportant près des trois quarts des députés, le seul groupe UDR rassemblant à lui seul plus de la moitié des élus : ainsi se trouvait confirmé le fait qu'au moins dans une conjoncture dramatique, le scrutin uninominal majoritaire à deux tours ne constitue pas en lui-même un obstacle à l'élection d'une Chambre pourvue d'une majorité nette, comme on avait cru pouvoir le déduire de l'expérience de la IIIᵉ République. Mais s'il en a été ainsi, c'est dans une large mesure parce que les partis d'opposition sont allés à la bataille électorale dans un état complet de désunion.

Les élections de 1973, pour lesquelles l'opposition de gauche avait rétabli son unité, ont cependant abouti à une reconduction de la majorité sortante, composée de l'UDR, des républicains indépendants, et des membres « du Centre Démocratie et Progrès », aux candidats de laquelle se sont ralliés, au second tour de scrutin, la très grande majorité des électeurs qui, au premier tour, s'étaient prononcés pour les centristes opposants du Mouvement réformateur. Mais l'UDR n'a plus disposé à elle seule de la majorité de l'Assemblée, comme après le scrutin de 1968.

Quant aux élections de 1978, que la gauche a abordées après que les partis qui la composent eurent été incapables de se mettre d'accord sur un « programme commun » adapté aux conditions économiques existant à l'époque où elles ont eu lieu, elles ont, elles aussi, reconduit la majorité sortante, au sein de laquelle les éléments les plus proches du président de la République ont augmenté leur représentation, sans parvenir cependant à obtenir autant d'élus que la formation gaulliste du **RPR**.

On a pu constater lors de cette élection que l'élévation à 12,5 % des électeurs inscrits de la barre à franchir au premier tour de scrutin, pour avoir le droit de rester candidat au second tour, avait eu pour effet de réduire de façon très générale à deux seulement le nombre de ceux entre lesquels les électeurs ont la faculté de choisir à ce second tour : il n'y a eu en effet alors (et il devait en être de même en 1981) qu'une seule élection triangulaire. La loi de 1976 a donc eu pour effet de durcir l'affrontement entre les deux camps opposés. En même temps, les formations « centristes », qui sont celles dont les candidats sont le plus souvent éliminés par la barre à franchir au premier tour, perdent toute possibilité de négocier le désistement éventuel de leurs candidats. *La coupure en deux du corps électoral* qui en résulte n'est pas sans inconvénient, dans la mesure où elle a quelque chose d'artificiel.

Il est malaisé de comprendre pourquoi un président désireux de « gouverner au centre », comme disait l'être Valéry Giscard d'Estaing, a permis à son ministre de l'Intérieur de déposer et de faire voter un projet de loi dont l'effet immanquable devait être de faire disparaître les formations centristes...

Les élections de juin 1981 ont suivi la dissolution de l'Assemblée nationale prononcée par le nouveau président de la République, François Mitterrand, dès son entrée en fonctions. Elles ont abouti à la victoire d'une forte majorité de gauche, le PS disposant à lui seul de plus de la moitié des sièges de l'Assemblée. Ce succès de la gauche n'était pas dû à une augmentation du nombre de suffrages par rapport à 1978, au tour décisif : le pourcentage des voix obtenues par elle ne s'était accru, par rapport au nombre des électeurs inscrits, que de trois centièmes de point. Mais celui des abstentions et des votes blancs et nuls avait augmenté de tout près de dix points, et les suffrages obtenus par l'ancienne majorité avaient reculé d'autant. Il semble bien qu'il y avait là un signe d'un comportement des électeurs correspondant à leur désir d'éviter qu'une discordance entre l'orientation du président de la République et celle de l'Assemblée ne portât atteinte au bon fonctionnement des institutions. C'est ainsi que l'élection présidentielle de 1981, comme le référendum de septembre 1958 et celui d'octobre 1962, a revêtu le caractère d'une consultation pilote.

Ces expériences successives donnent l'impression que le scrutin uninominal à deux tours, dans la situation présente de la politique en France, ne produit plus les mêmes effets que sous la IIIe République. Son existence a certainement contribué à faire naître et à renforcer l'unité de l'opposition de gauche. C'est la raison pour laquelle, désireux de dissocier le Parti socialiste de son alliance avec le Parti communiste, certains hommes politiques ont lancé pendant la campagne présidentielle de 1974 l'idée d'un retour à la représentation proportionnelle.

Rien ne fut cependant fait en ce sens. Mais l'Union de la gauche a inscrit à son programme le rétablissement de la représentation proportionnelle pour l'élection de l'Assemblée nationale. Si aucune initiative n'a été prise à cet égard au cours des deux premières années de la législature ouverte en 1981, c'est sans doute pour éviter qu'une atteinte soit portée à l'autorité d'une Assemblée élue au scrutin majoritaire. C'est peut-être aussi parce que, à l'expérience, les titulaires du pouvoir ont pris conscience des avantages de ce scrutin. Il ne paraît cependant pas impossible que, comme pour les conseils municipaux, ils ne proposent l'adoption d'un système combinant le principe majoritaire avec une certaine dose de représentation proportionnelle.

LES COMPORTEMENTS ÉLECTORAUX

Les traditions religieuses

Les conséquences d'un régime électoral ne tiennent pas seulement à ses caractéristiques techniques : elles doivent naturellement beaucoup aux données psychologiques et sociologiques du comportement habituel des électeurs.

A cet égard, on doit d'abord noter que le degré d'attachement des populations — surtout des populations rurales — aux traditions religieuses a joué pendant très longtemps en France un rôle de premier plan dans l'orientation de leurs votes. Le fait s'explique sans doute par la place que le problème du statut légal de l'Église et des moyens d'influence que l'État lui laisserait dans la société a tenue dans la vie politique, dans les débats parlementaires, et donc dans les campagnes électorales, jusqu'à 1914. Les catholiques votaient-ils à droite parce qu'ils étaient catholiques, ou les mêmes raisons de structure socio-psychologique conduisaient-elles certaines régions à demeurer doublement fidèles, sur le plan religieux, à l'Église, sur le plan politique, à une conception hiérarchique et traditionaliste de la société? Il est difficile d'en décider. En tout cas, le fait est là : partout où la structure de la société n'a pas connu de transformations notables, on a très longtemps constaté en France, et l'on constate encore souvent aujourd'hui, *une corrélation évidente entre les attitudes religieuses et les attitudes politiques exprimées aux élections.* L'attachement au catholicisme s'accompagne de prises de position conservatrices; le détachement de la foi et des pratiques religieuses correspond à des votes de gauche, voire d'extrême gauche. Ainsi s'expliquent bien des traditions politiques régionales, que l'étude comparée des élections permet de déceler en France.

Mais celle-ci n'est plus un pays à prépondérance rurale et ce facteur de tradition joue beaucoup moins dans les villes et dans les régions industrielles que dans les campagnes.

Les facteurs socio-professionnels

La structure socio-professionnelle paraît être un des facteurs essentiels des attitudes politiques : la pénétration électorale des partis d'extrême gauche — radicaux avant 1890, socialistes ensuite, communistes à partir de 1924 et surtout de 1945 — s'est faite beaucoup plus aisément et plus vite là où le développement industriel avait donné naissance à une classe ouvrière d'importance notable, que dans les villes ou les quartiers de ville peuplés de bourgeois, de commerçants et d'artisans.

Il faut cependant se garder à cet égard de simplifications abusives; selon un sondage d'opinion opéré par la SOFRES en mai 1981, 30 % seulement des ouvriers avaient voté pour le candidat communiste au premier tour de l'élection présidentielle, contre 33 % pour le candidat socialiste et 28 % pour les deux principaux candidats n'appartenant pas à la gauche. Les ouvriers représentaient d'autre part 35 % de l'électorat communiste et 23 % de l'électorat socialiste. *Un déterminisme d'ordre socio-professionnel ne peut donc suffire* à rendre compte des attitudes politiques des électeurs français.

Les villes, de quelque importance que fût leur population, ont constitué, à l'origine de la IIIᵉ République, les premiers bastions des partis de gauche. Nombreux, dans toutes les régions, sont les cantons ruraux dont le chef-lieu a été gagné aux idées républicaines avant les autres communes. La chose s'explique aisément : là se trouvaient un peu plus de fonctionnaires qu'ailleurs; c'est là — à cause des marchés — que se nouaient les contacts du canton avec l'extérieur; la composition professionnelle de la population y était moins homogène que dans les petites communes rurales; la présence d'un certain nombre d'artisans se révélait en particulier presque toujours favorable à la gauche.

Mais aujourd'hui, les mêmes facteurs provoquent des effets différents. Dans bien des régions (dans le Centre de la France notamment, mais aussi dans le Bassin parisien) *les petites communes rurales,* gagnées à la gauche avant 1900, lui sont demeurées fidèles, alors que les bourgs et les petites villes, moins stables, ont évolué vers la droite, sous l'influence des difficultés économiques nées des guerres, de l'accroissement du poids des impôts et des critiques adressées aux partis de gauche, en raison de leur longue présence au pouvoir, après la première guerre mondiale d'abord, puis dans les premières années de la seconde après-guerre.

Les milieux urbains paraissent, en somme, être plus ouverts, depuis un tiers de siècle, à l'idée d'un renouvellement des traditions et des méthodes politiques que ne le sont les milieux ruraux, et la gauche y a longtemps payé le prix de l'inaptitude manifestée par tant de ses éléments à concevoir une vie et des institutions politiques différentes de celles des années 1900. Une comparaison systématique de l'évolution électorale qui s'est manifestée, de 1928 à 1968, d'une part dans une série de cantons qui sont aujourd'hui en déclin démographique parce que la diminution de la population active agricole n'y a pas été accompagnée de la création en nombre important d'emplois industriels et commerciaux, d'autre part dans une autre série de cantons où la population s'est accrue en même temps que la structure économique s'y diversifiait, apporte à cet égard une indication significative : dans les premiers, le pourcentage des suffrages exprimés donné au Parti communiste s'était accru en quarante ans de plus de 8 points (de 10,2 % à 18,5 %), alors que dans les seconds il n'avait progressé que de moins de 3 points (de 14 % à 16,9 %), et cela bien que la proportion des ouvriers dans la population active ait été de moins d'un quart dans les cantons en déclin et de tout près de deux cinquièmes dans les cantons en progrès.

Autrement dit, c'est moins la structure socio-professionnelle en elle-même que le caractère progressif ou régressif de l'activité économique qui paraît constituer un des facteurs de la résistance ou de l'ouverture à la pénétration d'une idéologie et d'une volonté d'action révolutionnaires. C'est peut-être ce qui explique qu'après une longue période de dépression, d'inflation et d'accroissement du chômage au cours de laquelle le pouvoir avait été exercé par un président et une majorité combattue par la gauche, celle-ci, après avoir obtenu la majorité à l'élection présidentielle de 1981, ait remporté une victoire éclatante (grâce il est vrai à l'abstention d'un quart de l'électorat habituel de la droite) au scrutin législatif de juin 1981.

Des facteurs d'ordre purement géographique paraissent d'autre part entrer en jeu pour expliquer certaines différences de tempérament politique. *Les régions de l'Est et du Nord-Est*, proches de la frontière franco-allemande, ont longtemps témoigné d'une méfiance particulière pour les idéologies politiques imprégnées d'antimilitarisme ou d'internationalisme. Inversement, *le Midi*, plus latin, plus sensible à la magie du verbe, a toujours accepté avec un empressement particulier les programmes inspirés par une conception romantique du Progrès. « La République, a dit Charles Seignobos, paraît avoir été faite par l'idéalisme de Paris, par les éléments sérieux de l'Est, et par les éléments bruyants du Midi. » Ce diagnostic — porté par un quasi-méridional, puisque Seignobos appartenait à une famille protestante de l'Ardèche — paraît parfaitement rendre compte de certains contrastes géographiques apparus vers 1900 entre l'orientation politique des régions de l'Est et celle du Midi, régions dans lesquelles, à ses débuts, la République avait trouvé presque au même degré ses principaux bastions.

Le vote « contre »

C'est un fait absolument général que la tendance des électeurs français à voter moins *pour* que *contre* tel ou tel parti. Il s'explique par divers facteurs. L'instabilité ministérielle et le système des majorités de coalition aux frontières toujours incertaines ont fait qu'il a été très rare en France avant 1958 qu'une élection générale ait pu constituer un jugement clair sur l'œuvre réalisée au pouvoir par une équipe bien définie. L'étroitesse du cadre dans lequel ont eu lieu la plupart des consultations électorales (de 1848 à 1981 la France a vécu 100 ans sous un régime de scrutin uninominal et 33 ans sous un système de scrutin de liste) explique que les antagonismes locaux y aient souvent tenu une place importante. Enfin, le mécanisme même du scrutin à deux tours, avec les désistements auxquels il conduit, a constitué une puissante incitation pour les partis qui se coalisaient à mettre l'accent sur leur commune hostilité à l'adversaire, de façon à faire oublier leurs divergences de programme.

Depuis la seconde guerre mondiale, une sensible différence dans la manière de concevoir la vie politique paraît être apparue entre régions selon le degré de leur développement économique. La manifestation la plus nette en a été constatée en 1956, *le poujadisme* ayant eu beaucoup moins de succès dans les zones d'économie moderne en expansion que dans les régions où la structure de la production et des échanges était moins évoluée. Mais il n'est guère de scrutin depuis 1945 dans lequel une analyse attentive ne permette de constater que les partis les plus récents — communistes, gaullistes, républicains populaires — ont obtenu plus de succès dans les zones économiquement et démographiquement dynamiques que dans les autres, l'inverse étant vrai des radicaux et des modérés, et les socialistes obtenant à peu de chose près des résultats du même ordre dans les deux types de régions.

L'analyse des comportements électoraux, qu'elle soit faite géographiquement ou statistiquement, permet encore d'autres constatations.

Permanences et mutations

La IIIe République n'a pas été, contrairement à ce qu'on imagine parfois, une période de complète stabilité électorale. Certains partis ont disparu, d'autres les ont remplacés. La droite monarchiste n'a plus guère compté électoralement à partir de 1902. Le radicalisme, chassé des villes après le boulangisme, s'est replié sur les campagnes du Midi, d'une partie du Centre et de la périphérie du Bassin parisien. Le socialisme, après avoir hérité des positions urbaines des radicaux, a subi, sous la pression du communisme, une évolution du même type.

Géographiquement, les bastions de la droite, en 1871, étaient principalement situés dans la moitié ouest de la France. *A partir de 1900 un contraste Nord-Midi* a commencé à paraître, lorsque la France de l'Est, en se ralliant à une droite qui ne mettait plus en cause la République, a constitué un bastion conservateur symétrique de celui de la France de l'Ouest, alors qu'inversement, le passage au radicalisme du Sud-Ouest, resté longtemps bonapartiste, ne laissait plus à la droite de positions méridionales que dans une partie du Massif central et des Pyrénées.

Mais ces changements, liés à des phénomènes de reclassement des partis et de substitution de certaines étiquettes à d'autres, ont toujours été lents et progressifs. *Il n'y a jamais eu, de 1871 à 1936, d'élection française marquée par une vague de fond*, par un raz de marée provoquant l'effondrement soudain d'une tendance politique, le renforcement spectaculaire d'une autre. Même l'élection de 1936, marquée par le triomphe du Front populaire, n'a comporté que de faibles modifications dans la répartition des voix entre partis : les partis de Front populaire n'ont gagné, par rapport à 1932, que 300 000 suffrages, dont plus de la moitié correspondait à l'augmentation du nombre des votants; le facteur principal du résultat effectif du scrutin a été un simple changement de tactique électorale, l'incorporation des communistes à la vieille union des gauches.

De 1945 à 1962, au contraire, toutes les élections ont donné lieu à des changements bien plus importants qu'autrefois, et l'ancien équilibre des tendances du corps électoral a paru alors fortement compromis. Ce fut d'abord, en 1945 et 1946, le succès du *Mouvement républicain populaire*. Prenant sur l'échiquier des partis la place occupée de 1924 à 1940 par le Parti démocrate populaire, qui n'avait jamais atteint un effectif de deux douzaines de députés, le MRP arrivait d'emblée en seconde position en octobre 1945, surclassait le Parti communiste en juin 1946, et ne lui restait que de peu inférieur en novembre 1946.

En 1951, ce fut au tour du *gaullisme* de bénéficier d'une montée spectaculaire du nombre de ses suffrages : bien que le système des apparentements eût frustré le RPF d'une part de sa victoire électorale, son groupe parlementaire fut le plus nombreux de la nouvelle Assemblée nationale.

Mais en janvier 1956, il perdit les quatre cinquièmes de ses effectifs, et ce fut au tour du radicalisme — d'un radicalisme qu'on croyait transformé par *Pierre Mendès France* — et du poujadisme de se partager les voix de plusieurs millions d'électeurs qui paraissaient avoir voté pour le RPF en 1951, pour le MRP en 1945 et 1946.

Le gaullisme — sous son visage nouveau de l'UNR — devait enfin, en 1958 et 1962, retrouver, et bien au-delà, les suffrages qui s'étaient détournés de lui en 1956.

En mars 1967, les pourcentages des suffrages exprimés qu'ont obtenus au premier tour de scrutin les diverses formations politiques ont tous été, à très peu de choses près, les mêmes que ceux du premier tour de novembre 1962. S'il y a eu des changements sensibles dans la composition de l'Assemblée nationale, c'est parce que *les transferts de suffrages*, lors du second tour, ont été *différents de ceux constatés à l'élection précédente* : alors qu'en 1962, il y avait eu, dans les circonscriptions soumises au ballottage, sensiblement plus de votes exprimés au second tour qu'au premier, il y en a eu au contraire sensiblement moins en 1967 ; d'autre part les reports réciproques de suffrages entre formations de gauche, qui avaient comporté un déficit global en 1962, se sont, dans l'ensemble, réalisés avec une discipline totale en 1967 ; enfin, les reports de votes d'électeurs modérés ou « centristes » sur les candidats de la majorité ont été moins nombreux en 1967 qu'ils ne l'avaient été en 1962. En juin 1968, s'il n'y a pas eu à proprement parler de raz de marée comparable à ceux qui s'étaient produits de 1945 à 1962, les candidats gaullistes et républicains indépendants d'Union pour la Défense de la République n'en ont pas moins gagné près de 1 650 000 suffrages par rapport à mars 1967, cependant que le Parti communiste en perdait près de 600 000, la Fédération de la Gauche (qui regroupait socialistes SFIO, conventionnels et radicaux) 420 000 et le Centre près de 1 200 000.

Cette modification de la force respective des diverses tendances politiques s'expliquait évidemment par la réaction du corps électoral aux troubles des semaines précédentes.

Mais d'où provenaient les modifications constatées de 1945 à 1962 dans le comportement traditionnel des électeurs français ? Pourquoi des mouvements si amples et si brusques là où il n'y avait autrefois qu'imperceptible et progressive évolution ? Trois raisons peuvent l'expliquer.

Tout d'abord, *l'institution du suffrage féminin* a introduit dans le corps électoral une majorité d'électrices qui, dans la mesure au moins où leur vote n'est pas déterminé par celui des hommes de leur famille, ne sont pas soumises aux habitudes et aux réflexes politiques introduits peu à peu dans le comportement des électeurs sous la IIIᵉ République. Si la Constitution votée en avril 1946 par une majorité socialiste et communiste a été rejetée au référendum du 5 mai 1946, qui fut un tournant décisif dans l'évolution politique de la France après la seconde guerre mondiale, c'est très vraisemblablement à cause des bulletins féminins, et particulièrement de ceux de veuves âgées (on sait qu'elles sont beaucoup plus nombreuses que les veufs), qui ont craint l'aventure où paraissait conduire la prépondérance de l'extrême gauche dans la première Constituante, et qui, peut-être sous l'influence de l'Église, ont voté Non comme le leur conseillait le MRP.

Il y a bien des raisons de penser que, par la suite, *le prestige personnel du général de Gaulle*, celui de P. Mendès France, peut-être même celui de P. Poujade, ont exercé une influence plus forte sur le vote des femmes que sur celui des hommes.

La transformation interne des classes moyennes urbaines constitue une seconde explication de l'état de choses présent. Jusqu'à la fin de la III⁰ République, les membres de cette catégorie sociale ont été formés principalement par des études de type juridique ou littéraire, qui les rendaient particulièrement réceptifs à l'aspect idéologique qu'avaient alors les luttes politiques. La seconde guerre mondiale a porté aux idéologies anciennes, dans ces milieux, une atteinte d'autant plus grave que, progressivement, ce sont des techniciens — ingénieurs, dessinateurs, ouvriers qualifiés — qui paraissent y avoir conquis la majorité. D'où, devant la politique, une attitude nouvelle, aspirant à l'efficacité, au rendement, et comme telle favorable tour à tour à tous les mouvements politiques dont on a pu espérer un rajeunissement des méthodes de la vie politique, plus de réalisme, plus d'attention prêtée aux problèmes économiques.

Enfin, l'instabilité récemment constatée dans la répartition des suffrages entre partis tient également à la *transformation des modalités de la participation des citoyens à la vie politique générale*. Cette participation était assurée jadis par tout un réseau de relations personnelles, dans lequel les notables municipaux et départementaux servaient de relais entre l'électeur et les parlementaires, eux-mêmes en contact avec le pouvoir. Il n'en est plus de même aujourd'hui, par suite du développement des « *mass media* », c'est-à-dire des procédés multiples — radiodiffusion, télévision, presse hebdomadaire illustrée à grand tirage, consignes diffusées par de multiples groupements d'intérêts — par lesquels l'électeur de la base est (ou croit être) directement mis en contact avec les problèmes ou avec les dirigeants de la vie politique, et subit ainsi sans amortissement les impulsions ou les sollicitations de l'actualité.

Si, en mars 1967, la répartition des suffrages entre tendances politiques a été si proche, au premier tour de scrutin, de celle de 1962, cela tient probablement à ce qu'aucune crise importante ne s'était produite dans la vie politique française pendant la seconde législature de la V⁰ République. Et si les transferts de suffrages ont été moins favorables le 12 mars 1967 que le 25 novembre 1962 aux partisans du gouvernement nommé par le général de Gaulle, c'est sans doute parce que, dans une conjoncture caractérisée par l'absence de drame, une fraction du corps électoral a jugé possible et souhaitable un certain retour vers la conception traditionnelle de la vie politique établie sous les III⁰ et IV⁰ Républiques.

C'est à ce retour que les troubles de mai-juin 1968 ont fait renoncer les électeurs, principalement centristes, mais appartenant aussi à la gauche, dont le ralliement à la majorité a assuré à celle-ci sa victoire écrasante de juin 1968. On ne saurait évidemment affirmer, surtout après le résultat négatif du référendum d'avril 1969, qu'il s'agissait d'un changement définitif d'orientation.

Cependant, les élections législatives de 1973 et de 1978, tout en modifiant sensiblement la composition interne de la majorité, dans laquelle le poids des élus se réclamant de leur fidélité à l'héritage du général de Gaulle a sensiblement diminué, ont donné l'impression que la victoire électorale d'une gauche dans laquelle le Parti communiste jouait un rôle essentiel se heurterait en France à de considérables obstacles psychologiques. Le premier tour de l'élection présidentielle de 1981, et l'échec de Georges Marchais, secrétaire général du PC qui n'a recueilli que moins d'un tiers du total des suffrages de gauche (contre 43 % pour les candidats communistes aux élections législatives de 1978) a beaucoup contribué à lever cet obstacle, la part des suffrages communistes étant d'autre part tombée, le 14 juin 1981, à un peu moins de 29 % du total des voix obtenues par la gauche.

On doit noter aujourd'hui un changement sensible par rapport à ce qui se passait au début du siècle : *les différences entre régions* quant à la force respective des grandes tendances de l'opinion *se sont beaucoup atténuées* : la gauche a été bien moins forte en 1978 qu'elle ne l'était en 1902, dans les départements qu'elle dominait alors, mais sensiblement plus dans ceux où elle était minoritaire : en 1902, l'écart entre la force des deux tendances dans le département où la gauche était la plus forte (la Creuse) et celui où elle était la plus faible (la Manche) était de 80 points en pourcentage. En 1978, entre l'Ariège et — toujours — la Manche, il n'est plus que de 32,5 points. A l'élection présidentielle du 10 mai 1981, l'écart entre le Bas-Rhin et l'Aude n'a plus été que de 28,7 points. Mais aux législatives de juin, il s'est très fortement accru, du fait de l'abstentionnisme d'une importante fraction de l'électorat habituel de la droite. On n'en a pas moins l'impression, en analysant sur la longue durée la géographie électorale française, qu'à un relief vigoureux, où des massifs élevés étaient séparés par de profondes vallées, l'érosion et la sédimentation sont en voie de substituer une sorte de pénéplaine : il y a là sans doute une conséquence de l'uniformisation que les moyens de communication sociale modernes ont introduite dans le jeu des facteurs qui déterminent le vote des électeurs.

Mais c'est surtout depuis 1958 qu'une mutation s'est produite à la fois dans le corps électoral et dans les conditions de la vie politique. Le retour à l'instabilité ministérielle d'antan et à l'existence d'un jeu parlementaire comportant la formation et la dislocation des majorités sans aucun recours au suffrage universel ne serait propablement plus accepté par l'opinion. *La sensibilité* de cette dernière *à la conjoncture économique et à l'action de l'État* dans ce domaine constitue à bien des égards une novation par rapport au comportement électoral traditionnel en France. Pendant longtemps, le seul recours à l'histoire permettait d'expliquer la manière dont votaient les électeurs français. Ce n'est plus vrai aujourd'hui.

LA CONSULTATION DIRECTE

Le référendum

Depuis 1945, ce n'est plus seulement par l'élection de leurs représentants à l'Assemblée nationale que les électeurs français ont été appelés à exprimer leur volonté ou, plus simplement, leurs préférences politiques. Aux douze élections générales qui ont eu lieu d'octobre 1945 à juin 81 se sont ajoutées, pendant la même période, neuf consultations par voie de référendum. Depuis décembre 1965, d'autre part, les membres de l'Assemblée nationale n'ont plus le monopole de la représentation directe du suffrage universel dans l'État : le président de la République représente le peuple au même titre que les députés[1]. La notion de consultation du peuple souverain a connu en somme à notre époque un considérable élargissement.

C'est contre le souhait de la plupart des anciens partis que le *Gouvernement provisoire du général de Gaulle, en 1945, a introduit la procédure de référendum* dans le droit public français. Il a décidé que l'Assemblée qui allait être élue en octobre n'aurait le caractère constituant que si le suffrage universel en disposait ainsi, et il a proposé en même temps une certaine limitation de ses pouvoirs, la durée de son mandat étant fixée d'avance à sept mois, ses rapports avec le Gouvernement investi par elle définis, et le texte constitutionnel qu'elle adopterait devant avoir le caractère d'un simple projet, soumis à un nouveau référendum. L'approbation donnée, le 21 octobre 1945, par le suffrage universel aux propositions du Gouvernement provisoire a ainsi constitué la première atteinte de principe à la règle coutumière, apparue sous la IIIᵉ République, de l'entière souveraineté de l'Assemblée élue au suffrage universel. Cette atteinte a été péniblement ressentie par les membres de l'Assemblée. Mais la voie une fois ouverte à l'élargissement des prérogatives du suffrage universel ne pouvait plus être refermée. Les nouveaux textes constitutionnels eux-mêmes comportèrent l'éventualité d'un recours au référendum, mais en matière de révision de la constitution seulement, et à défaut de l'adoption du texte de révision par les assemblées à une majorité qualifiée.

En fait, lors des discussions qui eurent lieu de 1950 à 1954 en vue d'une modification limitée de la constitution de 1946, tous les partis furent d'accord pour admettre que le débat ne serait mené à son terme que s'il était certain que la loi de révision obtiendrait au Parlement une majorité assez forte pour qu'il n'y eût pas lieu à référendum.

C'est pour introduire dans la politique française *un facteur de correction des déformations du principe représentatif* causées sous la IIIᵉ République par la souveraineté des assemblées et par l'autonomie excessive de la vie parlementaire, que le général de

---

1. Au contraire, il résulte de la décision par laquelle, le 30 décembre 1976, le Conseil constitutionnel a déclaré conforme à la constitution française la décision du 20 septembre 1976 du Conseil des Communautés européennes et l'acte qui y est annexé, relatifs à l'élection au suffrage universel direct des membres de l'Assemblée des Communautés européennes, que ceux d'entre ses membres qui sont élus en France n'ont pas, au regard du droit français, la qualité de « représentants du peuple », et n'ont donc pas qualité pour participer, en vertu de l'article 3 de la constitution, à l'exercice de la souveraineté nationale.

Gaulle a voulu rétablir, sous le nom de référendum, le système de consultation directe des électeurs sur certains textes particulièrement importants, que les régimes impériaux du xixᵉ siècle avaient utilisé sous le nom de plébiscite. Sans doute a-t-il pensé que le système lui permettrait en outre de *contrebalancer l'emprise des partis sur le corps électoral*, en s'adressant directement à celui-ci pour recommander un vote qui constituerait par là même pour lui une manifestation de la confiance du suffrage universel.

Jusqu'au référendum d'octobre 1962, ce résultat n'a cependant jamais été complètement atteint, une certaine équivoque ayant toujours résulté de ce que certains partis avaient préconisé à tous les référendums antérieurs le même vote que celui demandé par le général de Gaulle : seuls les communistes et les dissidents socialistes avaient en effet pris position pour le Non en septembre 1958 ; et les socialistes comme les républicains populaires ont fait campagne pour le Oui lors des référendums portant sur la politique algérienne en janvier 1961 et en avril 1962, le Parti communiste ayant lui-même rejoint le camp des Oui à cette dernière date. Antérieurement le silence du général au moment du référendum de mai 1946 sur le projet de constitution adopté par l'Assemblée nationale élue le 21 octobre 1945 avait ôté toute signification personnelle au rejet de ce texte. Au mois d'octobre, sa position hostile au projet voté par l'Assemblée élue en juin, tout en provoquant un nombre considérable d'abstentions, n'avait pas suffi à en empêcher la ratification par les électeurs.

Le référendum d'avril 1969 a eu un caractère complexe. Il s'agissait d'une part de l'approbation ou du rejet d'une *double réforme institutionnelle*, portant sur la création de régions et sur la transformation du recrutement et des pouvoirs du Sénat. Mais d'autre part, après la crise qui avait ébranlé la France en mai-juin 1968, *le général de Gaulle avait certainement ressenti le besoin de s'adresser directement au peuple français pour lui demander confirmation de son appui* : c'est pourquoi il annonça très clairement qu'en cas de rejet du texte soumis à référendum, il renoncerait immédiatement à sa charge de président de la République, posant ainsi en quelque sorte devant les électeurs la question de confiance sur l'approbation de son projet de réforme.

Le résultat négatif du référendum s'explique sans doute principalement par le caractère très complexe du projet de loi soumis aux électeurs, qui ne se sont pas senti la compétence technique nécessaire pour l'apprécier, ainsi que par l'attachement instinctif de l'opinion à l'existence d'un véritable bicamérisme. Mais il a traduit également un certain désir de changement par rapport à la manière dont les affaires publiques étaient dirigées depuis 1958, ainsi que l'érosion progressive du prestige personnel du général de Gaulle sur un corps électoral comportant beaucoup de citoyens nés à la conscience politique postérieurement à la seconde guerre mondiale.

Quant au référendum du 23 avril 1972 sur la ratification du traité consacrant l'entrée de la Grande-Bretagne dans le Marché commun, le nombre considérable d'abstentions qui l'a caractérisé montre sans doute que la procédure de consultation directe des électeurs n'est vraiment comprise que lorsqu'elle s'accompagne d'une question de confiance posée au peuple par le chef de l'État.

Les variations très sensibles du pourcentage des Oui aux divers référendums intervenus depuis 1945, et le fait que deux d'entre eux aient donné un résultat négatif, *ne permettent pas de retenir l'argument* de ceux qui critiquent le recours au référendum en prétendant *que le peuple, consulté selon cette procédure, répond toujours affirmativement.* Le cas de la Suisse, où les votations populaires donnent à peu près une fois sur deux un résultat négatif, prouve au surplus qu'il n'en est pas ainsi, lorsque les électeurs ont pris l'habitude de se prononcer directement sur des textes. L'écart qu'on constate habituellement entre les résultats d'un référendum et le nombre de suffrages accordés presque simultanément aux candidats des partis qui se sont prononcés respectivement pour le Oui et pour le Non, prouve simplement que la procédure des élections ne permet pas au suffrage universel d'exprimer exactement son attitude devant les problèmes qu'on l'invite à résoudre. *La combinaison des deux procédés de consultation paraît donc bien constituer un progrès des moyens d'expression de la volonté populaire.*

Le référendum, tel qu'il a récemment été pratiqué en France, n'en pose pas moins certains problèmes. C'est le pouvoir gouvernemental seul — représenté à la fois par le président de la République et par le Gouvernement proprement dit — qui a rédigé les textes proposés à l'adoption du corps électoral. Il peut se faire, en ce cas, que *la question posée aux électeurs paraisse présentée de façon équivoque*, ce qui risque d'atténuer la portée de la réponse donnée par le suffrage universel. Il y aurait sans doute bien des avantages à ce qu'un contrôle fût exercé à cet égard par une autorité non seulement compétente au point de vue juridique, mais tout à fait indépendante des partis comme du pouvoir.

Mais le principe de la consultation directe des électeurs sur certains projets de loi est sain en lui-même, parce qu'il constitue le seul moyen de remédier aux insuffisances du système classique de la représentation du peuple par ses élus. Les habitudes et les réflexes de *l'électeur français* font qu'il *choisit souvent son député, moins pour contribuer à constituer le pouvoir, que pour se donner un protecteur contre l'État.* De multiples sondages d'opinion ont permis de déceler de surprenantes divergences entre les opinions des citoyens et les programmes des partis pour lesquels ils déclarent voter aux élections législatives. Celles-ci ne pouvant donc traduire qu'imparfaitement la volonté politique du pays, l'existence de deux procédés différents de consultation est heureuse. Encore faudrait-il que, comme leurs collègues de la Confédération helvétique, les membres du Parlement français acceptassent, sans se croire pour autant déconsidérés, que leurs décisions fussent éventuellement complétées ou rectifiées par celles du peuple souverain : un désaveu apparent de la part de leurs électeurs n'impliquant pas nécessairement que ceux-ci leur aient retiré leur confiance.

Il n'est cependant pas certain que le référendum soit appelé à conserver dans la réalité de la vie politique française la place qu'il y a tenue de 1945 à 1969, surtout à partir de 1958 : le résultat négatif de la consultation du 27 avril 1969 et le nombre des abstentions lors de celle d'avril 1972 rendront sans doute d'autant plus circonspects à cet égard les successeurs du général de Gaulle que ceux-ci n'auront probablement pas à l'égard de ce type de consultation le préjugé systématiquement favorable du premier président de la Ve République.

L'élection du chef de l'État

Les partisans du recours au suffrage universel pour l'élection du président de la République, qui a été décidé par le référendum du 28 octobre 1962, attendaient de cette réforme plusieurs conséquences.

L'essentiel était évidemment à leurs yeux d'asseoir l'autorité du chef de l'État, de manière indiscutablement démocratique, de telle sorte que le gouvernement pût procéder de lui, et de lui seul, et ne dépendre donc en aucune manière, au moment de sa constitution, de l'Assemblée nationale devant laquelle il serait ensuite responsable.

Mais on attendait également de cette réforme un certain nombre d'effets concernant d'autres éléments des institutions.

Elle pouvait d'abord atténuer le caractère plébiscitaire qui avait été imputé aux référendums auxquels il avait été procédé de 1958 à 1962. Chacun de ceux-ci, en même temps qu'il avait comporté l'approbation par le peuple d'un texte législatif concernant un aspect particulier de la politique du chef de l'État, avait eu en effet le caractère d'une manifestation globale de confiance en la personne de celui-ci. On avait le droit de penser que, lorsque le président de la République aurait été élu au suffrage universel, le caractère personnel imprimé antérieurement par les circonstances à la procédure du référendum tendrait à s'atténuer, mais l'expérience d'avril 1969 a, dans une large mesure, démenti cette prévision.

L'existence d'un double système de représentation du peuple souverain, à la fois par une assemblée et par un homme, pourrait contribuer, d'autre part, à faire échec à la tendance des membres de l'Assemblée nationale à se considérer eux-mêmes comme souverains, alors qu'en droit, agissant par délégation, ils ne sont que des mandataires du souverain.

On prévoyait enfin que la multiplicité des partis, depuis si longtemps caractéristique du système politique français, serait réduite par le recours au suffrage universel pour l'élection présidentielle; les formations mineures, susceptibles d'avoir quelques élus à l'Assemblée, mais incapables de réunir sur le nom d'un candidat à la présidence de la République un nombre de suffrages appréciable, se trouveraient en effet incitées à se fondre avec les partis les plus proches d'elles, et ces coalitions, provoquées par le scrutin présidentiel, se maintiendraient sans doute pour les élections législatives, ce qui pourrait contribuer à doter la France d'un système de partis, moins nombreux que jadis, ayant tous une « vocation majoritaire ».

Les conclusions qu'on peut tirer des trois élections présidentielles faites au suffrage universel, celles de décembre 1965, de juin 1969 et de mai 1974 paraissent être à cet égard assez contradictoires.

La tendance de l'Assemblée nationale à se considérer comme souveraine s'est certainement beaucoup atténuée[1]. Il n'en reste pas moins que la différence de durée entre le mandat du président — qui est de sept ans — et celui de l'Assemblée — cinq ans — peut conduire les députés élus au cours d'un septennat, s'ils sont en majorité peu favorables au président, à estimer que l'expression la plus récente du suffrage universel, même si elle a

---

1. Voir chapitre 1.

été fragmentée en plusieurs centaines de votes locaux au lieu de se produire dans le cadre de la nation tout entière, doit l'emporter sur une consultation plus ancienne. Tel qu'il a été proposé par Georges Pompidou en 1973, et adopté par les deux Chambres du Parlement, mais à une majorité trop faible pour que le président de la République ait pu décider de le soumettre à la ratification du Congrès, le raccourcissement à cinq ans de la durée du mandat présidentiel n'aurait pas constitué un véritable remède à ce risque, puisqu'il n'était pas question de faire coïncider dans le temps élection présidentielle et élections législatives.

Une telle coïncidence serait au surplus bien difficile à garantir. D'abord parce qu'il existe en France — à la différence des États-Unis — un droit de dissolution, et qu'il y aurait de graves inconvénients à accompagner obligatoirement toute dissolution de l'Assemblée nationale d'une remise en jeu du mandat du président de la République. Ensuite parce qu'il serait évidemment impossible de mettre fin au mandat des députés en cas de décès, d'empêchement définitif ou de démission du président de la République. Pour garantir en toute hypothèse la simultanéité des deux types de consultation, il faudrait, en somme, non seulement renoncer à l'existence du droit de dissolution, mais faire élire, en même temps que le président, un vice-président appelé, le cas échéant, à achever le mandat du titulaire. Puis, comme le vice-président pourrait lui-même disparaître, organiser son remplacement éventuel, ce qui poserait un problème insoluble, car il serait impossible de disposer à cette fin d'un mandataire directement choisi par le suffrage universel : ni l'autorité du vice-président devenu président, ni surtout celle du remplaçant éventuel de ce vice-président ne seraient comparables à ce qui existe dans le cas de celui qui a vraiment été élu pour être président de la République, et cette considération paraît décisive.

Il est, en somme, *vain de chercher à établir par un mécanisme institutionnel,* si ingénieux qu'il soit, *la certitude d'un accord constant entre le président et la majorité de l'Assemblée nationale.* Le mieux est sans doute, à cet égard, de faire confiance à la sagesse instinctive des électeurs qui, en effet, comme l'ont montré les élections législatives de juin 1981, paraissent avoir pris conscience des inconvénients que présenterait une divergence importante entre l'orientation politique du Président et celle de l'Assemblée nationale. Il convient aussi de reconnaître qu'il existe *une responsabilité politique du président* devant le corps électoral : en cas de désaccord entre lui et l'Assemblée, le président peut dissoudre cette dernière. Si le désaccord persiste après l'élection de la nouvelle Assemblée — que, pendant un an, il n'a pas le droit de dissoudre — sa responsabilité politique doit le conduire à se retirer.

En déclarant avant les élections de mars 1978 qu'en cas de succès de l'opposition, le programme de celle-ci serait appliqué sans que le président de la République tentât de l'empêcher, Valéry Giscard d'Estaing paraît avoir exprimé une autre conception du régime, plus proche de celle qui prévalait sous la IIIe et la IVe République. Toutefois, il est certain qu'il escomptait que les difficultés entre partis de gauche et les conséquences économiques d'une tentative de mise en œuvre de leur programme créeraient au bout de quelques mois une situation telle qu'il pourrait dissoudre l'Assemblée nationale avec de grandes chances de l'emporter, de sorte que, tout compte fait, sa responsabilité aurait à ce moment-là été directement mise en jeu devant le suffrage universel.

Quant à l'action que l'élection présidentielle au suffrage universel peut exercer sur la configuration des forces politiques et le système des partis, les conclusions qu'on peut tirer des expériences de 1965, de 1969, de 1974 et de 1981 sont contradictoires. *En 1965*, le regroupement des républicains populaires et des modérés dans le Centre démocrate et celui des socialistes et des radicaux dans la Fédération de la gauche démocrate et socialiste ont été d'autant plus évidemment liés à l'élection présidentielle que ce sont deux candidats à la présidence de la République, Jean Lecanuet et François Mitterrand, qui ont été placés à la tête de ces deux nouvelles formations politiques. Mais, en 1969, l'éventail de candidatures à la présidence s'est au contraire largement ouvert, depuis M. Alain Krivine, candidat de la Ligue communiste, d'inspiration trotskiste, jusqu'à Georges Pompidou, soutenu par l'UDR, les Républicains indépendants et plusieurs personnalités centristes, en passant par Jacques Duclos, candidat du Parti communiste, par Michel Rocard, candidat du Parti socialiste unifié, par Gaston Defferre, candidat du Parti socialiste, et par Alain Poher, candidat soutenu par le Centre démocrate, par le Parti radical et par certaines personnalités socialistes.

En 1974, des douze candidats qui ont affronté le premier tour de l'élection présidentielle, la plupart ne se présentaient (comme Alain Krivine et Michel Rocard en 1969) que pour bénéficier des moyens de communication audio-visuelle avec l'opinion mis à la disposition de quiconque est admis à affronter ce scrutin : huit d'entre eux n'ont obtenu que moins d'un suffrage exprimé sur quarante, ce qui a conduit par la suite à rendre plus rigoureuses les conditions de présentation. Quant aux formations politiques de quelque importance, cette élection fut marquée par une candidature unique de la gauche, celle de François Mitterrand, soutenu à la fois par le PS auquel il appartenait, par le PC et par le MRG. La majorité de l'époque se divisa au contraire entre deux candidats, Jacques Chaban-Delmas, appartenant à l'UDR (qui ne le soutint d'ailleurs pas unanimement, à la différence des centristes ralliés en 1965 à Georges Pompidou), et Valéry Giscard d'Estaing, leader des républicains indépendants, dont la candidature fut appuyée par les centristes d'opposition. Il y eut en outre un outsider non inscrit, Jean Royer, maire de Tours. L'élection de Valéry Giscard d'Estaing devait être suivie de l'entrée dans la majorité des centristes qui avaient soutenu sa candidature, puis de la réunification de cette tendance dans le cadre des démocrates sociaux (CDS). Un peu plus tard, à l'occasion des élections législatives de 1978, apparut, sous le nom d'Union pour la démocratie française (UDF), un organisme fédérant le Parti républicain (PR), successeur de la Fédération giscardienne des Républicains indépendants, avec le CDS et le Parti radical-socialiste : ainsi se confirmait l'influence exercée par l'élection présidentielle sur la configuration du système français de partis.

Le scrutin présidentiel de 1981 devait présenter un caractère assez différent : au lieu de s'unir dès le premier tour sur le nom d'un candidat commun, le PC, le PS et le MRG eurent chacun le sien, en la personne respectivement de Georges Marchais, de François Mitterrand et de Michel Crépeau. Quant à la majorité, aux candidats de ses deux formations, Valéry Giscard d'Estaing pour l'UDF et Jacques Chirac pour le RPR, s'ajoutèrent deux candidatures présentées à titre personnel, celles de Michel Debré, membre du RPR (entré en lice bien avant Jacques Chirac) et de Marie-France Garaud, ancienne collaboratrice de Georges Pompidou. Deux candidats d'extrême gauche,

Huguette Bouchardeau pour le PSU et Arlette Laguiller pour les trotskistes, et un candidat écologiste, Brice Lalonde, portèrent à dix le nombre de candidats. Cette élection n'avait donc exercé aucun effet visible sur le système des partis. Mais, au second tour, le transfert sur le nom de François Mitterrand d'une proportion appréciable des électeurs qui s'étaient prononcés au premier tour pour Jacques Chirac, Michel Debré ou Marie-France Garaud (on l'évalue à plus de 15 % pour les deux premiers et à plus de 20 % pour la troisième) n'en apporte pas moins la preuve qu'aujourd'hui, en France, l'élection présidentielle ne se fait pas uniquement sur des critères partisans au sens strict de ce terme.

La notion de l'existence d'une majorité présidentielle, sur laquelle doit normalement se calquer la majorité parlementaire, apparaît, depuis 1969, comme un des facteurs importants de la dialectique politique en France. Cela ne veut pas dire que la préparation de toute élection présidentielle se traduise nécessairement par un regroupement de forces politiques : il n'en a été ainsi ni pour l'opposition en 1969 et 1981, ni pour la majorité en 1974. Mais cela veut dire que le résultat effectif de l'élection présidentielle exerce nécessairement une influence sur les rapports entre partis, et cela, en somme, parce que, de tous les types de consultation du suffrage universel, c'est aujourd'hui celle qui doit aboutir au choix du président de la République que l'opinion et les milieux politiques tiennent pour la plus importante : c'est dire quel changement décisif la révision constitutionnelle de 1962, introduisant un double système de représentation du suffrage universel au sein de l'État, a apporté aux traditions de la IIIe et de la IVe République.

LECTURES COMPLÉMENTAIRES

Données de base

○ Bon Frédéric, *Les Élections en France, Histoire et sociologie*, Éd. du Seuil, 1978, 239 p.
○ Goguel François, *Géographie des élections françaises sous la IIIe et la IVe République*, Colin, 1970, 186 p.
○ Leleu Claude, *Géographie des élections françaises depuis 1936*, PUF, 1971, 355 p.
○ Lancelot Alain, *L'Abstentionnisme électoral en France*, Colin, 1968, 390 p.
○ Campbell Peter, *French Electoral Systems and Elections*, Londres, Faber and Faber, 2e éd. 1965, 155 p.
○ Cotteret J.-M., Émeri C., Lalumière P., *Lois électorales et inégalités de représentation en France 1936-1960*, Colin, 1960, 424 p.
○ Charnay P., *Le Suffrage politique en France*, Élections parlementaires, élections présidentielles, référendums, Mouton, 1965, 832 p.
○ Goguel François, *Modernisation économique et comportement politique*, Colin, 1969, 88 p.

Élections et référendums depuis 1945

○ Goguel François, *Chroniques électorales*. Tome I. *La Quatrième République*, Presses de la FNSP, 1981, 172 p., tome II. *La Cinquième République du général de Gaulle*, Presses de la FNSP, 1983, 524 p., tome III. *La Cinquième République après de Gaulle*, Presses de la FNSP, 1983, 198 p.
○ Lancelot Alain, *Les Élections sous la Ve République*. PUF (coll. Que Sais-je?), 1983, 128 p.

Pour l'interprétation des élections de 1973, on lira :

○ Charlot Jean, dir., *Quand la Gauche peut gagner...*, A. Moreau, 1973 (volumineuse annexe de tableaux de l'IFOP).

et pour celles de 1978 :

○ Penniman Howard R., *The French National Election of 1978*, Washington, American Entreprise Institute, 1980, 259 p.
○ Capdevielle Jacques et al., *France de gauche, vote à droite*, Presses de la FNSP, 1981, 355 p.

Les élections présidentielles

○ Lancelot A. et al., *Atlas des élections présidentielles de 1965*, Fond. nat. des Sc. pol., 1966, 85 p.
○ Centre d'étude de la vie politique française, *L'Élection présidentielle des 5 et 19 décembre 1965*, A. Colin, 1970, 548 p.
○ Schwartzenberg Roger-Gérard, *La Campagne présidentielle de 1965*, PUF, 1967, 182 p.
○ Schwartzenberg R.-G., *La Guerre de succession*, PUF, 1969, 257 p.
○ Penniman Howard R., éd., *France at the polls. The presidential election of 1974*, Washington, American Enterprise Institute, 1975, 324 p. (Études de J. et M. Charlot, A. Grosser, S. Hurtig, A. et M.-Th. Lancelot, etc.).
○ Berne Jacques, *La Campagne présidentielle de Valéry Giscard d'Estaing en 1974*, PUF, 208 p.
○ Estier Claude, *Mitterrand Président. Journal d'une victoire*, Stock, 1981, XXI-219 p.

premier lieu au parti. Celui-ci intervient ainsi dans l'acte par lequel le peuple délègue sa souveraineté. On ne devrait donc pas s'étonner de voir les partis apparaître dans la constitution de 1958 dès le titre Ier « De la souveraineté ». L'article 4 dit :

Les partis et groupements politiques concourent à l'expression du suffrage. Ils se forment et exercent leur activité librement. Ils doivent respecter les principes de la souveraineté nationale et de la démocratie.

L'étonnant, c'est qu'il ait fallu attendre 1958 pour qu'une constitution française mentionne l'existence des partis et tente de préciser leurs fonctions. En 1946 encore, il n'était question, à propos de la souveraineté, que des « représentants » du peuple et des « députés à l'Assemblée nationale ». Deux raisons fort différentes ont joué pour qu'il fût mis fin à une telle anomalie. D'une part, les constituants ont effectivement voulu écarter la fiction de la représentation purement personnelle. D'autre part, la constitution de 1946 avait été préparée par une Assemblée entièrement dominée par des partis fortement organisés : l'existence et la libre activité des groupements politiques allaient donc de soi; était-il besoin d'en parler dans les textes? En revanche, la journée du 13 mai 1958, dont allait procéder la Ve République, s'était faite contre le « régime des partis », à l'égard desquels le général de Gaulle avait souvent manifesté son dédain. Pour rassurer les formations politiques, dont les principaux chefs étaient au Gouvernement et participaient à la rédaction du projet constitutionnel, il fallait donner une garantie sérieuse. En même temps, une phrase fort imprécise permettait de poser le principe de certaines exigences et de restreindre ainsi la liberté complète que le statut extrêmement vague de simple association laissait antérieurement aux partis.

Encore la dernière phrase de l'article 4 n'a-t-elle jamais abouti à une interdiction. Les gouvernements de la Ve République se sont appuyés sur une loi du 10 janvier 1936, complétée par la loi du 1er juillet 1972, pour dissoudre par décret des associations ou groupements de fait provoquant « des manifestations armées dans les rues », ou présentant « par leur forme et leur organisation militaire le caractère de groupes de combat ou de milices privées », ou provoquant « à la discrimination raciale, à la haine ou à la violence envers une personne ou un groupe de personnes en raison de leur origine ou de leur appartenance à une ethnie, une race ou une religion déterminée » et propageant « des idées et théories tendant à justifier ou encourager cette discrimination, cette haine ou cette violence ». La loi a été appliquée pendant la guerre d'Algérie à une douzaine de mouvements d'extrême droite ainsi qu'à plusieurs « mouvements de libération ». En juin 1968, onze groupes d'extrême gauche ont été dissous, la dissolution de trois d'entre eux se trouvant ensuite annulée, en 1970, par le Conseil d'État. D'autres interdictions sont venues frapper à l'extrême gauche (Gauche prolétarienne, Ligue communiste) et à l'extrême droite (Occident, Ordre nouveau, FANE). En juillet 1982 est dissous le Service d'action civique, accusé d'avoir constitué une sorte de police parallèle et de mener une action fondée sur la violence. En septembre 1983, est dissous « le groupement de fait dénommé Consulte des comités nationalistes » ayant « pour objet avoué de porter atteinte à l'intégrité du territoire national en soustrayant les départements de la Corse de la souveraineté française » : on est plus directement dans le domaine de l'article 4, comme pour les mouvements basques ou bretons dissous antérieurement. Mais dans tous ces cas, s'agissait-il de partis? Si la définition du parti est liée à la volonté de l'organisation considérée de s'intégrer dans le processus de la représentation électorale, il faut répondre par la négative.

L'introduction des partis dans le circuit de la représentation pose de toute façon de sérieux problèmes. *Devant qui le député est-il responsable?* Devant les électeurs ou devant le parti (militants ou organismes directeurs)? En 1954, la majorité du groupe parlementaire socialiste était hostile à la ratification du traité instituant la Communauté européenne de défense. La plus haute instance du parti, le congrès, avait exprimé sa volonté de voir les députés émettre un vote favorable. Plus de la moitié des députés refusèrent de se soumettre. Des sanctions frappèrent les principaux d'entre eux. Qui avait raison? En théorie, aucune réponse n'est pleinement satisfaisante. En pratique, c'est le système d'organisation du parti et la place qu'y tiennent les parlementaires qui fournissent la solution. Chez les communistes, le député est, selon les statuts, « un militant responsable qui réalise avec initiative la politique du parti... Le mandat qu'il détient est à la disposition du parti. Les traitements, indemnités et retraites affectés au mandat électif sont versés au parti et le comité central en décide l'utilisation. » En revanche, le vieux Parti radical a toujours connu l'affrontement de personnalités, l'absence de doctrine et l'absence de discipline rigide aboutissant à une solide dose d'indépendance pour les parlementaires. Le Parti socialiste, depuis son arrivée au pouvoir en 1981, connaît une situation fort classique en Grande-Bretagne et en République fédérale d'Allemagne, à savoir les tensions entre trois pôles de pouvoir, le groupe parlementaire, la direction du parti et le Gouvernement, les trois pôles se trouvent cependant subordonnés, dans le système de la Ve République, à la volonté du président de la République[1]

Le mode de scrutin n'est pas le facteur principal qui détermine le degré d'influence des partis sur les élus. Le scrutin uninominal est en principe plus favorable aux individus que le scrutin de liste. Mais en Grande-Bretagne, le majoritaire uninominal à un tour correspond à une telle prédominance des partis que la plus forte personnalité n'aurait qu'une faible chance d'être réélue si elle quittait sa formation pour se présenter sans étiquette : c'est que l'électeur vote pour ou contre le gouvernement en place plutôt que pour un homme chargé de le représenter au Parlement. En France, un même mode de scrutin a coïncidé, sous la IIIe République, avec une grande dispersion des partis et des étiquettes parlementaires et, sous la Ve République, avec des regroupements qui se sont précisés à partir de 1967, en grande partie sous l'effet de l'élection présidentielle de 1965. Ces regroupements se sont accompagnés d'une grande discipline des candidats dont l'attitude au second tour a été fixée par les instances nationales de la formation qui les présentait. La « nationalisation » des candidatures s'est constamment renforcée pour deux raisons à la fois distinctes et liées. A gauche, l'alliance entre le Parti communiste et le Parti socialiste revigoré a achevé de détruire les chances des isolés; et la nécessité, au nom de la bonne entente, de négocier entre états-majors nationaux pour les retraits du second tour, a renforcé le pouvoir disciplinaire central au Parti socialiste (avec le risque d'une révolte de l'instance locale,

---

1. Voir le chapitre 8 et la fin du présent chapitre.

révolte approuvée ensuite par les électeurs : c'est ce qui s'est passé en 1981 dans deux circonscriptions du Morbihan). Au centre et à droite, la pesanteur présidentielle s'est fait sentir en 1973 plus encore qu'à l'époque du général de Gaulle. En 1978 et en 1981, le regroupement des petits partis de la majorité en Union pour la démocratie française a encore accru l'importance des négociations et décisions au niveau national pour décider des candidatures dans les circonscriptions, qu'il s'agît d'accords au sein de l'UDF ou entre « giscardiens » et gaullistes du RPR.

De toute façon, la question de la représentativité des partis ne doit pas seulement être posée en fonction des élections qui, quel qu'en soit le niveau et quelle que soit leur importance dans la vie des partis français, ne constituent nullement le centre unique de leur intérêt et de leurs activités, contrairement à ce que donne à entendre le texte constitutionnel. En effet, l'article 4 est très restrictif : définir les partis comme concourant à l'expression du *suffrage*, c'est limiter leur action à la cristallisation de la volonté populaire au moment des élections. L'article 21 de la Loi fondamentale allemande de 1949, qui a partiellement inspiré les constituants de 1958, est plus large : « Les partis concourent à la formation et à l'expression de la *volonté politique* ». La formulation française implique, ou bien qu'en effet la fonction des partis est purement électorale, ou bien que la volonté politique du peuple ne s'exprime que par le bulletin de vote, autrement dit qu'entre deux consultations, la souveraineté appartient pleinement aux détenteurs du pouvoir institutionnalisé. C'est là une conception cohérente qui a de solides racines historiques, mais qui ne tient compte de toutes les fonctions ni des partis, ni des citoyens, même si le système politique français tend à donner aux partis un rôle moins étendu que celui que définit la loi allemande de 1967 sur les partis politiques dans son article premier :

> ... Les partis concourent à la formation de la volonté politique du peuple dans tous les domaines de la vie publique, notamment :
> — en influençant la formation de l'opinion publique,
> — en stimulant et en approfondissant l'éducation politique,
> — en promouvant la participation active des citoyens à la vie publique,
> — en formant des citoyens capables d'assumer des responsabilités publiques,
> — en participant, par la désignation de candidats, aux élections (à tous les niveaux),
> — en influençant l'évolution politique au Parlement et au Gouvernement,
> — en introduisant les buts politiques qu'ils ont élaborés dans le processus de formation de la volonté étatique,
> — en veillant à une constante et vivante liaison entre le peuple et les organes de l'État.

Exprimer des volontés, garantir la pluralité

Le fait d'aller aux urnes ne constitue qu'une forme de participation élémentaire à la vie politique. L'électeur est un citoyen actif par rapport à l'abstentionniste. Mais, dans un pays comme la France où la participation électorale est assez forte — surtout par comparaison avec les champions de l'abstentionnisme dans les pays pluralistes que sont la Suisse et les États-Unis —, on peut considérer que le citoyen qui se contente de voter fait preuve, lui aussi, d'une certaine passivité. Son vote n'exprime souvent qu'une velléité, parce qu'il lui manque la durée qui caractérise la volonté. L'une des fonctions des partis est précisément d'incarner cette durée, cette continuité dans l'expression des attitudes politiques.

Les partis français, par comparaison avec l'Allemagne fédérale, avec l'Italie et surtout avec la Grande-Bretagne, *n'ont pas beaucoup de membres*. Les chiffres sont difficiles à connaître : certains partis les gardent secrets, les autres les forcent en jouant notamment sur le nombre de cartes distribuées ou de timbres mensuels vendus. Encore l'adhésion et le versement d'une cotisation constituent-ils par eux-mêmes un engagement politique plus qu'une participation active, surtout quand l'adhérent ne va pas ou ne va plus aux réunions locales de son parti. Les militants, c'est-à-dire ceux qui ne prennent pas seulement part à la vie interne du parti, mais qui agissent en son nom vers le dehors, ne représentent à leur tour qu'une proportion assez faible des membres.

De quel droit alors les partis se voudraient-ils les dépositaires de la volonté durable des citoyens ? Cet argument du nombre n'est pas décisif. L'idée d'une sorte de prime politique accordée à la minorité vraiment préoccupée par la vie de la collectivité et désireuse d'agir sur celle-ci n'a rien de choquant. Le militant ou les chefs qu'il a désignés ont sans doute plus le droit d'être écoutés par le pouvoir, entre deux consultations électorales, que les gens tirés de leur passivité par les enquêteurs d'un sondage[1]. *Les militants* sont également au contact de leurs concitoyens et souvent capables de mieux traduire leurs aspirations que l'Administration. Leur rôle consiste aussi à sensibiliser les non-engagés aux problèmes politiques, c'est-à-dire à les éduquer et à les mobiliser. En même temps, l'action du militant, sa participation à la vie du parti, contribue à sa propre éducation politique.

Cette image du parti éducateur, mobilisateur, groupement des citoyens les plus actifs, est cependant ternie par d'autres aspects de la réalité. Le militant apprend-il seulement à connaître et à juger, ou bien également à se mettre des œillères, à acquérir des préjugés, à renoncer à penser par lui-même ? Le petit nombre des adhérents exprime-t-il la passivité de la majorité des Français, ou bien les partis rebutent-ils par leurs comportements ? Répondent-ils, dans leurs doctrines, par leur discours unilatéral, aux aspirations, aux inquiétudes de bien des électeurs disposés à s'engager ? Et n'existe-t-il pas des groupes autres que les partis qui permettent une participation sociale qu'on pourrait estimer efficace et suffisante ? Seule cette dernière question met en cause l'existence des partis. Les autres portent sur des défauts certes réels, mais ne concernant pas leurs fonctions essentielles, parmi lesquelles la sélection du personnel politique figure en bonne place, même dans le système politique de la Ve République où bien des carrières partent du sommet, c'est-à-dire des entourages et des cabinets[2].

De toute façon, il n'est pas possible de maintenir la pluralité qui constitue le fondement des démocraties libérales sans offrir au peuple la possibilité permanente d'un choix. A la diversité des situations et des aspirations doit correspondre une diversité dans les options politiques. Et sans opposition institutionnalisée, donc disposant d'une organisation permanente, la démocratie changerait de nature pour devenir monopolistique et autoritaire. *Les partis comme expression de la pluralité* : à moins de supprimer une liberté affirmée essentielle par tous les participants du jeu politique français, comment leur dénier

---

1. Voir le chapitre 6.
2. Voir le chapitre 8.

cette fonction-là ? Mais de graves difficultés se présentent. On retrouvera au dernier chapitre celle qui provient de l'idée d'intérêt national. Quelles sont exactement les différenciations que les partis traduisent ou veulent traduire ? Qui prouve que les options incarnées ou proclamées par les partis correspondent aux clivages réels de la société politique ? Et qu'est-ce qu'un clivage réel ? Repose-t-il sur la réalité sociale ou sur la représentation souvent fausse que les citoyens ont de cette réalité, leur perception des données pouvant précisément se trouver faussée par les schémas que charrient les idéologies des partis ?

Dans le passé, il y a eu des clivages importants qui ne correspondaient guère à la constellation des partis. Ainsi, sur le problème crucial de la décolonisation, la ligne de partage passait au sein de la plupart des formations. D'autres clivages connaissent des destins variés. Il en est particulièrement ainsi pour le plus souvent évoqué, à savoir la division droite/gauche. Au moins depuis 1981, elle passe pour la donnée de base de la vie politique, ce qui n'était assurément pas le cas sous la IVᵉ République ni même, par exemple, lors de l'élection présidentielle de 1969. Dans quelle mesure l'incontestable réalité des affrontements d'aujourd'hui est-elle une conséquence du système électoral et du mécanisme de l'élection présidentielle ? Dans quelle mesure aussi est-elle liée à la volonté et à la capacité du Parti communiste — dans le passé toujours transitoires — d'être en alliance avec les socialistes et de ne pas les considérer comme liés à l'« ennemi de classe » ou même comme assimilables à cet ennemi ?

L'existence d'un puissant Parti communiste n'est pas la seule donnée qui explique pourquoi, même en temps de partage gauche/droite, la constellation des partis français est moins simple que dans nombre d'autres pays. Deux autres facteurs interviennent : le maintien, la permanence de « familles politiques », de « sensibilités » qui ne sont pas nécessairement liées à des options précises, puisqu'elles traduisent surtout des différenciations entre cultures ou sous-cultures politiques ; l'existence même de structures, d'organisations qui créent des habitudes de langage, des solidarités, des comportements rendant fusions et regroupements fort difficiles.

Par comparaison avec le passé et aussi avec bien des pays à vie politique éclatée (Pays-Bas, Belgique, Israël...), le jeu politique s'est cependant considérablement simplifié. Malgré le nombre de partis recensables, les choix électoraux ne se portent plus que sur quatre formations, à vrai dire fort différentes quant à leur structure et à leur cohérence.

LES PARTIS D'AUJOURD'HUI

Le Parti communiste

Le Parti communiste français doit être étudié en premier non seulement parce qu'il constitue la seule formation stable et constamment puissante depuis 1945 et parce qu'il occupe en force l'une des extrémités de l'échiquier politique, mais parce que le comportement des électeurs et des partis non communistes est dans une large mesure déterminé par son existence, parce que sa présence donne un certain nombre de caractères particuliers au jeu politique français.

Contrairement à ce qui s'est passé dans les autres pays, en Allemagne, en Italie, et d'abord en Russie, le PC n'est pas issu d'un groupe minoritaire du Parti socialiste. *En décembre 1920,* au congrès de Tours, *c'est la majorité du Parti socialiste SFIO qui décide d'adhérer à la IIIᵉ Internationale,* le Komintern, et d'accepter les « 21 conditions » que le 2ᵉ congrès de celui-ci vient de rédiger. Le vote décisif est acquis par 3 028 mandats contre 1 022. Parmi les conditions figurent la stricte subordination aux décisions de l'Internationale et le changement de nom. Fondée par Jean Jaurès, *L'Humanité* demeure l'organe central du parti. Les quatre cinquièmes des adhérents acceptent le changement. Les autres suivent Léon Blum qui recrée la SFIO. Ainsi le PC pourra se dire l'héritier direct du socialisme d'avant guerre et disposera d'une implantation et de moyens beaucoup plus larges que s'il lui avait fallu créer de toutes pièces une organisation nouvelle.

Puisque, selon les statuts du Komintern, « le prolétariat de tous les pays trouve pour la première fois en URSS une véritable patrie » et puisque « le prolétariat international a pour devoir de contribuer au succès de l'édification du socialisme en URSS et de la défendre par tous les moyens contre les attaques des puissances capitalistes », le PC épouse fidèlement les variations de la politique soviétique, quelles que puissent en être les conséquences pour lui. Aux élections de 1932, les premières depuis que le Komintern a imposé l'« ultragauchisme », c'est-à-dire l'isolement et la dénonciation des socialistes comme « sociaux-fascistes », le PC perd un quart de ses voix. Après l'arrivée d'Hitler au pouvoir, la tactique change peu à peu. Le PCF donne l'exemple aux autres membres de l'Internationale en concluant en juillet 1934 un pacte d'unité avec la SFIO. Après le pacte franco-soviétique de mai 1935, c'est le développement du Front populaire avec les socialistes et les radicaux. Aux élections d'avril-mai 1936, les communistes avec 1 470 000 voix doublent presque leurs suffrages et passent de 10 sièges à 72, grâce aux alliances du second tour : le scrutin uninominal à deux tours joue pour ou contre le PC selon ses relations avec les autres partis.

Le PC soutient le gouvernement de Léon Blum sans y participer. Le Front populaire est déjà décomposé lorsque son approbation du pacte germano-soviétique d'août 1939 entraîne l'interdiction du Parti et une période d'isolement, de clandestinité et de dénonciation de la « guerre impérialiste » qui s'achèvera avec l'attaque de l'Allemagne contre l'URSS en juin 1941. Le parti prend alors part à la Résistance avec d'autant plus d'efficacité que ses membres ont toujours pratiqué le désintéressement et l'esprit de sacrifice et que ses structures sont bien adaptées à la vie clandestine. A la Libération, le général de Gaulle fait entrer les communistes au Gouvernement où, après les élections d'octobre 1945, ils obtiennent 5 millions de voix[1], soit 26 % des suffrages; ils dirigent les ministères de l'Armement, de l'Économie nationale, de la Production industrielle et du Travail. Maurice Thorez, secrétaire général du Parti et ministre d'État, a donné comme mots d'ordre à son retour d'URSS en novembre 1944 : « faire la guerre », « créer une puissante armée française », « reconstruire l'industrie », « s'unir ».

La période 1944-1947 est particulièrement importante pour comprendre la situation du PCF. En premier lieu, sa spectaculaire montée s'explique par les possibilités

---

1. Pour les comparaisons numériques avec l'avant-guerre, ne pas oublier que seuls les hommes votaient alors.

d'implantation que lui ont données la Résistance et l'épuration et surtout par le pouvoir d'attraction qu'exerce une formation se réclamant du progrès économique et social en même temps que du patriotisme, à un moment où l'alliance franco-soviétique était confirmée par un traité et où les armées russes refoulaient enfin l'ennemi commun. Ensuite le reproche de négativisme permanent, de volonté purement destructive qui frappe le Parti communiste aux États-Unis ou en Allemagne n'a pas de sens pour des millions de Français qui se souviennent que les deux grands moments de progrès dans la législation sociale du xxe siècle ont été 1936 et 1945-46 et que la mobilisation des énergies par le PC pour la reconstruction a été fort efficace.

En 1947, il s'est si bien habitué au pouvoir qu'après l'exclusion de ses ministres du gouvernement Ramadier, pour violation de la solidarité gouvernementale, le 5 mai, il proclame sa volonté d'y revenir, que ses délégués à la réunion constitutive du Kominform en septembre parlent fièrement de la reconstruction réussie et qu'il faut l'énergique rappel à l'ordre des autres partis communistes pour que le PCF accepte la coupure du monde en deux et la guerre froide et qu'il donne aux mouvements sociaux un caractère de violence sans précédent. *Un fossé se crée ainsi de nouveau entre le PC et les autres formations françaises.* Il s'approfondit quand les communistes doivent prendre des attitudes particulièrement choquantes (dénonciation de Tito comme « fasciste », approbation des grands procès meurtriers dans les démocraties populaires en 1949-50, éloge de la répression de Budapest en 1956). Il se rétrécit un peu quand, sur des problèmes internationaux (lutte contre la CED en 1952-54) ou intérieurs (lutte contre l'OAS), un sentiment plus fort que l'anticommunisme se fait jour dans d'autres groupes.

La déstalinisation en URSS et l'atmosphère de détente internationale facilitèrent la tâche du Parti, mais celui-ci ne sut guère en profiter. Malgré la masse de ses adhérents, le dévouement de ses militants, l'habileté d'une propagande sachant relier les difficultés quotidiennes de la ménagère aux grands problèmes mondiaux, le Parti communiste apparaissait comme une *formation vieillie et sclérosée.* Maurice Thorez était devenu secrétaire général vers 1930, à trente ans. Il a occupé ce poste jusqu'au XVIIe congrès, en mai 1964, où il fut nommé président, poste honorifique qui disparut à sa mort intervenue quelques semaines plus tard, le 11 juillet. Son successeur au secrétariat général Waldeck Rochet, était né en 1905. Jacques Duclos, président du groupe à l'Assemblée nationale, puis au Sénat, était de 1896. Les nombreuses épurations internes, le refus ou l'incapacité de favoriser une vie intellectuelle analogue à celle du Parti communiste italien, la rigidité de ses thèmes ont progressivement affaibli le pouvoir d'attraction et de la capacité de mobilisation du PCF. L'arrivée au pouvoir du général de Gaulle, contrairement à l'attente de beaucoup d'observateurs, lui a fait perdre une bonne partie de sa clientèle puisque, de 5,1 et 5,5 millions de voix en 1951 et 1956, il est passé à 3,9 et 4 millions en 1958 et 1962.

La remontée de mars 1967 (le seuil de 5 millions de nouveau franchi, avec cependant une participation électorale beaucoup plus forte, le pourcentage passant de 21,7 % à 22,4 % des suffrages) a été due surtout au fait que le Parti était sorti progressivement de son isolement. Il était difficile de faire la part exacte, pour expliquer ce phénomène, de trois causes à la fois distinctes et liées : l'évolution du Parti lui-même, *la transformation de l'image que se faisait de lui le corps électoral* — transformation due dans une certaine mesure à la politique de rapprochement avec l'Union soviétique pratiquée par le général de Gaulle — et le changement dans l'attitude à son égard des autres groupements de gauche. Déjà, en novembre 1962, M. Mollet avait demandé aux électeurs socialistes de voter communiste au second tour, si cela devait permettre de battre le candidat gaulliste. Mais ces électeurs avaient peu suivi. Le premier accord formel entre la SFIO et le PC, accord régional et non national, fut passé le 5 janvier 1965 pour les élections municipales de la Seine. L'élection présidentielle, avec la présentation d'un « candidat unique de la gauche », accéléra considérablement le processus. Les élections de mars 1967 montraient que les électeurs de la Fédération acceptaient dans l'ensemble de reporter leurs voix au second tour sur le candidat communiste, ratifiant ainsi l'accord de désistement intervenu entre les deux formations. Le 24 février 1968, après plusieurs mois de travaux communs, une sorte de plate-forme commune était publiée qui soulignait les points d'accord, sans cacher les divergences qui portent en grande partie sur la politique extérieure : 1967 n'avait-il pas été l'année de la « guerre des Six Jours » au Proche-Orient, à l'occasion de laquelle le Parti communiste avait pris une attitude violemment anti-israélienne, tandis que les socialistes soutenaient pour la plupart la cause d'Israël?

Le conflit israélo-arabe pouvait gêner le Parti dans ses rapports avec les autres formations, mais il n'était pas une cause d'embarras ni de tensions internes. Il en fut tout autrement pour la tragédie tchécoslovaque. Le 22 août 1968, *L'Humanité* titrait sur cinq colonnes : « Cinq pays socialistes — l'URSS, la Pologne, le RDA, la Hongrie et la Bulgarie — interviennent militairement en Tchécoslovaquie. Le Parti Communiste Français exprime sa surprise et sa réprobation. » La dernière phrase était extraite d'une déclaration publiée la veille par le bureau politique. Pour la première fois dans son histoire, le parti se désolidarisait nettement d'une action de l'Union soviétique. Il pouvait s'agir du début d'un processus qui eût libéré le PC d'un redoutable handicap. En fait, il n'en fut rien. La direction du Parti fit de plus en plus le silence sur l'action soviétique en Tchécoslovaquie et *L'Humanité* cessa vite de commenter, puis même de donner les informations sur l'écrasement progressif du « printemps de Prague ».

La destruction par l'URSS d'un socialisme se réclamant de la liberté affectait gravement les rapports entre le Parti communiste français et les formations situées sur sa droite. Auparavant, la crise française de mai avait montré qu'il se trouvait coupé d'une clientèle jeune se situant sur sa gauche. En mai-juin 1968, le Parti a été contraint de se révéler dans sa vérité. Une vérité à aspects multiples. D'une part, *la fiction de l'indépendance de la CGT* par rapport au Parti ne pouvait plus être maintenue [1] : la double fonction de Georges Séguy et d'Henri Krasucki à la direction de la confédération syndicale et au bureau politique fut un élément important dans l'évolution de la crise. D'autre part, le Parti apparaissait comme fondamentalement hostile à l'action révolutionnaire, lui qui se réclamait depuis près d'un demi-siècle de la révolution. Non seulement la CGT essaya et réussit — mieux que le Gouvernement — à maintenir un peu d'ordre dans le chaos économique et social qui s'établissait en France, mais le Parti accueillit avec un soulagement manifeste l'annonce de la dissolution de l'Assemblée : il

1. Voir chapitre 5.

allait pouvoir chercher à conquérir de nouveaux électeurs, ce qui était plus conforme à ses aspirations réelles que la conquête révolutionnaire du pouvoir.

L'ouverture, accompagnée d'un changement de style, s'est développée de façon pratiquement continue sous la direction d'un nouveau leader. En effet, en février 1970, lors du XIX⁰ congrès, Georges Marchais devient secrétaire général adjoint et supplée en fait Waldeck Rochet, malade, avant d'être nommé secrétaire général en titre au XX⁰ congrès, en décembre 1972, son prédécesseur recevant le titre de président d'honneur.

Cet ancien mécanicien ajusteur, né le 7 juin 1920, n'est entré au parti qu'en 1947, après avoir exercé une responsabilité dans un syndicat local CGT de la métallurgie. Son ascension fut rapide : secrétaire de fédération et membre suppléant du comité central en 1956, membre du CC et du bureau politique en 1959, secrétaire chargé du travail d'organisation en 1961. Sa personnalité — assez autoritaire —, son allure d'homme dur et fermé ne semblaient pas le qualifier particulièrement pour la négociation et la séduction, alors que la rondeur, la faconde, l'allure grand-paternelle de Jacques Duclos convenaient d'emblée au style que le Parti voulait donner à sa campagne pour l'élection présidentielle de 1969.

Pourtant, Georges Marchais réussit fort bien à faire évoluer l'image de son parti, en même temps que la sienne propre, et à *sortir de façon durable le PCF de son isolement*. Il y eut d'abord la période des conversations avec le Parti socialiste transformé dirigé par Alain Savary, puis après une brève période de méfiance, en 1971, à l'égard du nouveau premier secrétaire du PS, François Mitterrand, la préparation d'un *Programme commun de gouvernement*. Signé le 27 juin 1972, ce long document contenait aussi bien des affirmations de principe et des orientations que des engagements très précis dont les réalisations coûteuses paraissaient déjà difficilement compatibles entre elles en cette période d'expansion rapide. Mais le programme commun avait l'avantage de sceller une alliance allant au-delà d'une combinaison électorale et d'affirmer à la fois la volonté socialiste et la volonté libérale du Parti communiste.

Bien que le programme commun se soit vu conférer le caractère d'une sorte de charte sacrée, le Parti accepta de laisser François Mitterrand prendre quelque distance à son égard lors de la campagne présidentielle de 1974 et, surtout, d'en reléguer dans l'ombre certains aspects pour élargir l'ouverture non plus seulement aux socialistes et aux radicaux de gauche, mais aux gaullistes déçus par l'échec de Jacques Chaban-Delmas et, d'une façon générale, à l'ensemble des couches sociales « moyennes », en fait à l'ensemble de la population, les « gros » exceptés. En soi, une telle attitude ne constituait pas une nouveauté. Le Parti communiste avait déjà pratiqué au cours des années vingt, trente et quarante *les diverses tactiques possibles* : front unique à la base (appel aux ouvriers socialistes, mais pas à leurs chefs), front unique au sommet (accord avec le Parti socialiste), front populaire (union des forces de gauche), front national (élargissement maximal au nom de l'antifascisme ou du renouveau de la nation).

Le XXII⁰ congrès, qui s'est tenu à Saint-Ouen en février 1976, a semblé marquer une volonté de renouvellement, sinon de rupture avec le passé. Moins par l'appel lancé à une « union du peuple de France » que par *l'enterrement solennel du dogme de la dictature du prolétariat*. Un enterrement qui ne démontrait cependant nullement une démocratisation interne, puisqu'il avait été décidé sans vains débats préparatoires par le secrétariat du Parti.

L'alliance avec le Parti socialiste fut particulièrement avantageuse pour le PCF lors des élections municipales de mars 1977. Pourtant, quelques semaines plus tard, se manifestait une prise de distance à l'égard du PS qui aboutit, le 23 septembre 1977, à la rupture des négociations pour l'« actualisation » du programme commun, rupture qui constitua à son tour un facteur important de l'échec de la gauche aux élections législatives de 1978. Le Parti communiste avait sans doute souhaité cet échec, trois motivations ayant pu jouer dans ce sens : ne pas arriver au pouvoir en période de crise économique, maintenir au pouvoir un président en bons termes avec l'Union soviétique (et d'autant plus en bons termes que le PC attaquait les socialistes) et surtout ne pas être victorieux comme une sorte de force d'appoint du PS, qui ne devait pas progresser en prenant des électeurs au PC.

De façon fort paradoxale, *le durcissement à l'égard des socialistes a finalement conduit le PC à arriver au pouvoir avec eux,* et cela même pas comme « force d'appoint », puisque le PS obtenait en juin 1981 la majorité absolue des sièges. En fait, la violence des critiques contre François Mitterrand a doublement bénéficié à celui-ci : au premier tour des présidentielles, il a bénéficié de suffrages d'électeurs communistes préférant contribuer directement au succès du candidat le mieux placé de la gauche que de sanctionner la campagne de leur Parti ; la chute des voix du PC a permis au candidat de ne plus apparaître comme « l'otage des communistes » aux yeux de nombre d'électeurs de Jacques Chirac, particulièrement hostiles à Valéry Giscard d'Estaing. Et, ayant perdu un cinquième de son électorat, le PC ne pouvait refuser de faire ensuite cause commune avec son partenaire, à la fois pour profiter des désistements et pour retrouver prestige et influence en acceptant des responsabilités gouvernementales, fussent-elles mineures.

Pourtant, le Parti communiste n'a jamais cessé d'avoir une force, d'être *une puissance qui ne se laisse pas mesurer simplement en termes de suffrages, de mandats, ni même de membres.* Il continue à offrir à ses adhérents quelque chose de plus qu'un champ d'action politique, à savoir *une sorte de famille sociale,* un groupe d'accueil donnant un sens à la vie quotidienne et même à la vie tout court. Il obtient de ses militants, soigneusement formés, un dévouement, un engagement que les autres partis envient. Grâce à de multiples moyens, dont certains à la marge de la légalité, il dispose de nombreux permanents rétribués comme employés de mairie, comme syndicalistes, comme animateurs d'associations variées. Ces pratiques ne lui sont pas particulières, mais il les utilise plus largement. De toute façon, il peut s'appuyer sur le plus nombreux et le plus puissant des syndicats, la CGT, alors que le Parti socialiste ne dispose pas, contrairement aux grands partis sociaux-démocrates, d'un relais syndical. La politique d'ouverture lui a également permis de mieux pénétrer et même de contrôler des organisations qui ne passent pas pour se situer dans sa mouvance, notamment dans le syndicalisme enseignant.

A partir de juin 1981, comme au lendemain de la Libération, *la participation au Gouvernement* et la détention de portefeuilles comme les Transports ou la Fonction publique a facilité une plus grande présence d'hommes du Parti, tandis que les mécanismes de représentation dans les entreprises, en particulier dans celles nou- vellement nationalisées, ont renforcé la pesée de la CGT à la fois sur les prises de décision et sur la répartition des fonds parfois importants mis à la disposition des comités d'entreprise. Mais il ne s'agit pas de l'« entrisme » d'une organisation clandestine extérieure à la société politique. Le Parti communiste est peut-être à la marge du système politique français, il n'est pas, il n'a jamais été, surtout depuis 1945, en marge de ce système. En juillet 1964, le général de Gaulle présente ses condoléances au fils de l'ancien secrétaire général en écrivant : « Je n'oublie pas qu'à une époque décisive pour la France, le président Maurice Thorez — quelle qu'ait pu être son action avant et après — a, à mon appel et comme membre de mon gouvernement, contribué à maintenir l'unité nationale. » En avril 1975, Valéry Giscard d'Estaing, lui aussi comme président de la République, écrit à la veuve de Jacques Duclos, au lendemain de la mort de celui-ci, que venait de disparaître « un témoin éminent d'un demi-siècle de notre vie politique et un représentant authentique du peuple français ».

Puissance maintenue, implantation solide — et en même temps une sorte d'affaiblissement continu dont la cause principale réside précisément dans l'élément essentiel de la force du parti, à savoir sa capacité à persister dans son être, *sa lourde immobilité*. Immobilité de la « langue de bois », qui ne donne que des réponses rituelles aux interrogations nouvelles. Immobilité d'une structure centralisée et autoritaire, qui rend impossible les remises en question génératrices de renouveau. Immobilité du regard porté sur le passé du Parti et de l'Internationale : contrairement à l'Église catholique et malgré quelques velléités d'analyse critique, le parti n'a pas su retrouver une crédibilité nouvelle auprès de jeunes générations exigeantes en acceptant de remettre en cause son histoire. Peut-être cette immobilité-là est-elle liée à une autre : le maintien non de la soumission, mais de l'allégeance à l'Union soviétique. Une allégeance quelque peu affaiblie entre 1968 et 1979, soudainement réaffirmée avec éclat en janvier 1980, au lendemain de l'invasion de l'Afghanistan, alors même que l'Afghanistan puis la Pologne constituaient des thèmes qui permettaient au Parti socialiste de se renforcer au détriment du PC. La situation ne change pas après juin 1981 : puisque les communistes approuvent la politique économique et sociale du Gouvernement dont ils font parti, ne poussent-ils pas vers le président de la République et vers le PS bien des électeurs ouvriers heurtés par la répression du syndicalisme libre à Varsovie?

Être au gouvernement avec le Parti socialiste : des avantages certains, mais aussi des coûts redoutables. Le plus lourd n'est-il pas, dès le départ, non seulement de devoir accepter une politique extérieure si souvent dénoncée mais, plus encore, de devoir reconnaître que la société française ne correspond pas aux schémas simplificateurs du Parti? A moins que les contraintes de la réalité gouvernementale ne conduisent le Parti à sortir de l'immobilité de son analyse sociale. Il est cependant plus probable que le mécanisme de 1947 se remette en route : l'impossibilité de se laisser déborder par le mécontentement et aussi l'allégeance à l'URSS maintenue en période de confrontation Est/Ouest peuvent conduire à une sortie du Gouvernement .

Le Parti socialiste

A la fin du XIXe siècle, le socialisme français est profondément divisé. En 1904, au congrès d'Amsterdam, la Seconde Internationale rend son arbitrage entre les deux grands chefs, le marxiste intransigeant Jules Guesde et le réformiste Jean Jaurès. L'année suivante naît un parti unifié qui prend le nom de Section française de l'Internationale ouvrière et adopte, conformément au vœu de l'Internationale, un programme strictement marxiste, ce qui ne l'empêche pas d'avoir le plus souvent le comportement « révisionniste » de Jaurès : de sa naissance, le Parti gardera toujours en effet *la contradiction entre l'emploi d'une terminologie révolutionnaire et l'application d'un parlementarisme réformiste fort modéré.* Sa deuxième création, au lendemain du congrès de Tours, lui laissera le souci constant de la présence communiste sur sa gauche.

Sous la direction de Léon Blum, le développement de la SFIO est rapide : vers 1933, elle a renversé la proportion de 1921 entre le nombre de ses membres et ceux du PC. Avant la rupture, l'ancienne SFIO a recueilli 1,6 million de voix en 1919. Il lui en reste 750 000 en 1924, sans compter les suffrages de ses candidats figurant sur des listes du Cartel des gauches : les électeurs n'ont pas suivi les militants. Elle passe à 1,7 million dès 1928. Les élections de 1936 donnent à Léon Blum le pouvoir qu'il exerce sous la double pression d'un véritable déferlement de haine à droite et des attaques de ceux qui lui reprochent de trop respecter les institutions et les coutumes. Devant la crise internationale de 1938-39, devant l'effondrement de juin 1940, le Parti est profondément divisé. A Vichy, en juillet 1940, 36 parlementaires socialistes, dont Léon Blum, votent contre la délégation des pouvoirs au maréchal Pétain, 6 s'abstiennent, mais 90 émettent un vote favorable. En pleine décomposition en 1940, le Parti est reconstitué dans la clandestinité à partir de 1941 sous l'impulsion de Daniel Mayer, disciple favori de Léon Blum.

A la Libération, Daniel Mayer devient secrétaire général d'une formation qui non seulement aura beaucoup contribué à la Résistance, mais qui va procéder en son sein à une forte épuration, cause d'affaiblissement dans bien des circonscriptions. Malgré le respect unanime qui entoure maintenant Léon Blum, retour de déportation, malgré l'ambiance d'une époque favorable aux nationalisations, à la sécurité sociale, à la planification, la SFIO ne remporte pas les succès électoraux escomptés. Elle n'arive qu'en troisième position, après les communistes et le MRP. Le congrès de juillet 1946 attribue cet échec relatif à un « affaiblissement de la pensée marxiste ». Le rapport de Daniel Mayer est rejeté et l'auteur de la motion « gauchiste » est porté au secrétariat général.

Guy Mollet vient du syndicalisme. Professeur d'anglais, il était devenu, en 1939, secrétaire général de la fédération de l'enseignement. Responsable de l'Organisation civile et militaire pour le Pas-de-Calais à partir de 1942, secrétaire du comité de libération d'Arras, il a conquis la mairie de la ville en 1945. A trente-huit ans, il est relativement peu connu en dehors de sa région. Mais le département du Pas-de-Calais constitue une des places fortes de la SFIO. Dominant sa fédération, Guy Mollet représenterait une force dans les congrès du Parti même s'il avait moins d'énergie et de savoir-faire. De plus, Guy Mollet parvient à s'assurer le soutien de l'appareil du Parti grâce à un contrôle judicieux des nominations de permanents, ce qui lui donne encore moins de soucis avec les conseils nationaux, qui réunissent les cadres des fédérations, qu'avec les congrès, émanation plus directe de la base. *La domination grandissante du secrétaire général* n'aurait cependant pas été possible sans les incertitudes doctrinales du Parti qui exigeaient une direction à la fois constante et souple. Que ce soit en matière de décolonisation, dans ses rapports avec le MRP, ou dans son attitude à l'égard du général de Gaulle après 1958, les changements de langage ont été fréquents.

Au début des années soixante, la SFIO, malgré un déclin électoral régulier, semblait constituer un des éléments les plus stables de la vie politique française. Sa clientèle, en partie ouvrière, notamment dans le nord de la France, était surtout composée d'employés et de fonctionnaires. Ses militants étaient relativement âgés. Son rayonnement intellectuel, son pouvoir d'attraction sur les jeunes étaient faibles. La double nécessité d'un rajeunissement et d'un regroupement avec d'autres formations s'est trouvée de plus en plus nettement affirmée, sinon acceptée par les dirigeants du Parti. La première tentative de regroupement, celle qui demeurera connue sous le titre de « grande fédération », a été liée à la candidature de Gaston Defferre à la présidence de la République, candidature préparée à l'automne 1963 et rendue publique en décembre. Maire de Marseille, ancien ministre, personnalité dirigeante de la SFIO, au sein de laquelle il s'est souvent opposé à Guy Mollet, le candidat recherche d'abord le simple soutien des partis d'opposition, à l'exception des communistes. Au printemps de 1965, Gaston Defferre développe un projet de « fédération » des partis non communistes d'opposition, allant de la SFIO aux « démocrates chrétiens ». Le 18 juin 1965, une réunion, groupant en nombre égal des représentants de la SFIO, du radicalisme, du MRP et des « forces neuves », aboutit à un constat d'échec : la « grande fédération » ne verra pas le jour. Les causes de cet échec sont multiples. La résistance des appareils des partis, hostiles à toute délégation de souveraineté, l'impossibilité pour la SFIO d'aller trop à droite, celle pour le MRP d'aller trop à gauche figurent parmi les plus importantes. En tout cas, la première conséquence de cet échec est le retrait de la candidature de G. Defferre.

Débat public et négociations avaient cependant mis en lumière *l'existence*, sinon l'influence, *de ces forces neuves, de ces « clubs »* qui jusqu'alors n'étaient guère connus que des participants de leurs réunions et des lecteurs de leurs publications. Ils étaient nombreux et divers. *Par leur implantation* : locale pour le Cercle Tocqueville à Lyon, pour Démocratie nouvelle à Marseille, pour Positions à Moulins, pour le Club Jean Moulin à Paris, à la fois le plus public à cause de ses livres et le plus fermé à cause de la participation de nombreux hauts fonctionnaires ; nationale, pour Citoyens 60, pour Rencontres, pour le Club des Jacobins. *Par leur recrutement et leur orientation*, encore que les regroupements fussent fréquents et les nuances parfois insaisissables. *Par leur vocation* : ils pouvaient être organismes de réflexion, de pédagogie politique, d'influence, d'action directe, encore qu'une bonne partie d'entre eux hésitassent sans cesse entre les diverses vocations possibles. Les « Assises de la démocratie », réunies à Vichy en avril 1964, penchèrent en même temps vers l'engagement et vers le rejet de la coopération directe avec les partis existants. En revanche, *la Convention des institutions républicaines*, qui réunit à Paris, en avril 1965, une soixantaine de clubs et organisations diverses, fit bon accueil à des hommes politiques confirmés. C'est de la Convention que sortit le projet de fédération. C'est elle qui servit de point d'appui à François Mitterrand et constitua un élément important de la « petite fédération ».

Le 10 septembre 1965, le lendemain de l'annonce par F. Mitterrand de sa candidature aux élections présidentielles, est en effet créée une nouvelle fédération. Le candidat a l'habileté à la fois de séparer la campagne présidentielle du regroupement à effectuer et de comprendre qu'on ne pouvait pas faire violence aux appareils des partis. Si lui-même a été mis en avant par la masse des suffrages qui se sont portés sur son nom en décembre 1965, la Fédération n'a trouvé force et consistance que par la préparation des législatives de mars 1967. Les succès se sont accumulés : investitures au nom de la Fédération et non plus au nom de la SFIO ou du Parti radical ; accord avec les communistes pour les désistements entre les deux tours ; succès à la fin, en suffrages et en sièges, de la tactique suivie ; constitution d'un groupe parlementaire unique et discipliné ; mise en place, en mai 1967, d'un bureau politique de 25 membres. Onze d'entre eux appartiennent à la SFIO sept sont radicaux, cinq appartiennent à la Convention des institutions républicaines, deux représentent des clubs non affiliés à la Convention. Le président, François Mitterrand, est un « conventionnel », le secrétaire général est un socialiste. Les vice-présidents sont les chefs des deux partis, Guy Mollet et René Billières, et le principal animateur de la Convention, Charles Hernu. La *Fédération de la gauche démocrate et socialiste* paraît être en train de transformer l'échiquier politique traditionnel.

Mais la crise de mai 1968 et l'échec électoral de juin entraînent des tensions et des conflits qui aboutissent à une situation nouvelle, pas tellement éloignée du point de départ, au cours du premier semestre de 1969. Déjà, à la fin de 1968, il paraissait exclu que les radicaux pussent faire partie de la nouvelle formation à laquelle la FGDS devait donner naissance. Et depuis l'origine, la question se posait de savoir si la SFIO accepterait de se fondre dans cette formation ou essaierait simplement de mener à bien une opération de rajeunissement et d'élargissement par l'adjonction des autres éléments de la Fédération. La victoire du « non » au référendum du 27 avril 1969, c'est-à-dire l'ouverture d'une campagne présidentielle, fait éclater un *conflit décisif entre la Convention des institutions républicaines et la SFIO*. Pour battre G. Pompidou au second tour, G. Mollet préfère clairement un centriste à un candidat d'« union de la gauche ». Le congrès constitutif du nouveau Parti socialiste se réunit à Alfortville le 4 mai en l'absence de F. Mitterrand et de ses amis. Il reporte à une session ultérieure l'organisation de la nouvelle formation, mais désigne un candidat à la présidence en approuvant sans grande conviction la candidature de Gaston Defferre.

La seconde session du congrès constitutif a lieu du 11 au 13 juillet 1969 à Issy-les-Moulineaux. On y trouve rassemblées l'ancienne SFIO, l'Union des clubs pour la rénovation de gauche, l'Union des groupes et des clubs socialistes. Comme il l'a annoncé l'année précédente, Guy Mollet renonce à tout poste dirigeant et abandonne, au bout de vingt-trois ans, son bureau de secrétaire général de la cité Malesherbes. Parmi les 61 membres du comité directeur du nouveau Parti socialiste, 19 sont nouveaux. Le 16 juillet, le comité élit premier secrétaire Alain Savary, qui avait été candidat à la candidature présidentielle à Alfortville.

Né en 1918, Compagnon de la Libération, Alain Savary est député SFIO de Saint-Pierre-et-Miquelon en 1951. Secrétaire d'État aux Affaires tunisiennes et marocaines dans le gouvernement de Guy Mollet, il démissionne en octobre 1956 pour protester contre l'arraisonnement de l'avion transportant Ben Bella. En septembre 1958, il quitte la SFIO, devient secrétaire général adjoint du nouveau Parti socialiste unifié qu'il quitte pour revenir finalement au Parti socialiste rénové. Pondéré et honnête, préférant la fidélité à ses convictions à la fidélité à une étiquette, le premier secrétaire du nouveau PS tente d'affirmer l'organisation du Parti, de dégager ses principes d'action de la phraséologie passée et de reprendre sans passion les rapports avec les autres formations, qu'il s'agisse du Parti communiste ou de groupes plus proches.

Mais l'autorité du premier secrétaire, élu à une voix de majorité par un comité directeur fort divisé, est limitée. Le parti hésite pour ses alliances (jusqu'où aller avec le Parti communiste? Faut-il se lier au Parti radical orienté vers le centre?), sur son organisation interne (une fois admis que, selon la tradition, toutes les tendances peuvent s'exprimer et s'organiser, faut-il qu'elles soient aussi toutes représentées dans les organes de direction?), sur les modalités de l'élargissement aux organisations socialisantes non encore entrées au congrès d'Issy. *Un congrès d'unification* est prévu avec la Convention des institutions républicaines que préside François Mitterrand. Il a lieu du 11 au 13 juin 1971 à *Épinay-sur-Seine*. Le rituel « vote indicatif » permet de mesurer la force des principaux courants, mais non la façon dont les alliances vont se constituer. La proportionnelle intégrale est adoptée par une majorité comprenant, d'une part l'ancienne Convention de F. Mitterrand et la jeune gauche intellectuelle du parti, c'est-à-dire les animateurs du CERES (Centre d'études, de recherches et d'éducation socialistes), d'autre part les fédérations du Nord, dirigée par Pierre Mauroy qui avait passé pour le disciple de Guy Mollet, et des Bouches-du-Rhône, conduite par Gaston Defferre, naguère incarnation de l'ouverture vers le centre. La motion présentée en commun par ces trois éléments, recommandant un programme commun de gouvernement avec le PCF, l'emporte finalement par 43 926 mandats contre 41 757 à un texte signé notamment par Alain Savary et Guy Mollet, et 3 925 abstentions. Le 16 juin, le nouveau comité directeur désigne *François Mitterrand comme premier secrétaire*.

Chef d'un parti rénové, F. Mitterrand n'était certes pas un nouveau venu à la politique. Né le 26 octobre 1916, il a été élu député en 1946 et est devenu pour la première fois ministre (des Anciens Combattants) en janvier 1947. Pendant toute la durée de la IVᵉ République il fut, avec René Pleven ou, plus exactement, face à lui, le leader du petit parti charnière de l'Union démocratique et socialiste de la Résistance. Son geste le plus spectaculaire fut sa démission du Gouvernement Laniel, en 1953, pour marquer son désaccord avec la politique dure pratiquée au Maroc. Ses deux principaux portefeuilles, il les a détenus en 1954/55 dans le Gouvernement Mendès France, où, comme ministre de l'Intérieur, il avait notamment en charge les départements algériens et, en 1956/57, dans le Gouvernement Mollet où il était ministre de la Justice. Il a été constamment un opposant sous la Vᵉ République, mais son opposition a progressivement changé de nature. Le refus de reconnaître la légitimité du régime issu du « coup du 13 mai » est devenu volonté de changer la majorité et les orientations en acceptant de passer par le système constitutionnel existant, système que sa candidature réussie à l'élection présidentielle de 1965 a contribué à légitimer définitivement [1]. Ce fut là une des causes de son spectaculaire échec de mai 1968, lorsqu'il se déclara prêt à assumer un pouvoir à naître de la chute du régime. Le retour au premier plan fut assez rapide, d'autant plus que l'opposition manquait cruellement de personnalités d'envergure. A lui, il manquait un appareil, un parti dont la taille lui donnerait un vrai pouvoir de négociation politique.

---

1. Voir chapitre 8.

Encore fallait-il commencer par asseoir ce pouvoir au sein même du parti que ce socialiste de fraîche date paraissait un peu avoir conquis à la hussarde. Cela fut fait en assez peu de temps, les campagnes électorales de 1973 et 1974 contribuant à l'identification, aux yeux du public, du parti et de son leader, même si celui-ci, pour se présenter en personnalité nationale et non partisane, s'est déchargé de sa fonction de premier secrétaire sur Pierre Mauroy pendant la campagne présidentielle. Son autorité n'allait pas cependant jusqu'à regrouper vraiment les tendances qui rivalisaient au sein du Parti socialiste, héritier sur ce point de la vieille SFIO. Pas sur ce point seulement : bien des hommes et bien des orientations (notamment le goût pour la gestion municipale) venaient du parti ancien.

Mais *le changement* était encore plus net. Pas tellement sur le plan idéologique, car la SFIO avait, elle aussi, connu des périodes où le socialisme avait pris des teintes fortes. Davantage *dans le recrutement et dans le style*. Le rajeunissement des cadres et des militants était fort sensible, en même temps que le changement dans la structure professionnelle. La base ouvrière de la SFIO avait certes été plus restreinte que celle du PC, mais tout de même solide, et le parti avait beaucoup recruté dans les groupes fort peu bourgeois des petits fonctionnaires et des instituteurs. Or au congrès de Grenoble du parti rénové, en juin 1973, un délégué sur trente seulement était ouvrier, les employés formaient environ 8 % et les instituteurs 6 % de l'assemblée, les principaux groupes socio-professionnels étant les cadres moyens, les professeurs de l'enseignement secondaire et supérieur, les ingénieurs et cadres supérieurs. Et le Parti socialiste avait, comme les gaullistes et les indépendants, ses « jeunes loups » en provenance de l'École nationale d'administration et des grands corps de l'État. Pour s'implanter durablement, il lui fallut donc trouver de nouveaux militants et promouvoir de nouveaux dirigeants dans les milieux en faveur desquels il voulait transformer l'ordre social et économique.

La période 1973-1977 parut marquer l'installation durable du parti dans le succès, malgré l'échec de son chef à l'élection présidentielle. L'arrivée en 1974 de Michel Rocard, secrétaire national du petit Parti socialiste unifié de 1967 à 1973, montrait que le PS exerçait désormais un fort attrait sur ceux qui s'étaient situés entre le PC et lui et même à la gauche du PC, tels nombre de militants de la centrale syndicale CFDT. Sur sa droite, le Mouvement des radicaux de gauche, malgré l'étroitesse de sa clientèle, l'assurait d'une fidélité inhabituelle dans l'histoire du radicalisme et lui évitait un tête-à-tête psychologiquement gênant avec le PC, sans pour autant nuire au recrutement que le PS effectuait au centre gauche. Un recrutement qui ne changeait pas beaucoup la sociologie du parti au sommet, mais qui faisait du PS, surtout en province, *le lieu nouveau* où hommes et femmes des jeunes générations ayant le goût de l'engagement pouvaient se sentir à l'aise et trouver des possibilités d'action concrète, notamment au niveau local et régional.

L'ajournement des négociations avec le PC, le 23 septembre 1977, ne constituait pas nécessairement un échec pour le parti du point de vue électoral : *la fermeté vis-à-vis du partenaire communiste* pouvait être payante; de plus, si l'exercice commun du pouvoir devait apparaître comme impossible, des électeurs effrayés pouvaient revenir au parti. Mais la signification de l'événement se trouvait symbolisée par la présence de Gaston Defferre dans le groupe des négociateurs socialistes : le 23 septembre 1977 correspondait au 18 juin 1965. Alors, l'ouverture au centre avait échoué, parce qu'il aurait fallu renoncer à la notion même de socialisme; maintenant, le contrat de la gauche ne pouvait être signé sans soumission au Parti communiste. Le rapprochement des deux dates montrait le destin dramatique du Parti socialiste dans le jeu politique français : il n'avait le choix qu'entre trois possibilités dont aucune n'était positive : ne jamais arriver au pouvoir, y arriver avec une partie du centre droit, donc dans l'impossibilité de faire une politique de gauche, ou enfin y arriver avec un puissant Parti communiste, donc avec la probabilité d'être dominé par celui-ci. François Mitterrand paraissait avoir ouvert la voie à une quatrième possibilité : *arriver au pouvoir avec un PC placé en situation d'infériorité*; c'est cette perspective qui donnait des succès électoraux, mais qui se révélait aussi inacceptable pour le partenaire-adversaire. Le résultat du premier tour de l'élection présidentielle de 1981 a contraint le Parti communiste à accepter quand même, et le succès éclatant du PS aux législatives a constitué un véritable triomphe pour la stratégie du nouveau président de la République.

Un tel triomphe avait nécessité une double fermeté, dans l'attitude politique et dans l'autorité à imposer au parti. L'attitude politique s'est trouvée clairement exprimée dans la motion « Un grand parti pour un grand projet » que le premier secrétaire du parti soumit au comité directeur en février 1979 : « Il n'est donc qu'une méthode : créer une situation à laquelle le Parti communiste ne pourra échapper. Pour cela, pas de secret : les socialistes doivent tenir bon. Respecter leurs engagements. Pratiquer la discipline électorale. Engager des actions communes utiles aux travailleurs. » Mais, pour y parvenir, François Mitterrand adoptait d'emblée un langage plus proche de celui du PC que ne l'eût exigé une analyse économique et sociologique serrée : « Les prétendues 'lois économiques' que l'on présente à droite comme éternelles... ne sont en fait que les principes de gestion du système capitaliste... Il est normal que les mesures sociales de notre programme soient en contravention avec les lois économiques qu'on veut nous faire admettre... En vérité, la crise est une stratégie que le capitalisme emploie pour s'adapter au progrès de la science. » Les premiers mois du septennat du président Mitterrand allaient être marqués par cette attitude, abandonnée en 1982/83.

Au Parti socialiste, l'unité interne passe par *l'accord entre des « courants »*. Les statuts contiennent en effet une contradiction étrange. L'article 4, fort bref, affirme : « La liberté de discussion est entière au sein du parti, mais nulle tendance organisée ne saurait y être tolérée. » Mais l'article 5, fort long, commence par préciser que « la règle de la représentation proportionnelle à la plus forte moyenne s'applique à l'élection des organismes du parti à tous les échelons », puis institutionnalise des « courants », qui dressent des listes de candidats annexées à chacune des motions soumises au vote indicatif du congrès. Et ce « vote indicatif » qui détermine la composition du lourd comité directeur se répercute également au niveau des fédérations et des sections. Simplement, un seuil de 5 % est fixé en deçà duquel une minorité n'a pas de représentants. Il s'agit bien de groupes organisés conflictuels puisque, par exemple, il a fallu une longue négociation au sein du groupe parlementaire, en juillet 1981, pour parvenir à répartir présidences et postes de rapporteur des commissions de l'Assemblée nationale : on apprenait ainsi qu'à la commission des Finances, le président appartiendrait au courant Mitterrand, le rapporteur général au courant Mauroy, tandis qu'à la commission des Lois, le président serait du CERES et le vice-président du courant Rocard. Il est vrai que le premier Gouvernement Mauroy, en mai-juin, était déjà apparu, bien que socialiste homogène, comme un cabinet de coalition, tant le souci de respecter l'équilibre des courants était évident dans sa composition. Malgré le déclin de ces courants comme forces organisées aux congrès de Valence, en octobre 1981, et de Bourg-en-Bresse, en octobre 1983, leur existence continue à constituer une spécificité du Parti socialiste.

L'alliance du fort « courant Mitterrand » avec le dogmatique CERES, numériquement faible, mais remarquablement organisé, a joué un grand rôle à la fois pour l'orientation idéologique des documents préélectoraux et pour la désignation du candidat du parti à l'élection présidentielle. François Mitterrand, assuré du soutien du PS, malgré l'avance que Michel Rocard prenait sur lui dans les sondages, a refusé de dire s'il serait candidat jusqu'à ce que son adversaire se déclarât candidat lui-même, le 19 ctobre 1980. Candidat à quoi ? « Ici, à Conflans-Sainte-Honorine et aujourd'hui, j'ai décidé de proposer aux socialistes d'être leur candidat à la présidence de la République. » Autrement dit : seul l'aval du parti fait le candidat socialiste ; dès que le parti investit François Mitterrand, Michel Rocard ne peut que se mettre au service de celui-ci, même si son propre courant se trouve désormais isolé et diminué de toutes les façons possibles, par exemple par la « mise au pas » de fédérations départementales « rocardiennes ». Il se trouve en effet que, malgré l'orientation très décentralisatrice des statuts et malgré l'idéologie de l'autogestion, la direction nationale a voulu « parachuter » des candidats dans des circonscriptions où l'instance locale en avait désigné d'autres ; dans le Morbihan, le « local » s'est maintenu et a été élu, mais en novembre, une délégation du bureau exécutif du Parti obtenait que la direction de la fédération fût désormais assurée par un minoritaire du courant Mitterrand.

Mais ne fallait-il pas assurer *la domination du président de la République sur le parti dont il était issu* ? Les députés du PS savaient bien que le triomphal succès des élections législatives ne s'était produit que dans la mouvance de l'élection présidentielle. Fallait-il pour autant devenir le parti du président ? François Mitterrand avait pesé pour que les trois postes décisifs — direction du parti, direction du Gouvernement, direction du groupe parlementaire —, allassent à trois hommes dont la fidélité personnelle lui paraissait assurée : Lionel Jospin, Pierre Mauroy et Pierre Joxe. Dans son message au congrès de Valence, il disait : « Le président de la République, président de tous les Français, ne saurait être l'homme d'un parti. Mais... je reste socialiste à la présidence de la République[1]... Le Parti socialiste... a un grand rôle à jouer. Principale force du changement, il doit être capable d'expliquer, d'éclairer les choix du Gouvernement et de convaincre... » Mais que devait-il se passer si la politique gouvernementale ne correspondait plus à ce qu'avait annoncé sinon le programme du parti, du moins celui de son candidat ?

Seulement, il n'est pas légitime d'attribuer toute réorientation d'un parti de Gouvernement à la seule autorité de celui-ci, s'incarnât-elle même dans la personne d'un président de la République. Le passage de l'opposition à la majorité comporte un

---

1. Voir chapitre 8.

apprentissage des responsabilités et des réalités. Sur 285 élus socialistes de juin 1981, 137 étaient des professeurs et 33 seulement provenaient du secteur privé de l'économie (dont 7 comme ingénieurs et 12 comme cadres supérieurs), ce qui ne favorisait guère la connaissance de la réalité économique, notamment celle de l'entreprise. Que le langage dans l'opposition soit dogmatique, les partis socialistes le montrent dans d'autres pays : ainsi le Labour en Grande-Bretagne; ainsi le changement de langage du SPD allemand après sa défaite de mars 1983.

De l'extrême gauche aux écologistes

Le Parti communiste se réclame de la transformation par la loi. Il y a donc en principe une place sur l'échiquier politique pour une extrême gauche révolutionnaire. Le PC et le PS sont alliés : il ne devrait guère rester de place entre eux. Le Parti socialiste s'est ancré fort à gauche : un espace devrait s'être créé sur sa droite. Or la réalité ne correspond pas aux hypothèses formulables *a priori*, ne serait-ce que pour situer les petites formations par rapport aux grandes.

Très morcelée, formée de groupuscules de faible densité, *l'extrême gauche française est dogmatique dans son langage,* le dogme comportant l'idée de révolution, *mais fort modérée dans son comportement*. Quand Alain Krivine ou Arlette Laguiller s'adressent aux téléspectateurs au cours d'une campagne présidentielle, ils n'appellent assurément pas à l'émeute. Contrairement à ce qui s'est passé en Allemagne et surtout en Italie, la tentation de la violence d'ultra-gauche est restée faible en France et le terrorisme ne s'y est vraiment développé qu'à partir de revendications ethniques (corses, basques, arméniennes, bretonnes). Peut-être parce que le langage révolutionnaire est parlé par l'ensemble de la gauche et n'entraîne donc pas un phénomène de rejet, d'exclusion : la société politique française excommunie peu, ce qui limite l'agressivité contre elle.

Entre un Parti communiste monolithique et dogmatique et un Parti socialiste en alliance avec le centre, s'est longtemps située une gauche faiblement organisée dont l'importance électorale était négligeable, mais qui exerçait une influence certaine sur le mouvement des idées et aussi parmi les Français qui avaient une action militante plus sociale que politique. Il est impossible de retracer en quelques lignes l'histoire compliquée des organisations et des courants, des scissions et des regroupements, d'autant plus que les frontières entre petits partis, clubs, mouvances de tel journal ou de telle revue sont difficiles à établir. L'un des regroupements a donné naissance en 1960 au *Parti socialiste unifié* qui, contrairement à son appellation, a été déchiré depuis sa création par des luttes doctrinales incessantes entre de multiples tendances, allant d'un trotskysme intransigeant à un réformisme modernisateur fort modéré. En mai 1967, le PSU refusa de s'associer à la Fédération et porta à sa tête, comme secrétaire national, un jeune inspecteur des Finances, Michel Rocard, ancien dirigeant des Jeunesses socialistes. La crise de mai 1968 permit au petit parti de jouer un rôle important, d'autant plus que bien des dirigeants du mouvement étudiant étaient PSU. L'échec électoral de 1968 fut un peu compensé par le prestige qu'apporta la candidature de Michel Rocard à l'élection présidentielle de 1969 où il recueillit presque autant (ou presque aussi peu) de voix que Gaston Defferre. Le passage de Michel Rocard au Parti socialiste en 1974 a fait disparaître la tendance prônant le modernisme technique et la rationalité économique. Sous la direction de Michel Mousel qui venait du mouvement étudiant, puis d'Huguette Bouchardeau, professeur de philosophie et militante féministe, le PSU a continué ses confrontations internes. La lutte des ouvriers de Lip pour la survie de leur entreprise d'horlogerie est venue relancer la notoriété du Parti. La disparition du secrétaire national, en janvier 1979, de Charles Piaget qui avait été l'animateur des « Lip », marqua un nouveau déclin : la période où l'on parvenait à passionner la France entière sur le thème du combat autogestionnaire était bien révolue, en particulier parce que la crise économique mettait en difficulté des entreprises autrement plus importantes que Lip, parce que la notion d'autogestion était à la fois récupérée et étouffée par les deux grands partis de la gauche et parce que d'autres thèmes, portés par d'autres groupements, intéressaient davantage les jeunes désirant mettre en cause la société dans son ensemble.

Au premier rang de ces thèmes figurait l'écologie. Est-ce dire que *le multiforme mouvement écologiste* ait connu un développement spectaculaire? En 1979, il a failli entrer à l'Assemblée européenne en manquant de peu le seuil des 5 %. Au premier tour de la présidentielle de 1981, Brice Lalonde précédait tous les autres « petits » candidats. Mais l'échec aux législatives fut total. Est-ce à cause des incertitudes idéologiques du mouvement, situé à la fois fort à gauche (pacifisme traditionnel, lutte antinucléaire) et au centre (croissance douce, énergies nouvelles comme réponses raisonnables à la crise), tout en reprenant des thèmes traditionnellement fort à droite (l'arbre contre l'usine, la terre contre la technique)? Mais ces incertitudes sont les mêmes en Allemagne occidentale où les « verts » ont connu des succès spectaculaires. Urbanisation plus faible en France? Acceptation aisée du nucléaire civil largement d'origine française et lié à un nucléaire militaire incarnant le mythe clé de l'indépendance nationale? En tout cas, l'écologisme n'est parvenu à s'implanter vraiment ni à gauche, ni au centre.

Radicalisme, démocratie chrétienne, centrisme

Peut-il d'ailleurs exister un centre dès lors que le mécanisme de l'élection présidentielle et le système majoritaire aux législatives semblent imposer, en période d'union de la gauche, l'affrontement de deux camps? En tout cas, les années soixante-dix ont vu la division et le déclin de formations qui entendaient se situer expressément entre eux. Elles ont été contraintes de choisir l'un ou l'autre, parfois au prix de leur propre unité.

Il est difficile de s'imaginer aujourd'hui ce qu'a été le poids du Parti radical. Quand on dit « le Parti » tout court, il s'agit, depuis 1945, du Parti communiste. Avant la guerre, l'expression concernait plutôt *le Parti radical*, la plus ancienne des formations françaises, puisque, sous son nom complet de Parti républicain radical et radical-socialiste, il est né en 1901. Poussé vers le centre par les apparitions successives de la SFIO et du PC, sachant s'allier sur sa gauche (« Cartel des gauches », « Front populaire ») et sur sa droite (« Bloc national »), il était devenu en 1939 comme l'incarnation de la IIIᵉ République — ce qui provoqua un effondrement au lendemain de la guerre, le parti se trouvant identifié au désastre de 1940 et au système politique qui l'avait permis. Mais dès 1947, Édouard Herriot retrouvait le fauteuil présidentiel à l'Assemblée nationale tandis qu'un autre radical, Gaston Monnerville, était porté à la présidence de la seconde assemblée, présidence qu'il devait conserver jusqu'en 1968. Et que de radicaux chefs de Gouvernement sous la IVe République!

Les causes de cette extraordinaire remontée étaient multiples : la fidélité de la clientèle du Midi et la solidité de bien des positions départementales et municipales, la place du parti sur l'échiquier politique, lui permettant toutes les alliances grâce à la représentation proportionnelle, l'habileté manœuvrière des dirigeants et aussi la place faite dans le parti aux hommes de valeur quelles que fussent leurs options, pourvu qu'ils respectent une certaine inspiration et un certain rituel. A la fois profondément attaché à un parti qu'il représentait au Parlement depuis 1932 et désireux d'y introduire rigueur, unité et discipline, Pierre Mendès France, pendant et après son passage au pouvoir en 1954, tenta de réformer le parti. L'échec fut complet, puisque la tentative se solda par l'expulsion d'un des principaux chefs, Edgar Faure, la création d'un parti dissident et le départ de Pierre Mendès France lui-même en 1959. De plus, l'accession de la Tunisie et du Maroc à l'indépendance, puis la perte de l'Algérie, l'ont privé aussi d'une aile prospère et influente. S'il restait considéré surtout dans le Sud-Ouest, comme le gardien de cet « esprit républicain » qui, depuis 1848, avait si souvent donné son souffle à la politique française, ses zones d'implantation se trouvaient en déclin démographique et économique et, surtout, même là, il passait pour un parti vieilli, notamment face aux jeunes agriculteurs formés par les mouvements chrétiens.

Dans l'opposition depuis le début de la Ve République, le Parti radical n'en a pas moins continué à hésiter entre différents types d'alliances. En 1965/67 ce fut l'orientation à gauche et l'entrée dans la Fédération de la gauche. La catastrophe électorale de juin 1968 amena une réévaluation de la stratégie. Le 67e congrès, réuni à Nantes en octobre 1969, porta à la présidence du parti Maurice Faure et le chargea de créer autour du parti « un mouvement susceptible d'entraîner tous ceux qui, d'inspiration socialiste ou libérale, étaient destinés à construire ensemble, dans l'esprit du socialisme moderne et réformiste, une démocratie véritable ». Au lendemain du congrès, on apprit que le nouveau secrétaire général serait Jean-Jacques Servan-Schreiber, directeur de *L'Express*, brillant avocat de la concentration industrielle et de l'entrée de la France dans l'ère de l'ordinateur. Le contraste avec la sociologie du parti était complet. Servan-Schreiber triompha en juin 1970 en conquérant un siège de député à Nancy, tomba trois mois plus tard en cherchant à affronter l'inexpugnable Jacques Chaban-Delmas à Bordeaux, quitta le parti en mars 1971, en devint président en octobre, pour annoncer en novembre 1971 que le Parti radical constituait avec le Centre démocrate de Jean Lecanuet un Mouvement réformateur qui laisserait aux deux formations leur autonomie. Cette orientation centriste provoqua une scission. Conduits par Maurice Faure et Robert Fabre, les partants constituèrent, en octobre 1972, le Mouvement de la gauche radicale-socialiste, qui devint peu après le Mouvement des radicaux de gauche. Son président, Robert Fabre, en signant le Programme commun, redonna à la gauche l'allure trinitaire (mais avec un tout autre rapport des forces!) du Front populaire de 1936. Ce fut Robert Fabre qui provoqua spectaculairement la rupture avec le PC en septembre 1977, sans pouvoir pour autant rendre au parti un profil suffisamment net pour le rendre autonome à l'égard du PS, d'autant plus que, si le premier tour des présidentielles de 1981 devait permettre à son successeur, Michel Crépeau, de se présenter — et de mesurer la faiblesse de son audience

—, le système du second tour plaçait le Mouvement sous le dépendance des socialistes, que ce fût en 1978 ou en juin 1981. Michel Crépeau devenu ministre dans le gouvernement Mauroy, c'est un jeune professeur de droit de Paris, Roger-Gérard Schwartzenberg, qui est porté à la présidence du Mouvement. Mais, dès septembre 1983, le radicalisme de gauche retrouve sa tradition, puisque son président est le directeur de *La Dépêche du Midi*, Jean-Michel Baylet, fils de l'ancienne directrice du journal qu'elle a pris en mains après la mort de son mari, lui-même héritier du fief toulousain des frères Sarraut, qui avaient su faire de *La Dépêche de Toulouse* une puissance politique.

De l'autre côté, Jean-Jacques Servan-Schreiber céda progressivement le pas à Jean Lecanuet à la tête du *Mouvement réformateur*. Rallié à Valéry Giscard d'Estaing à la veille du second tour de 1974, ministre pendant douze jours, il quitte la présidence du Parti radical en 1975, la retrouve en 1977, contribue à créer l'Union pour la démocratie française en 1978, présente une liste dissidente à l'élection européenne de 1979 pour céder enfin la présidence du parti qu'il quitte, lors du 79e congrès, en octobre 1979, à Didier Bariani, jusqu'alors secrétaire général d'un parti toujours soumis, malgré sa taille réduite, à des conflits internes.

Jean Lecanuet, lui, venait d'une formation qui avait connu un développement foudroyant au lendemain de la guerre. Créé en 1945, *le Mouvement républicain populaire* était né d'une initiative de chrétiens engagés dans la Résistance et issus de divers courants catholiques d'avant guerre, notamment des mouvements regroupés dans l'Association catholique de la Jeunesse française (Jeunesse ouvrière, Jeunesse agricole, Jeunesse étudiante). Le MRP brouilla d'abord la classique ligne de partage droite/gauche : en matière économique et sociale il se situa entre socialistes et radicaux, alors que, selon le critère confessionnel, il était à droite de ces derniers. Si, contrairement aux partis frères d'Italie, de Belgique, d'Allemagne, le mot « chrétien » n'apparaissait pas dans son sigle, c'était précisément pour affirmer la séparation du temporel et du spirituel et la pluralité des options politiques des croyants. Mais son implantation dans les zones à la fois conservatrices et catholiques de l'Ouest et de l'Est de la France pesa vite sur ses orientations, pendant que ses dirigeants se trouvèrent associés aux aspects les plus négatifs (Indochine, Maroc) et les plus positifs (l'Europe de Robert Schuman) de la politique extérieure.

Sous la Ve République, le MRP entre au Gouvernement, puis le quitte à propos de la politique européenne. En 1965, Jean Lecanuet, après l'échec de la « grande fédération » avec les socialistes, se présente aux élections présidentielles et, après sa percée du premier tour, crée le Centre démocrate, social et européen qui a du mal à se situer sur l'échiquier politique. Faut-il se comporter en opposants bienveillants ou en soutiens critiques ? En 1969, des « centristes » comme Jacques Duhamel et Joseph Fontanet, lui-même ancien président du MRP, rallient Georges Pompidou, tandis que Jean Lecanuet reste dans l'opposition. Mais entre les deux tours des élections de 1973, il faut choisir son camp pour ne pas être éliminé de l'Assemblée, pour ne pas connaître le sort du Parti libéral britannique, alors que, avec la représentation proportionnelle, Jean Lecanuet se serait trouvé maître du jeu (une soixantaine de sièges, ni la gauche ni la majorité sortante ne pouvant gouverner seule), à l'image du Parti libéral allemand décidant lequel des deux grands partis doit être au pouvoir. Un accord avec le Premier ministre Pierre Messmer permet de sauver des sièges. En 1974, c'est dans le conflit interne à la majorité que Jean Lecanuet prend parti : dès avant le premier tour, il soutient Valéry Giscard d'Estaing, contribuant ainsi fortement à la victoire de celui-ci sur Jacques Chaban-Delmas. Jean Lecanuet entre dans un Gouvernement dont ne fait plus partie Joseph Fontanet; les démocrates-chrétiens proches du gaullisme cèdent la place à ceux qui se sentent plus proches de la droite libérale, c'est-à-dire des Indépendants.

Des Indépendants au « giscardisme » et à l'UDF

A la Libération, la position du Parti radical était confortable en comparaison de celle de la « *droite classique* » qui passait pour s'être compromise dans son ensemble avec Vichy. L'accusation était loin d'être entièrement fondée, mais les idées économiques et sociales du temps allaient à contre-courant des positions que la Fédération républicaine et l'Alliance démocratique avaient défendues avant guerre. Peu à peu, les « modérés », forts de l'appui de deux à trois millions d'électeurs, se regroupèrent sous des étiquettes diverses. Aux élections de 1951, *les Indépendants* se trouvèrent intégrés dans le regroupement qui, par le jeu des « apparentements », voulait préserver le parlementarisme contre la double menace communiste et gaulliste. En mars 1952, le président de la République désigna comme président du Conseil Antoine Pinay, ministre des Travaux publics dans les cabinets précédents, maire de Saint-Chamond depuis 1929. En peu de mois, président à l'arrêt de l'inflation, il devint, avant Pierre Mendès France, l'un des deux seuls dirigeants de la IVᵉ République jouissant d'une véritable popularité. Comme il réussit, de plus, à faire éclater le bloc gaulliste au profit des modérés, il fut désormais comme le porte-drapeau de ceux-ci.

En nette progression aux élections de 1956, triomphateurs, autant que les gaullistes, de la première consultation de la Vᵉ République, les Indépendants (toujours unis sur la politique économique, d'autant plus qu'Antoine Pinay, ministre des Finances du général de Gaulle, réussit brillamment la réforme monétaire de décembre 1958) se sont profondément divisés sur le drame algérien, une partie d'entre eux se trouvant fort proches de l'extrême droite violente. Mais l'appellation traditionnelle de modérés pouvait s'appliquer aux deux courants issus de la division intervenue entre les deux tours des législatives de 1962. D'un côté, la majorité des députés sortants du Centre national des indépendants ont continué à s'opposer au président de la République. Le désastre électoral qu'ils ont subi ne leur a même plus permis de constituer un groupe parlementaire, ce qui était également le cas du MRP avec lequel ils se sont alors retrouvés au sein du groupe du Centre démocrate. La retraite politique d'Antoine Pinay les privait d'un véritable chef de file, alors que l'autre branche s'est constituée autour d'un leader particulièrement brillant.

C'est en effet Valéry Giscard d'Estaing, secrétaire d'État aux finances à moins de 37 ans dans le premier cabinet de la Vᵉ République en 1959, ministre des Finances et des Affaires économiques trois ans plus tard, qui a entraîné avec lui une partie des députés du CNI et constitué le groupe des Républicains indépendants, alliés aux gaullistes. Écarté du Gouvernement en janvier 1966, V. Giscard d'Estaing devint une des vedettes de la vie politique par son habileté à rester fidèle à la majorité tout en s'en distinguant et plus encore en complétant le thème traditionnel du libéralisme économique par ceux du développement, de la modernité, de l'efficacité technique. En juin 1966 le groupe parlementaire donna naissance à un parti, *la Fédération des républicains indépendants* dont l'attitude face au général de Gaulle se trouvait définie par le « oui, mais... » lancé par Valéry Giscard d'Estaing en janvier 1967. Un gros risque fut pris en 1969 : tandis que la fidélité au général de Gaulle s'affirmait au sein du groupe parlementaire dont le président faisait campagne pour une réponse positive au référendum d'avril, V. Giscard d'Estaing passait du « oui, mais... » au refus du OUI. Après la démission du président de la République, il soutient son successeur et redevient ministre des Finances pour toute la durée de la présidence de Georges Pompidou, entretenant des relations variables et compliquées avec le chef de l'État, qui ne lui interdit pas de penser à la succession, et avec les gaullistes, pour lesquels, après les élections de 1973, il devient l'allié indispensable bien que toujours aussi peu aimé, en attendant l'affrontement de mai 1974 où la victoire de Valéry Giscard d'Estaing transforme les données.

La majorité présidentielle se trouvait curieusement structurée. D'un côté, les gaullistes de l'UDR avec leur puissant groupe parlementaire. De l'autre, un ensemble de formations nullement dominées par le Parti républicain dont était issu le président, et qui n'était même pas lui-même un groupement fortement organisé. Or le conflit latent avec les gaullistes devenait un combat de plus en plus ouvert avec la démission en 1976 de Jacques Chirac du poste de Premier ministre et avec la transformation de l'UDR en RPR. Ne fallait-il pas alors disposer, face au RPR, d'un parti « présidentiel » qui lui ferait équilibre? En mars 1977, la défaite complète, dans la lutte pour la mairie de Paris, de Michel d'Ornano, opposé à Jacques Chirac par l'Élysée, démontra qu'il fallait une organisation pouvant bénéficier du prestige présidentiel.

Le 1er février 1978 naissait *l'Union pour la démocratie française,* le sigle UDF rappelant intentionnellement le titre de l'ouvrage de Valéry Giscard d'Estaing, *Démocratie française,* qui avait été lancé à grand bruit à l'automne de 1976. Aux élections de mars 1978, l'UDF représentait une étiquette plutôt qu'une force organisée. Mais fallait-il faire disparaître les groupements qui s'étaient alliés en elle, le Parti républicain, le Centre des démocrates sociaux, le Parti radical, les clubs Perspectives et Réalités? L'UDF se donna un président, Jean Lecanuet, des vice-présidents, un délégué général, Michel Pinton, mais il était entendu que chaque formation gardait son autonomie et continuerait à recruter pour son compte. De façon significative, les élus de la liste conduite par Simone Veil aux élections européennes de 1979 ont siégé à Strasbourg les uns avec les libéraux des autres pays, les autres avec les démocrates-chrétiens.

Les défaites de 1981 n'ont pas contribué à créer l'unité, même si l'UDF est apparu, aux présidentielles comme aux législatives, comme le regroupement des « giscardiens ». En juin 1982, le Centre des démocrates sociaux s'est même donné une nouvelle image de parti autonome en portant à sa présidence, après de forts affrontements internes, Pierre Méhaignerie, député et président du conseil général d'Ille-et-Vilaine, ministre de l'Agriculture à 37 ans, en 1977, dans le gouvernement Barre. Jean Lecanuet restait président de l'UDF, mais celle-ci connaissait de nouveaux conflits internes en septembre 1983. Sa cohésion se trouvait d'autant plus mise à l'épreuve que le Parti républicain voulait la fidélité absolue à Valéry Giscard d'Estaing qui apparaissait comme un probable candidat à la succession de son successeur, tandis que se profilait comme son concurrent son ancien Premier ministre Raymond Barre. La politique française était certes dominée par quatre grandes formations, deux dans la majorité et deux dans l'opposition, mais l'UDF n'a jamais constitué un vrai parti, à la différence des trois autres. Encore deux de ceux-ci doivent-ils encore faire la preuve que leur cohésion n'est pas liée à un homme, François Mitterrand pour le PS, Jacques Chirac pour le RPR.

Du RPF au RPR

Lorsque le général de Gaulle décida brusquement d'abandonner le pouvoir, le 20 janvier 1946, il fut dans une large mesure poussé par sa répulsion à l'égard des partis. Aussi quand, au printemps de 1947, il décida de revenir à la vie publique, voulut-il éviter d'en créer un nouveau. Il espérait que des hommes de tous les partis viendraient rejoindre, devant la menace d'une nouvelle guerre mondiale, son Rassemblement du peuple français. De fait, quelques républicains populaires et quelques radicaux croient pour un temps à la double appartenance. Mais très rapidement le RPF devient un parti, avec une organisation nettement plus autoritaire que celle des autres formations. Son but avoué est d'abattre un régime considéré comme illégitime. Le succès est rapide : les élections municipales de novembre 1947 sont un triomphe. Mais lorsque viennent les élections législatives de 1951, un reflux s'est déjà produit. Malgré cela et malgré la loi électorale qui le désavantage, le RPF constitue le groupe le plus nombreux à l'Assemblée nationale. Enfonçant le coin de la question scolaire dans le front des « Européens », essayant de bloquer le « système », il est çependant bientôt absorbé par celui-ci. Le général de Gaulle prend ses distances à l'égard de ceux qui se réclament de lui, sans que l'on puisse savoir exactement, de 1954 à 1958, quels sont ceux qui ont son approbation, notamment en matière de décolonisation. Jacques Soustelle, ancien secrétaire général du RPF, est-il plus « gaulliste » comme envoyé de Pierre Mendès France à Alger en 1955 ou comme adversaire acharné de la politique libérale à partir de 1956?

Le RPF avait recueilli 21,6 % des suffrages en 1951. Les républicains sociaux (la formation se voulant expressément fidèle au général) n'atteignaient plus que 3 % en 1956. En novembre 1958, les gaullistes, regroupés dans et autour de l'Union pour la nouvelle République revenaient à 20,4 %. Entre-temps, Charles de Gaulle était revenu au pouvoir. En novembre 1962, elle passait, avec le renfort des « gaullistes de gauche », à 32 %, malgré l'obstacle redoutable qu'elle avait dû franchir. En effet, la plupart de ses dirigeants et de ses députés s'étaient initialement réclamés d'une double fidélité : fidélité à de Gaulle, fidélité à l'Algérie française. Lorsque l'incompatibilité entre les deux devint peu à peu évidente, un choix dramatique se présenta. Jacques Soustelle choisit la fidélité algérienne, Michel Debré la fidélité gaulliste et eut ainsi à défendre l'État contre une subversion animée par des idées semblables à celles qui lui avaient fait combattre le régime précédent.

La décision des électeurs ne laissait la place à aucune équivoque : éliminant les candidats ex-gaullistes nostalgiques de l'Algérie française, ils chargèrent les élus UNR de soutenir le président de la République et le système politique dont il était devenu le chef et l'incarnation. Aussi, une fois que l'UNR se fut montrée la seule formation soutenant le sortant aux présidentielles de 1965, le sigle UNR disparut-il pour les élections législatives de 1967, tous les élus de la majorité sortante, à l'exception des giscardiens, se regroupant dans une Union des démocrates pour la Vᵉ République qui devient vraiment parti politique comme UD-Vᵉ aux assises de Lille, en novembre 1967.

Le mot parti n'est cependant pas prononcé. Il est bien prévu un Comité central d'une centaine de personnes, un bureau exécutif d'une trentaine de membres et un secrétaire général élu par le comité central, mais, comme le dit le général de Gaulle au lendemain des assises : « Il appartient au président de la République... d'orienter la politique de la France. » A Lille, on s'est réclamé de la fidélité mais, implicitement, on ne pouvait pas ne pas poser les questions de l'éventuelle succession du général et de la direction de la nouvelle formation. Parmi les trois personnalités les plus acclamées par les congressistes, Michel Debré, Maurice Couve de Murville et Georges Pompidou, c'est ce dernier, Premier ministre depuis cinq ans, qui apparaissait finalement, sans en avoir le titre, comme le chef du gaullisme organisé en formation structurée. En apparence, sa position se trouva encore renforcée après la crise de mai 1968 : le triomphe électoral remporté en juin par les candidats gaullistes sous le label *Union pour la défense de la République* n'était-elle pas la sien aussi bien que celui du chef de l'État? Mais un problème ne se trouvait-il pas créé de ce fait dans ses rapports avec ce dernier?

En 1969, le référendum d'avril et l'élection présidentielle n'amènent pas seulement un changement fondamental pour l'UDR, à savoir la nécessité de passer d'un gaullisme fondé sur l'allégeance à un homme à un gaullisme établi à la fois sur la fidélité au vaincu retiré à Colombey et sur le soutien au successeur qu'on a largement contribué à faire élire. Les deux consultations montrent aussi qu'au niveau de l'électorat, deux courbes ont fini par se rejoindre : celle, descendante, du prestige du général de Gaulle et celle, ascendante, du gaullisme organisé. Mais comment définir ce dernier? A partir d'un programme, ou bien du soutien fidèle au président de la République ou encore d'un rapport d'interinfluence avec le Premier ministre et le Gouvernement? Le parti tente constamment d'apparaître comme une force autonome, capable d'initiative politique et idéologique.

En fait, il y eut surtout allégeance transférée sans trop de réticences du général de Gaulle à Georges Pompidou. Elle conduisait à soutenir sans critiquer et même au besoin à se déjuger, par exemple en juillet 1972 où le renvoi de Jacques Chaban-Delmas, encore soutenu la veille, fut accepté sans murmure.

L'appareil du parti, sans cesse critiqué comme insuffisant, voit son rôle pratiquement réduit à celui d'instrument de mobilisation électorale. C'est dans la perspective des élections de 1973 qu'en septembre 1972 Alain Peyrefitte remplace le personnage contesté qu'est René Tomasini. Et toute la vivacité du langage d'Alexandre Sanguinetti, à partir d'octobre 1973, ne suffit pas à donner à la fonction une véritable pesanteur politique. Aussi, quelques jours après l'élection de Valéry Giscard d'Estaing, l'éditorialiste de *La Nation*, quotidien assez confidentiel du parti, écrit-il : « Il en est de *La Nation* comme du mouvement dont il est l'organe. Nous avons vécu pendant seize ans dans un système dont le soleil était le président de la République et nous l'astre mort... Le soleil était gaulliste et notre mission était d'en réfléchir les rayons. »

Il ajoutait : « Le soleil n'est plus gaulliste et nous tournons dorénavant sur notre propre orbite. » Peu de semaines plus tard *La Nation* disparaissait, faute de continuer à recevoir les subsides du Gouvernement. Mais la formule n'en était pas moins exacte, même si le troisième président de la République espérait attirer l'UDR sur son orbite à lui. Pour ce faire, il aida Jacques Chirac qui, avec une quarantaine d'autres députés gaullistes, l'avait aidé à battre Jacques Chaban-Delmas, à conquérir la formation au sein de laquelle il venait de se rendre impopulaire. Avec l'aide d'Alexandre Sanguinetti, le Premier ministre du président non gaulliste parvenait effectivement à devenir secrétaire général de l'UDR le 14 décembre 1974. Seulement Valéry Giscard d'Estaing se trompait sur la nouvelle nature de la formation gaulliste et sur le rôle politique de son nouveau, ou plus exactement de son premier chef. Désormais l'UDR était en situation d'autonomie, et c'étaient les « giscardiens » qui se voyaient soumis aux désirs de l'Élysée. Premier chef de Gouvernement de la Ve République à être en même temps chef du parti fournissant le gros de la majorité parlementaire sans être soumis au chef de l'État, Jacques Chirac allait se sentir assez fort pour démissionner comme Premier ministre et pour jouer le rôle d'un contre-pouvoir au sein de la majorité.

Pour cela, il lui fallait un instrument solide. Le 5 décembre 1976, au cours d'une grande manifestation à Paris, l'UDR disparaissait pour céder la place au *Rassemblement pour la République* qui apparaissait largement comme *le parti de Jacques Chirac*, futur candidat à la présidence de la République. Les statuts étaient inspirés par ceux du RPF et par la constitution de 1958 : le président du RPR, élu par les assises nationales, « conduit le Rassemblement. Il préside les instances nationales et assure l'exécution de leurs décisions. Il représente le Rassemblement dans tous les actes de la vie politique. Il nomme le Secrétaire général et, sur proposition de celui-ci, les membres de la commission exécutive ».

Parti de la majorité et critique du Gouvernement dont il faisait partie, le RPR reprenait une tradition ancienne dont Valéry Giscard d'Estaing avait été la précédente incarnation. Mais cette fois, le ton était beaucoup plus vif et la puissance politique plus grande. Pourtant, il y eut deux échecs successifs : aux élections européennes de 1979, où la « liste Chirac » n'arriva que d'assez loin en quatrième position, et au premier tour des présidentielles de 1981, où Jacques Chirac se trouva fort distancé par le président sortant. Mais les législatives permirent de préserver la supériorité numérique sur l'UDF, de peu dans les suffrages, de beaucoup pour les sièges. Et le RPR allait pouvoir profiter, face au rival de son camp, de la solidité de sa structure et de son implantation, ainsi que du poids politique qu'avait pris le maire de Paris, élu au suffrage universel.

ENTRE LE POUVOIR ET LES GROUPES

On ne saurait prétendre que le système que constituent les partis français soit définitivement stabilisé. Il s'est cependant considérablement simplifié. Cette simplification a pris la forme d'une bipolarisation originale. Au premier regard, deux camps paraissent se faire face et leur affrontement, de plus en plus vif en paroles, est fort réel. Le mode de scrutin et l'élection présidentielle y sont pour beaucoup. S'y ajoute cependant une donnée doublement particulière à la France. Elle tient à l'hétérogénéité des deux camps.

D'un côté, *l'existence d'un puissant Parti communiste* ne permet l'existence d'une gauche unie que dans les périodes où il ne pratique pas l'auto-isolement. Dans ce cas, il n'est quand même pas considéré comme un allié naturel par une partie de l'électorat socialiste. La victoire de 1981 n'a été possible que parce qu'il paraissait en déclin, mais ce déclin était dû en partie au langage très « idéologique » du Parti socialiste et de son candidat. Renoncer à ce langage, renoncer aux politiques qui en sont la traduction, n'est-ce pas favoriser le PC? Mais maintenir la fermeté idéologique n'est-ce pas perdre l'électorat gagné moins par attrait que par le rejet du président et de la majorité sortants ? La gauche existe dans sa confrontation avec la droite, mais elle est hétérogène, ce qui crée pour le PS et pour le président qui en est issu des difficultés spécifiques et redoutables.

A droite, la dualité entraîne un inévitable double langage politique chez chacun des partenaires-adversaires. En République fédérale d'Allemagne, le chancelier Kohl et son parti peuvent affirmer vouloir gouverner au centre tout en absorbant l'ensemble de la droite : l'électeur orienté fort loin à droite n'a pas d'alternative. En France, *UDF et RPR s'affrontent à la fois au centre et à droite* — jusqu'aux confins d'une extrême droite « musclée ». Ce n'est pas le petit Parti des forces nouvelles, créé en 1973, qui produit les discours les plus durs des deux grandes formations; c'est la préoccupation de ne pas laisser s'accroître la clientèle de l'autre, alors qu'il faut en même temps être présent au centre, face au rival et face à une clientèle potentielle de « déçus du socialisme ». Un exemple parmi d'autres du double langage est fourni par une comparaison entre les écrits et discours de Valéry Giscard d'Estaing d'une part, de Michel Poniatowski de l'autre. Encore la situation évolue-t-elle depuis 1983, où les élections municipales ont été marquées par la montée du Front national de Jean-Marie Le Pen dont les thèmes centraux sont la sécurité et l'immigration. La présence du Front national n'est pas sans peser sur les comportements de l'UDF et du RPR.

Que les partis d'opposition s'opposent vigoureusement au Gouvernement, quitte à oublier quelque peu ce qu'ils disaient et faisaient quand ils étaient au pouvoir, et que les partis au pouvoir approuvent le Gouvernement de faire de qu'ils reprochaient naguère au pouvoir quand ils étaient dans l'opposition, voilà qui ne constitue en aucune façon une originalité française. On trouve aussi ailleurs la situation à la fois difficile et agréable du parti de la majorité qui cohabite avec un partenaire plus puissant que lui, un partenaire qui exerce l'essentiel du pouvoir : il faut se démarquer sans s'opposer, mais on peut en même temps se désolidariser des aspects impopulaires de la politique gouvernementale : sur ce plan, les républicains indépendants, puis le RPR, puis le PC ont joué le jeu habituel notamment au Parti libéral allemand et aux petits partenaires de la Démocratie chrétienne italienne. Mais il faut rappeler ici les deux spécificités françaises : la nature, la vocation particulière du Parti communiste et surtout le rôle dominant du président de la République se manifestant tout particulièrement par le soutien que lui apporte le « parti présidentiel ». Même quand un parti à forte tradition, à solide organisation, à idéologie articulée remporte les élections législatives, comme ce fut le cas pour le PS, il se soumet à la volonté présidentielle, malgré de fortes tensions. Il n'y a pas de fatalité entraînant cette soumission. Il y a l'habitude prise et tout un ensemble de mécanismes du pouvoir qui se sont mis en place progressivement : au congrès de Bourg-en-Bresse en 1983, le parti a réclamé un rôle moindre qu'à Valence en 1981.

LECTURES COMPLÉMENTAIRES

C'est sans doute la situation incertaine du système français qui rend si rares les études concernant l'ensemble des partis en France et même les bonnes monographies. Les ouvrages de circonstance, apologétiques ou polémiques, demeurant nettement plus abondants que les travaux réfléchis et documentés. On pourra lire ou consulter :

○ SEILER Daniel-Louis, *Partis et familles politiques*, PUF, 1980, 440 p.
○ BORELLA François, *Les Partis politiques dans la France d'aujourd'hui*, Seuil 1973, 255 p.
○ KRAEHE Rainer, *Le Financement des partis politiques*, PUF 1972, 126 p.

Pour une bonne vue d'ensemble de chacun des deux grands secteurs du champ politique :

○ RÉMOND René, *Les Droites en France*, Aubier, 1982, 544 p. (à la fois historique et actuel).
○ TOUCHARD Jean, *La Gauche en France depuis 1900*, compléments de Michel WINOCK, Seuil, 1977, 204 p.
○ NUGENT N., LOWE D., *The Left in France*, Londres, Macmillan, 1982, 275 p.
○ DUHAMEL Olivier, *La Gauche et la Vᵉ République*, PUF, 1980, 589 p.

Le Parti communiste

Ici la littérature est surabondante. On pourra commencer par choisir dans la sélection suivante :

○ LAVAU Georges, *A quoi sert le Parti communiste français?*, Fayard, 1981, 443 p. (fondamental jusqu'au retour au pouvoir).
○ TIERSKY Ronald, *Le Mouvement communiste en France 1920-1972*, Fayard, 1973, 423 p.
○ COURTOIS Stéphane, *Le PCF dans la guerre*, Ramsay, 1980, 586 p.
○ BECKER Jean-Jacques, *Le Parti communiste veut-il prendre le pouvoir?* La stratégie du PCF de 1930 à nos jours, Seuil, 1981, 332 p.
○ PRONIER Raymond, *Les Municipalités communistes*. Bilan de trente années de gestion, Balland, 1983, 475 p. (important).
○ HINCKER François, *Le Parti communiste au carrefour*. Essai sur quinze ans de son histoire 1965-1981, A. Michel, 1981. 262 p.
○ FAUVET Jacques, DUHAMEL Alain, *Histoire du Parti communiste français*, Fayard, rééd. mise à jour, 1977, 605 p.
○ ROBRIEUX Philippe, *Histoire intérieure du Parti communiste*, Fayard, 4 vol, 1980/84 .
○ CAUTE David, *Le Communisme et les intellectuels français, 1914-1966*, Gallimard, 1967, 477 p.
○ VERDÈS-LEROUX Jeannine, *Au service du parti*. Le parti communiste, les intellectuels et la culture (1944-1956), Fayard, 1983, 585 p.
○ DUCLOS Jacques, *Mémoires*, Fayard, 6 vol. 1968-1972.
○ LAURENT Paul, *Le PCF comme il est*, Éd. sociales, 1978, 174 p.
○ MARCHAIS Georges, *Le Défi démocratique*, Grasset, 1973, 249 p.
○ MARCHAIS Georges, *L'Espoir au présent*, Éd. sociales, 1980, 203 p.
○ KRIEGEL Annie, *Les Communistes français*, Seuil, 1970, 319 p.
○ LABBÉ Dominique, *Le Discours communiste*, Presses de la FNSP, 1977, 204 p.
○ ROUCAUTE Yves, *Le PCF et les sommets de l'État*, PUF 1981, 192 p.
○ ROUCAUTE Yves, *Le PCF et l'armée*, PUF, 1983, 207 p.
○ MONTALDO Jean, *Les Finances du PCF*, A. Michel, 1977, 236 p.
○ ROBRIEUX Philippe, *Thorez, vie secrète et vie publique*, Fayard, 1975, 663 p.
○ TANDLER Nicolas, *L'Impossible biographie de Georges Marchais*, Albatros, 1980, 235 p.
○ LAMALLE Jacques, *Le Milliardaire rouge*, Lattès, 1980, 231 p.

Le Parti socialiste

- LIGOU Daniel, *Histoire du socialisme en France, 1861-1961*, PUF, 1962, 672 p.
- KERGOAT Jacques, *Le Parti socialiste*, Sycomore, 1983, 400 p.
- DREYFUS François-Georges, *Histoire des gauches en France 1940-1974*, Grasset, 1975, 378 p.
- ROUCAUTE Yves, *Le Parti socialiste*, B. Huisman, 1983, 183 p.
- PORTELLI Hugues, *Le Socialisme français tel qu'il est*, PUF, 1980, 213 p.
- GERSTLÉ Jacques, *Le Langage des socialistes*, Stanké, 1979, 183 p.
- BACOT Paul, *Les Dirigeants du Parti socialiste*. Histoire et sociologie, Presses univ. de Lyon, 1979, 351 p.
- SADOUN Marc, *Les Socialistes sous l'Occupation*, Presses de la FNSP, 1982, 323 p.
- KROP Pascal, *Les Socialistes et l'armée*, PUF, 1983, 182 p.
- HAMON H., ROTMAN P., *L'Effet Rocard*, Stock, 1980, 365 p.
- MAUROY Pierre, *Héritiers de l'avenir*, Stock, 1977, 328 p.
- CHEVÈNEMENT Jean-Pierre, *Être socialiste aujourd'hui*, Cana, 1979, 171 p.
- MANDRIN Jacques, *Le Socialisme et la France*, Le Sycomore, 1983, 245 p. (pseudonyme collectif CERES).
- ROCARD Michel, *Parler vrai*, Seuil, 1979, 169 p.
- GIESBERT Franz-Olivier, *François Mitterrand ou la tentation de l'Histoire*, Seuil, 1977, 335 p. (solide et sans complaisance).
- LABBÉ Dominique, *François Mitterrand*, Essai sur le discours, La Pensée sauvage, 1983, 187 p.
- MITTERRAND François, *Politique*, Fayard, t.I *1938-1977*, 1977, 640 p. t.II *1977-1981*, 1981, 368 p. (recueil de textes).
- MITTERRAND François, *Ma part de vérité*, Fayard, 1969, 206 p.
- MITTERRAND François, *La Rose au poing*, Flammarion, 1973, 224 p.
- MITTERRAND François, *Ici et maintenant*. Conversations avec Guy CLAISSE, Fayard, 1980, 309 p.

Autres gauches

- PFISTER Thierry, *Le Gauchisme*, Éd. Filipacchi, 1972, 159 p.
- GOMBIN Richard, *Les Origines du gauchisme*, Seuil, 1971, 190 p.
- ROCARD M. *et al. Le PSU et l'avenir de la France*, Seuil, 1969, 187 p.
- BOUCHARDEAU Huguette, *Un Coin dans leur monde*, Syros, 1980, 136 p.

Au centre et à droite

- BERSTEIN Serge, *Histoire du parti radical, 1919-1939*, Presses de la FNSP, 2 vol. 1980/82, 664 + 486 p.
- NORDMANN Jean-Thomas, *Histoire des radicaux, 1820-1973*, La Table Ronde, 1974, 529 p.
- SERVAN-SCHREIBER Jean-Jacques, *Le Manifeste radical*, Denoel, 1970, 373 p.
- CALLOT Émile-François, *Le Mouvement républicain populaire*, M. Rivière, 1978, 443 p.
- LECANUET Jean, SERVAN-SCHREIBER J.-J., *Le Projet réformateur*, Laffont, 1973, 103 p.
- COLLIARD Jean-Claude, *Les Républicains indépendants. Valéry Giscard d'Estaing*, PUF, 1971, 352 p. (ample et sérieux. Voir aussi la bibl. du chap. 8).
- LECOMTE B., SAUVAGE Ch, *Les Giscardiens*, A. Michel, 1978, 217 p.
- SEGUIN Daniel, *Les Nouveaux Giscardiens*, Calmann-Lévy, 1979, 228 p.
- CHIROUX René, *L'Extrême droite sous la Vᵉ République*, LGDJ, 1974, 367 p.
- BRIGOULEIX Bernard, *L'Extrême droite en France*, Fayolle, 1977, 235 p.
- BENOIST Alain de, *Les Idées à l'endroit*, Hallier, 1979, 298 p.

Les gaullistes

○ TOUCHARD Jean, *Le Gaullisme 1940-1969,* Seuil, 1978, 381 p.
○ CHARLOT Jean, *Le Gaullisme d'opposition 1946-1958,* Fayard, 1983, 436 p.
○ CHARLOT Jean, *L'UNR.* Étude du pouvoir au sein d'un parti politique, Colin, 1967, 361 p. (le type même du travail qu'il faudrait accomplir pour chaque parti).
○ CHARLOT Jean, *Le Phénomène gaulliste,* Fayard, 1970, 208 p.
○ CHABAN-DELMAS Jacques, *L'Ardeur,* Stock, 1975, 451 p.
○ DEBRÉ Michel, DEBRÉ Jean-Louis, *Le Gaullisme,* Plon, 1978, 186 p.
○ CRISTOL P., LHOMEAU J., *La Machine RPR,* Fayolle, 1977, 200 p.
○ CHIRAC Jacques, *La Lueur de l'espérance,* La Table Ronde, 1978, 237 p.
○ DESJARDINS Thierry, *Chirac,* La Table Ronde, 1983, 453 p.

Chapitre 5

LES GROUPES
DANS LA VIE PUBLIQUE

LA REPRÉSENTATION DES INTÉRÊTS

Une société structurée

Le citoyen n'est pas seulement un électeur ou, plus exactement, il n'est pas seulement un individu qui observe isolément et sans moyen d'action le comportement des partis pour savoir comment voter la fois suivante. Il appartient aussi à un ou plusieurs groupes qui agissent sur lui et dont il contribue en même temps à déterminer l'orientation. S'il reste à l'écart, ces groupes n'en prétendent pas moins parler en son nom.

La Révolution française, héritière de la pensée de son siècle, *a voulu libérer l'individu,* prisonnier d'un véritable système de castes. En 1971, la loi Le Chapelier proclamait dans son article 1er : « L'anéantissement de toute espèce de corporations de citoyens du même état étant une des bases fondamentales de la constitution française, il est défendu de les rétablir de fait sous quelque prétexte et quelque forme que ce soit. »

123

Cette libération accomplie, on s'aperçut peu à peu que les individus n'étaient pas égaux entre eux, que *leurs conditions économiques, que leurs situations sociales différentes nécessitaient d'autres libérations.* Celles-ci ne pouvaient être obtenues que si les faibles n'avaient plus à agir isolément, que s'ils avaient la possibilité d'agir ensemble, c'est-à-dire de se coaliser, de s'organiser en groupes d'action permanents, c'est-à-dire de s'associer. En même temps, le progrès technique, le développement industriel, les affrontements idéologiques provoquaient une différenciation de plus en plus poussée de la société et la divisaient ainsi en une multiplicité de catégories ayant chacune ses préoccupations particulières. Pour que ces préoccupations pussent s'exprimer autrement que de façon sporadique et anarchique, il était normal que des groupements organisés naquissent des différents groupes sociaux. Syndicats ouvriers et associations patronales, organisations confessionnelles et sociétés de pensée, groupements professionnels et organisations pour les loisirs — la variété des communautés organisées est déjà telle au début du xxe siècle que la loi du 1er janvier 1901 relative au contrat d'association, base juridique de tous les groupes actuels à l'exception des syndicats ouvriers, mieux pourvus par la loi de 1884, ne peut que dire : « L'association est la convention par laquelle deux ou plusieurs personnes mettent en commun d'une façon permanente leurs connaissances et leurs activités dans un but autre que de partager des bénéfices. »

La multiplication des associations est un phénomène qui existe dans tous les pays développés. Même le célèbre « individualisme français » a battu en retraite[1]. L'individu fort abstrait du xviiie siècle a cédé la place à la personne engagée dans un réseau de plus en plus complexe de relations sociales. Théoriquement, on peut distinguer entre les regroupements qui se créent pour organiser une activité commune, pour satisfaire un besoin commun, et les organisations conçues d'emblée pour agir vers le dehors, pour défendre le groupe contre une menace ou pour lui obtenir des avantages. Les « Joyeux Pétanqueurs » de Peyrargue-les-Mimosas ont évidemment une action extérieure moindre qu'un syndicat ouvrier de la métallurgie ou qu'une association des parents d'élèves de l'enseignement libre. Mais, sans insister sur l'activité purement interne du syndicat et de l'association, on verra aisément que la demande de subvention présentée par les boulistes à la municipalité en fait un groupe qui agit sur d'autres secteurs de la vie publique et qui exerce donc une influence politique.

La notion d'intérêt

On a pris l'habitude de désigner l'ensemble des associations autres que les partis tantôt sous le nom de « groupes de pression », mettant ainsi l'accent sur leur action extérieure, tantôt sous celui de « groupes d'intérêts » qui les définit à partir du motif de leur constitution. La seconde appellation, moins péjorative et plus large (les pêcheurs à la ligne ont tout de même moins d'envie et moins d'occasions d'exercer une pression que la CGT), souffre cependant de *l'imprécision de la notion d'« intérêt ».*

---

1. Voir ci-dessus le chapitre 1.

Un groupement de gens qui s'intéressent à la même chose, un ciné-club par exemple, n'est pas vraiment de même nature qu'une association de colocataires ou qu'un syndicat d'enseignants dont les membres ont un intérêt commun, déterminé par leur situation économique ou sociale. Mais cet intérêt commun lui-même est difficile à définir. Admettons d'abord qu'il s'agisse d'un intérêt purement matériel, d'avantages à défendre ou à conquérir pour le groupe et pour ses membres. Que de problèmes déjà! Si le groupe est d'une certaine importance, il se subdivise en catégories à intérêts divergents : les syndicats de cheminots savent bien que le progrès technique rend la vie plus agréable à certains de leurs membres et risque d'en réduire d'autres au chômage. Et qui définira l'intérêt du groupe? Nous retrouverons cette question pour la société politique dans son ensemble [1]. A tel moment, l'intérêt des syndicats est-il d'obtenir une augmentation de salaires ou bien l'accélération de l'inflation qui en résulterait nuirait-elle à leur intérêt « véritable »? Comme pour la notion de besoin en économie, la définition donnée par un observateur ou par une force extérieure au groupe n'a pas beaucoup de valeur pour l'étude des comportements : l'intérêt du groupe, c'est ce que le groupe croit être son intérêt.

On voit alors facilement qu'*il peut s'agir de tout autre chose que d'un intérêt matériel.* Le prestige social, l'influence exercée, la diffusion d'une idée, le maintien d'une tradition, la prise de conscience d'une solidarité ou d'un problème : les « intérêts » du groupe peuvent être d'une extrême variété et souvent en conflit avec l'intérêt matériel de ses membres. Longtemps on a refusé de voir que les buts essentiels du syndicalisme ouvrier n'étaient pas seulement d'obtenir de plus hauts salaires et de meilleures conditions de vie, mais étaient aussi et, chez les plus militants, étaient surtout la reconnaissance de la dignité d'homme libre, la possibilité d'agir au lieu de subir. Et pour tel groupement économique, est-ce vraiment l'accumulation de l'argent qui constitue l'intérêt vécu, ressenti? N'est-ce pas plutôt la puissance que donnent les moyens matériels?

Représentation et représentativité

Les chefs du syndicat, les dirigeants du groupement parlent et agissent comme représentants de leur organisation, c'est-à-dire des membres du groupe organisé. Souvent on les critiquera du dehors pour avoir parlé ou agi à propos de sujets dépassant l'intérêt, au sens le plus étroit, du groupe. « Vous n'avez pas été désignés pour cela », leur dira-t-on. Nous examinons plus loin le problème de l'insertion des groupes dans la vie politique [1]. Mais dès maintenant il faut souligner que la vie interne des groupes ressemble sur un point au moins à la vie politique : le décalage entre le contenu du mandat donné par les membres à leurs représentants et l'usage qu'en font ceux-ci. C'est cependant aux membres du groupe eux-mêmes qu'il appartient de définir et de sanctionner les véritables détournements de mandat. Que son approbation ait maintenu en place le dirigeant, ou bien son indifférence, le groupe organisé est toujours représenté par son leader élu.

Cependant ce dernier veut en général davantage. Le plus souvent, *il affirmera qu'il parle*

---

1. Voir le chapitre 9.

non seulement au nom du groupe organisé et de ses membres, mais aussi *au nom du groupe social tout entier, de la catégorie qui correspond à l'organisation*. Celle-ci serait l'expression permanente de celui-là, comme les partis seraient l'expression permanente du corps électoral. Les mouvements de jeunesse se voudraient représentatifs de la jeunesse dans son ensemble, alors qu'un faible pourcentage seulement des jeunes sont « organisés ». Les syndicats, malgré la faiblesse de leurs effectifs, affirment représenter tous les salariés. Dans les textes revendicatifs des associations d'anciens combattants, la formule employée n'est pas « nos membres », mais « *les* anciens combattants ». On doit alors se demander quelle est la représentativité réelle des groupes organisés.

Malheureusement, il n'y a pas de réponse simple à cette question. Une première constatation, c'est que l'organisation est plus qualifiée pour représenter les non-organisés qu'un non-organisé individuel ou, à plus forte raison, qu'une personne extérieure au groupe social. Les dirigeants d'un mouvement agricole, le président d'un mouvement de jeunesse sont plus représentatifs des agriculteurs ou des jeunes que le paysan qui écrit à son député ou que le fils du ministre interrogé par son père. De plus, comme pour les partis, il ne paraît pas choquant que le membre de l'organisation et que ses dirigeants voient leur activité récompensée par une audience plus large que celle du jeune et du paysan passifs, d'autant que ceux-ci profitent de tous les avantages que l'organisation obtient pour le groupe social qu'elle veut représenter.

Mais, en dehors même du fait qu'il existe des formes d'abstention qui correspondent à un désaveu passif, à un discrédit jeté sur l'organisation, comment évaluer la représentativité de plusieurs organisations rivales? Le nombre d'adhérents ne constitue qu'un critère parmi d'autres, d'autant plus que les groupes sont sur ce point aussi réticents et insincères que les partis. La procédure électorale est évidemment une des meilleures pour déterminer la représentativité, une fois admis que l'abstentionniste, qu'il le veuille ou non, se trouve représenté lui aussi : l'élection des administrateurs de la sécurité sociale constituait un bon moyen pour mesurer la représentativité des syndicats jusqu'à la suppression de cette élection par des ordonnances de 1967. Après l'arrivée de la gauche au pouvoir, l'élection des administrateurs a été rétablie, les assurés votant à la proportionnelle en choisissant parmi les cinq listes présentées par les syndicats les plus représentatifs. Ainsi, en octobre 1983, les résultats ont sensiblement modifié l'idée qu'on se faisait de la représentativité des diverses centrales. Sur 28 millions de salariés inscrits pour l'élection des conseils d'administration de la caisse nationale d'assurance-maladie, il y eut 52,7 % de votants, 49,7 % de suffrages exprimés (13,9 millions), la répartition de ceux-ci étant la suivante : CGT 28,2 %; FO 25,2 %; CFDT 18,4 %; CGC 16 %; CFTC 12,3 %. Les élections aux conseils de prud'hommes donnent également une bonne indication, encore qu'elles excluent les millions de salariés de la Fonction publique. En décembre 1982, sur 7,6 millions de suffrages exprimés (soit 56,4 % des 13,5 millions d'inscrits), la CGT a obtenu 36,8 %, la CFDT 23,6 %, FO 17,8 %, la CFTC 8,5 %, la CGC 9,6 % (ou 36 % des 800 000 votants appartenant à l'encadrement). Le pouvoir de mobilisation constitue un autre critère : *bien des grèves ou des manifestations ont pour seul but de démontrer l'influence, donc la représentativité, du groupe qui les organise.*

Nous atteignons ici l'aspect le plus intéressant et le plus décevant de la notion de représentativité : comme dans tous les phénomènes sociaux, la croyance est au moins aussi importante que le fait. Un groupe organisé est représentatif s'il est cru tel. Une bonne partie de son action consistera à diffuser, à imposer cette croyance au sein du groupe social et à l'extérieur. Et plus sa représentativité est acceptée, plus elle devient réelle parce que l'acceptation est source de présence dans des organismes publics ou privés et, souvent même, source de subventions − publiques ou privées elles aussi.

Abstraction faite de la rivalité entre associations diverses pour représenter le même groupe social, les notions de représentation et de représentativité recèlent encore une autre équivoque. Quand une association d'anciens combattants affirme revendiquer au nom des anciens combattants, elle avance le plus souvent deux propositions fort différentes : « en tant qu'anciens combattants, les anciens combattants ne sont pas satisfaits » et « c'est leur appartenance au groupe social des anciens combattants qui détermine leur comportement social et politique ». Or chaque individu appartient à une multiplicité de groupes sociaux. Il peut être mécontent comme ancien combattant et satisfait comme paysan, comme père de famille, comme Breton, comme catholique ou comme Français. Rien ne prouve quelle appartenance il considère comme la plus importante, quelle détermination l'entraîne à voter pour un parti. Le groupe organisé a le droit de faire croire qu'il représente plus qu'un autre la personne entière. Mais les autres groupes sociaux et surtout les hommes politiques sont également en droit de mettre en doute l'ampleur de cette représentativité. La même équivoque se retrouve au centre de la discussion sur la réforme du Sénat et du Conseil économique et social ; *comment instituer une assemblée représentative des groupes sociaux, alors que ceux-ci sont inextricablement enchevêtrés ?* Dans le projet soumis à référendum le 27 avril 1969, les groupes professionnels et la représentation régionale se trouvaient privilégiés.

Ce privilège ne va pas de soi. Il serait tout aussi légitime de considérer que les femmes en tant que femmes devraient avoir une représentation considérable pour leur permettre d'obtenir la transformation de la condition féminine. Le fait qu'une minorité seulement parmi les femmes privilégient leur appartenance à cette catégorie sociale ne constitue pas une objection décisive : une organisation comme le Mouvement pour la libération des femmes affirme précisément qu'elle veut faire prendre conscience aux femmes des données de leur situation spécifique, qu'elles acceptent seulement parce qu'elles ont intériorisé inconsciemment les normes que la société masculine leur a imposées. Un problème analogue se pose à propos des consommateurs : employeurs et salariés, hommes et femmes, croyants et incroyants, tout le monde consomme ; mais il a fallu attendre une période récente pour que les associations de consommateurs prennent de l'extension en France et que leur action attire l'attention. Il est vrai que, contrairement à ce qui se passait aux États-Unis et surtout dans les pays scandinaves, leur existence même rencontrait de fortes réticences chez les syndicats : la lutte contre les prix injustifiés ne contrecarrait-elle pas les revendications pour des salaires plus élevés ?

Même à l'intérieur d'un groupe apparemment bien défini, des problèmes peuvent se poser − ou se trouver dissimulés. Quand la catégorie « agriculteurs » est regroupée au sein d'une puissante organisation affirmant défendre les intérêts de tous les agriculteurs à l'intérieur de la société globale, c'est-à-dire face aux non-agriculteurs, les différences internes sont effacées et la défense des exploitants prospères du Bassin parisien se trouve assurée en même temps que celle des petits paysans des régions déshéritées, les avantages

127

conquis pour les seconds profitant en général très fortement aux premiers. Et la défense des enseignants en général tend à faire oublier les différences entre les statuts des professeurs agrégés et des maîtres auxiliaires. En sens inverse, la représentation globale tend à étouffer les sous-catégories les moins nombreuses, même si celles-ci ont une qualification particulière justifiant une certaine différence de statut, notamment dans l'intérêt de la société globale. Ce problème-là est présent dans le syndicalisme de l'enseignement secondaire et supérieur.

L'ACTION DES GROUPES

Champs d'action

Pour atteindre leurs buts, les groupes agiront à tous les niveaux de la vie publique. Il est clair cependant que leur effort s'adaptera toujours au système institutionnel : agir sur le Parlement était plus rentable sous la IVe République que sous la Ve ; et intervenir sur le plan municipal ou régional était plus tentant dans des pays décentralisés comme les États-Unis ou l'Allemagne qu'en France où toute décision importante ne pouvait être prise qu'à Paris.

Pour obscure et difficile que soit la notion d'opinion publique, c'est souvent sur l'opinion qu'un groupe voudra agir pour obtenir un soutien, diffus mais certain. Municipalités, préfectures et conseils généraux constituaient des domaines d'action limités[1]. Un groupe de quelque importance dispose d'un bureau à Paris. Sinon il demande aux parlementaires locaux d'effectuer les démarches nécessaires auprès des bureaux parisiens de l'Administration. L'un des signes du succès de la décentralisation serait qu'il n'en fût plus ainsi.

Plus intéressantes parce que plus déterminantes pour l'orientation de la vie politique sont *les relations entre les groupes et les partis*. L'exemple le plus souvent cité, parce que l'un des plus anciens et des plus importants, est celui des syndicats. En France, la tradition syndicale affirme l'indépendance des syndicats par rapport aux partis, l'indépendance des partis par rapport aux syndicats paraissant aller de soi. Pourtant, en Grande-Bretagne, les *Trade Unions* sont de droit membres affiliés du Parti travailliste, au sein duquel le poids de leurs votes massifs joue un rôle déterminant. En Allemagne, la principale confédération syndicale a été, au début du siècle, une sorte d'annexe mutualiste du Parti social-démocrate. En France, les divisions au sein du socialisme, l'hostilité du syndicalisme à l'égard non seulement de l'État, mais de tout le jeu politique, ont amené la Confédération générale du travail, née en 1895, à proclamer en 1906, par la Charte d'Amiens, son indépendance face aux partis. L'incompatibilité des mandats (un dirigeant du syndicat ne peut exercer une fonction de direction dans un parti) devint la règle. La liaison de fait qui s'est tout de même instituée entre la CGT et la SFIO est remise en cause après la naissance

---

1. Voir ci-dessus le chapitre 2.

du Parti communiste et après la création de l'Internationale syndicale rouge. *De 1922 à 1947, l'histoire de la CGT est étroitement liée à celle des partis.* En juillet 1922, la CGTU (U = unitaire), rapidement dominée par les communistes, se constitue à la suite d'une scission de la CGT. En 1935, réunification dans le climat de Front populaire. En septembre 1939, expulsion des dirigeants ex-CGTU. En avril 1943, l'accord du Perreux reconstitue l'unité. Au lendemain de la Libération, la CGT passe sous influence communiste. Les grèves politisées de novembre 1947 provoquent une nouvelle scission. Mais cette fois c'est la tendance modérée qui part (y compris Léon Jouhaux, secrétaire général de la CGT depuis 1909) et qui va constituer en 1948 la CGT-FO (Force Ouvrière).

Depuis son congrès de 1946, la CGT ne connaît plus l'incompatibilité des mandats. Secrétaire général jusqu'au congrès de juin 1967 qui a créé pour lui la fonction de président de la Confédération, Benoît Frachon était entré au comité central du Parti communiste en 1932. Georges Séguy, son successeur au secrétariat général, né en 1927, était membre du bureau politique. Lorsque, après quinze années d'exercice de la fonction, Georges Séguy se retire, Henri Krasucki est élu secrétaire général, en juin 1982, après le congrès de Lille qui a vu la CGT plus unanimiste que jamais, le rapport d'activité se trouvant adopté avec 97,3 % des mandats et le programme d'action avec 99 %. Né en 1924, Henri Krasucki, militant aux Jeunesses communistes à quatorze ans, est déporté en 1943. Après la guerre, il progresse parallèlement dans la hiérarchie de la CGT et dans celle du PC où il entre au comité central en 1956 et au bureau politique en 1964. Bien que de très nombreux membres ne soient pas communistes, la CGT a toujours fidèlement épousé les attitudes du Parti et ne s'est réclamée de la neutralité qu'au lendemain de la révolution hongroise en 1956.

Force Ouvrière, de son côté, est restée attachée à l'incompatibilité des mandats, mais par son recrutement, son implantation, ses sympathies, a été assez proche de la SFIO. L'attitude générale de FO a été dominée depuis sa création par la méfiance à l'égard du Parti communiste, ce qui a longtemps empêché toute action commune avec la CGT. Une certaine évolution s'est produite, partie à cause de la transformation du climat politique, partie à cause d'un rajeunissement de FO marqué en 1963 par l'arrivée, à 41 ans, d'André Bergeron au secrétariat général. La poussée à gauche du nouveau Parti socialiste et l'orientation de la CFDT vers une attitude politique globale a conduit celui-ci, soutenu par la très grande majorité des membres, à augmenter ses distances à l'égard de tous les partis, à prendre le moins possible des positions idéologiques et à tolérer au sein de l'organisation les engagements politiques individuels les plus différents. C'est ainsi qu'Arlette Laguiller, candidate révolutionnaire aux élections présidentielles de 1974 et européennes de 1979, appartenait à un syndicat bancaire de FO. L'attitude générale de la Confédération a pu se traduire par des décisions assez opposées : appel pour le « NON » au référendum de 1969, mais pas d'engagement dans la campagne présidentielle de 1974. Interlocuteur écouté des présidents de la République sans qu'on ait pu l'accuser de complaisance à l'égard du pouvoir, André Bergeron a su donner à FO une image de syndicat uniquement préoccupé des intérêts directs des salariés, ce qui explique la progression régulière de son organisation. Celle-ci est cependant loin des effectifs de la CGT et, surtout, elle n'est toujours que faiblement présente dans les secteurs de base de l'industrie.

129

En simplifiant, on peut dire que le MRP évoluait de gauche à droite pendant que la Confédération française des travailleurs chrétiens, née en 1919, évoluait de droite à gauche. Aux élections du 2 janvier 1956, la CFTC a beaucoup contribué, notamment dans l'Ouest, à la poussée du Front républicain (SFIO et « mendésistes ») au détriment du MRP. La « poussée à gauche » a ensuite été caractérisée par l'influence croissante des « minoritaires » dont l'un des leaders, Eugène Descamps, chef de la fédération de la métallurgie, ancien secrétaire général de la Jeunesse ouvrière chrétienne, devient, en 1961, à 39 ans, secrétaire général de la Confédération. En novembre 1964, le congrès décide la transformation de celle-ci en *Confédération française et démocratique du Travail*. La disparition du C final doit « déconfessionnaliser » l'organisation et lui apporter une clientèle nouvelle. Une faible minorité, implantée surtout chez les mineurs, refuse d'accepter la décision et se transforme en « CFTC maintenue » qui, à la suite d'une décision judiciaire puis d'un accord avec la CFDT, garde l'ancienne appellation CFTC.

L'évolution de la CFDT l'a progressivement conduite à occuper *une place importante* non seulement dans la vie sociale, mais *dans la vie politique*. Si elle a continué, contrairement à la CGT, à faire observer strictement l'incompatibilité des mandats dirigeants, c'est moins par abstinence politique que pour ne pas laisser un parti déterminé accaparer son influence grandissante : si le Parti communiste domine la CGT, en ce qui concerne la CFDT, ce sont les partis qui cherchent à obtenir son soutien. Quels partis ? La crise de mai 1968 a vu la CFDT se situer dans la proximité du mouvement étudiant, ce qui a fortement affecté ses rapports avec la CGT et fait oublier l'accord d'unité d'action signé par les deux centrales en 1966.

Une étape décisive est franchie au 35e congrès de la confédération qui se tient à Issy-les-Moulineaux en mai 1970. D'une part, les structures sont remaniées dans le sens d'une forte concentration du pouvoir. D'autre part et surtout, *le congrès est marqué par l'adoption explicite du socialisme,* défini par la triple visée de la planification démocratique, de l'appropriation sociale des moyens de production et de l'autogestion. *Le remplacement, en août 1971, d'Eugène Descamps,* malade, *par Edmond Maire,* accentue le changement de style de la Confédération. Né en 1931, moins chaleureux, à la fois plus doctrinaire et plus politique que son prédécesseur, le nouveau secrétaire général compte rapidement parmi les personnalités en vue de la vie publique au même titre que Georges Séguy avec lequel il renforce une unité d'action soumise à bien des vicissitudes, mais facilitée par la cristallisation politique qui atténue les divergences entre partis de gauche, y compris entre le PSU et le Parti socialiste, les deux principaux pôles d'attraction pour ceux des militants de la CFDT qui veulent ajouter l'engagement partisan à l'engagement syndical.

Les années 1978/79 voient la CFDT changer sinon d'orientation, du moins d'attitude et de style. *L'unité d'action avec la CGT est devenue assez fictive,* en partie comme conséquence de la nouvelle politique du Parti communiste, davantage à cause d'une divergence profonde sur la façon d'agir en temps de crise. Mais le changement le plus net a été provoqué par la défaite de la gauche en mars 1978. La CFDT s'était fortement engagée pour qu'elle l'emportât. Plutôt que de pratiquer une politique du regret et d'opposition sociale systématique, Edmond Maire décida, puis parvint à faire adopter en mai 1979 par un congrès, *un « recentrage »* : sans rien renier de la critique de la société existante, il fallait prendre quelque distance par rapport au jeu politique et viser des résultats limités mais concrets pour apporter des garanties législatives ou contractuelles aux travailleurs frappés ou menacés par la crise.

L'arrivée de la gauche au pouvoir en mai/juin 1981 a placé la CFDT et la CGT dans une situation nouvelle, FO continuant à se proclamer à distance du pouvoir. La CFDT a apporté son soutien critique au Gouvernement, tandis que la CGT, sans retrouver son attitude de 1944/47 où elle était presque devenue un syndicat productiviste d'encadrement, a appuyé le Gouvernement dont le PC faisait partie, tout en allant, dans ses réserves sur la politique économique et sociale, plus loin que ce que la nécessité de la solidarité gouvernementale imposait au Parti. Au printemps de 1984, le durcissement s'est accentué, le secrétaire de la CGT allant plus loin que le PC dans sa critique de l'action économique et sociale du Gouvernement Mauroy. La CFDT, elle, a juxtaposé des actions revendicatives dures et des analyses courageuses des données de l'économie et de la société.

Les effectifs des syndicats sont moins difficiles à connaître avec quelque précision que ceux des partis, mais les chiffres demeurent approximatifs, notamment parce que les cotisations sont payées mensuellement et qu'on peut considérer un salarié comme membre s'il a payé dix, sept ou même seulement cinq timbres mensuels. Et ne comptabilise-t-on pas d'anciens membres ne payant plus du tout? De toute façon, par comparaison internationale, la syndicalisation reste assez faible en France, surtout dans les petites entreprises. La CGT revendique environ 1,9 million de membres, mais il n'y avait que 1,1 million de mandats au congrès de Lille (sur la base de dix timbres par carte). A la CFDT, les différents modes de calcul donnaient en 1980 d'un million à 740 000 et même à 570 000 membres, tandis que FO annonçait 1,1 million d'adhérents en 1981, la CFTC se situant aux environs de 200 000. Il est vrai que les syndicats français n'ont pas la possibilité de faire prélever la cotisation par l'employeur sur la feuille de paie, comme souvent en Allemagne, ni de contraindre tout salarié de l'entreprise à être membre d'un syndicat unique, comme souvent aux États-Unis et en Grande-Bretagne. La seule véritable exception est constituée ici par le vieux et puissant syndicat du livre qui continue pratiquement à jouir du monopole de l'embauche dans les imprimeries, malgré la loi Moisan de 1957 interdisant ce monopole.

Le syndicat du livre est affilié à la CGT. Mais il existe un syndicalisme autonome, même si les partis et les grandes centrales se livrent en son sein à des luttes d'influence. Ainsi chez les enseignants où la puissante fédération de l'Éducation nationale, avec ses six cent mille adhérents, représente une force d'autant plus considérable qu'elle est, notamment à partir de sa principale composante, le syndicat national des instituteurs, un syndicat riche, à l'image du syndicalisme suédois ou allemand : non seulement plusieurs milliers des permanents syndicaux sont des enseignants mis à la disposition des syndicats par le ministère, pratique libérale qu'aucun Gouvernement n'a remise en question, mais la FEN possède ou contrôle un vaste ensemble de mutuelles, d'associations de loisirs et dispose d'un patrimoine considérable, notamment immobilier. Il existe également un syndicalisme autonome des cadres. Créée en 1944, la Confédération générale des cadres veut se situer entre les grande centrales de salariés et les organisations patronales. Sa conception du « cadre » est contestée même dans ses propres rangs, surtout depuis 1968 et plus encore depuis que la crise a montré que les cadres étaient aussi menacés par le chômage que les ouvriers et les employés. En même temps, une véritable idéologie du cadre (catégorie sociale très malaisée à définir) a déferlé sur la France depuis les années soixante, en partie parce que les revenus de cette couche multiforme en faisaient une cible privilégiée de la publicité et le symbole même de la « société de consommation ». Après de longs conflits internes, la CGC, en avril 1979, prenait un nouveau départ, symbolisé par l'élection à une très forte majorité de Jean Menu à sa présidence. La CGC revendique environ 300 000 membres, nombre d'autres cadres (ingénieur, personnel supérieur d'encadrement, agent de maîtrise) adhérant aux unions rattachées à la CGT, à la CFDT, à FO, à la CFTC. Après l'arrivée de la gauche au pouvoir et les mesures économiques et sociales prises au nom de l'égalité, la CGC, sous l'impulsion de son délégué général Paul Marchelli, est pratiquement devenue une force politique d'opposition.

Peut-on parler d'un « syndicalisme patronal »? Jusqu'en octobre 1969, l'article 2 des statuts du *Conseil national du patronat français* faisait de lui l'agent de liaison entre les divers groupements professionnels adhérents et leur représentant dans la seule mesure où ils lui donnaient un mandat exprès de défense de la fonction patronale. Une réforme adoptée en assemblée générale extraordinaire lui a fait assurer la représentation de l'ensemble des entreprises auprès des pouvoirs publics, des partenaires sociaux et de l'opinion. Avec sa structure compliquée, ses divisions internes, sa faible autorité sur les groupements d'industrie spécialisés et sur la Confédération générale des petites et moyennes entreprises, le CNPF n'en est pas moins un organisme clé dans l'affrontement des groupes sociaux entre eux et avec l'État, son influence étant évidemment moins visible parce que plus discrète que celle des organisations de salariés, encore que, depuis l'été de 1981, il apparaisse comme en conflit constant et public avec le Gouvernement.

La Fédération nationale des syndicats d'exploitants agricoles a été constituée en 1946. Elle a pris la place de la Confédération générale de l'agriculture créée à la Libération qu'elle a progressivement dépossédée de sa représentativité jusqu'à sa quasi-disparition en 1954. Fort jalouse de son indépendance à l'égard des partis, la FNSEA a vu son personnel dirigeant en grande partie renouvelé par l'arrivée de personnalités issues du Centre national des jeunes agriculteurs qui avait joué dans les années soixante un rôle important dans l'action des milieux agricoles sur le pouvoir et sur l'opinion. Les dirigeants du CNJA venaient pour la plupart de la Jeunesse agricole chrétienne. C'était le cas de Michel Debatisse, devenu ensuite président de la FNSEA en 1971. Quand il est élu député européen sur la liste de Simone Veil, il a pour successeur à la tête de la FNSEA François Guillaume, lui aussi ancien président du CNJA. Dès juin 1981, celui-ci se trouve en situation d'affrontement avec le ministre socialiste de l'Agriculture qui veut accroître la représentativité d'organisations rivales plus petites. Le départ, moins de deux ans plus tard, d'Édith Cresson est considéré comme une victoire de la FNSEA et comme une confirmation de son quasi-monopole de représentation.

Le phénomène de syndicalisation a atteint des milieux traditionnellement hostiles à un certain type de langage et d'action. Ainsi, en réaction contre le minoritaire mais fort actif Syndicat de la magistrature, politiquement orienté très à gauche, l'Union fédérale des magistrats s'est transformée en Union syndicale des magistrats qui se réclame de l'apolitisme et du devoir de réserve strictement interprété. En revanche, bien des forces sociales exercent un pouvoir d'influence politique autrement que par l'action syndicale. Il en est notamment ainsi pour les Églises qui ont cependant — Église catholique et Fédération protestante — proclamé la liberté politique du chrétien et affirmé la pluralité des options politiques correspondant à une même foi.

Moyens d'action

Le premier souci d'un groupe est de faire connaître ses désirs. *L'information* constitue son moyen d'action le plus normal, le plus habituel. La documentation d'un parlementaire sur la matière d'un projet de loi provient en grande partie des groupes d'intérêts concernés. Brochures, revues, publications de tous ordres ne constituent pas les seuls moyens d'informer le Gouvernement, le Parlement, l'opinion. Bien des manifestations, des grèves, des barrages de routes ont moins pour objet d'exercer à proprement parler une pression physique que d'attirer l'attention sur une situation ou sur un problème, c'est-à-dire d'informer. Il se trouve que la presse (qui, nous le verrons, est à la fois émanation et guide de l'opinion) est beaucoup plus sensible à l'événement pittoresque ou sensationnel qu'aux faits ternes que traduisent les chiffres et les analyses objectives. *L'attention du Gouvernement est plus facilement captée par un désordre que par un besoin.* Répandre des artichauts sur une route ou interrompre le trafic ferroviaire pendant un court laps de temps entraîne presque toujours la publication d'articles sur la situation des paysans ou des cheminots et l'accélération de l'étude de cette situation par le ministre et l'administration compétents. Il faut bien reconnaître que le recours à la violence contribue à créer la représentativité du groupe qui y a recours et à populariser ses revendications au détriment des associations qui se contentent des moyens légaux et peu voyants, donc peu intéressants pour les médias, notamment pour la télévision.

Mais l'information paisible et directe peut également être efficace; les groupes ont cependant mis fort longtemps à découvrir que leurs techniques n'étaient plus adaptées à l'évolution de la société. Si le Centre national des jeunes agriculteurs est devenu célèbre et influent, il ne le devait pas seulement à ses idées ou à son action « directe » : il est l'un des premiers groupes à avoir mis au point une véritable politique de l'information, tant au niveau local et régional qu'au niveau national. L'information sans création de désordres constitue un bon moyen d'éviter les malentendus et, par là, d'atténuer certains conflits.

La consultation, procédure par laquelle les groupes sont invités à informer gouvernements et organismes publics sur leurs besoins et leurs désirs, peut jouer le même rôle avec plus d'efficacité. Elle est tantôt institutionnalisée, tantôt occasionnelle. Du commissariat au Plan et du Conseil économique et social jusqu'aux comités économiques et sociaux régionaux, les conseils (« supérieurs » ou non), comités, offices, bureaux ne se comptent plus. Leur audience réelle est fort variable, de même que le rôle joué en leur sein par les représentants des groupes. Être présent dans un nombre aussi élevé que possible de ces organismes semble être l'ambition majeure de bien des groupes. Pour d'autres — souvent les plus importants — la « politique de présence » n'est pas sans danger. Les syndicats ont renoncé depuis longtemps au refus formulé par le syndicalisme à ses débuts d'avoir le moindre rapport avec l'État. Mais dans quelle mesure la participation à tel conseil ne rend-elle pas les syndicats solidaires d'une décision ou d'une politique qu'ils désapprouvent? La consultation n'est-elle pas par elle-même en conflit avec la fonction de contestation qu'ils s'attribuent? Peut-on à la fois participer aux organismes mis en place dans et par une société donnée et contester la structure globale de cette société? Aujourd'hui, les syndicalistes ont tendance à nier qu'il y ait là une alternative : ils parlent d'une tension permanente entre la participation et la contestation.

La consultation non institutionnalisée, elle, ne fait pas problème pour les groupes : ils veulent être consultés le plus souvent possible. Mais ministres et administrations sont réticents : si, après la consultation, on suit l'avis d'un groupe, on se verra reprocher par les autres d'avoir failli au devoir d'arbitrage, d'impartialité; si on ne suit pas l'avis de ce groupe, celui-ci dira « A quoi bon la consultation? » et verra dans la décision une véritable provocation. Les « tables rondes » et les commissions ont ainsi des avantages et des inconvénients pour les diverses parties en présence.

La menace constitue un moyen d'action plus visible, sinon plus employé que la consultation. Au moment des élections, on demandera aux candidats et aux partis de prendre position sur les questions qui intéressent le groupe, de prendre des engagements. Pendant les sessions, on fera sans cesse planer sur le parlementaire la menace d'entraver sa réélection. Face au Gouvernement ou au chef de l'État, on liera plus ou moins ouvertement un vote à la satisfaction d'une revendication professionnelle ou régionale. Plus discrètement encore, un groupe économique ou financier puissant peut obtenir des résultats en pesant sur les finances et le crédit de l'État.

A l'opposé, il y a la menace affichée : manifestations paysannes, grèves de salariés. Il s'agit de faire aboutir des revendications en menaçant d'installer le désordre, de ralentir ou d'entraver le fonctionnement de l'économie ou des services publics. Depuis de longues années, des discussions passionnées se sont déroulées à propos de deux aspects de la grève : la « politisation » et le droit à la grève des salariés de l'État. Qu'est-ce qu'une grève politique? La réponse est difficile, même si l'on fait abstraction du caractère légitime ou illégitime de la plus politique des grèves. Un arrêt de travail destiné à obtenir de meilleures conditions d'hygiène et de sécurité dans l'entreprise n'est assurément pas politique. Une grève dont le but avoué est d'obtenir un changement de régime est à coup sûr politique. Mais que de nuances entre ces deux extrêmes! Chercher à peser sur le Parlement au moment du vote d'une loi, est-ce agir politiquement? On a tendance à distinguer entre la pression exercée sur le Gouvernement et le Parlement à propos d'une décision économique ou sociale et à propos d'une décision politique. Ici encore, où est la limite entre les deux cas? Il faut bien appeler politique toute tentative de mobilisation de l'opinion en faveur d'une décision de l'appareil institutionnel. Or cette mobilisation est un des buts, une des armes de la grève : celle-ci échoue si l'opinion est franchement hostile.

Pour les services publics, selon la théorie traditionnelle, un employé de la collectivité ne doit pas retourner contre elle le pouvoir qu'il en a reçu. Cette interprétation soulève de nombreuses difficultés, surtout à une époque où les nationalisations jointes à l'extension du champ d'action de l'État ont multiplié le nombre des salariés ne dépendant pas d'un employeur privé. Le refus de *la grève dans les services publics* devrait logiquement conduire à approuver l'interdiction totale de la grève dans les pays de l'Est, où tout salarié est employé par la collectivité. En réalité, les problèmes les plus ardus sont autres : la double nature de l'État, à la fois patron et incarnation des intérêts communs de la collectivité; la difficile délimitation des secteurs de grève (cent ingénieurs de l'EDF peuvent paralyser la France, les conducteurs de trains peuvent immobiliser les chemins de fer, même si la grande majorité des cheminots ne veut pas se mettre en grève); le recours à la grève avant toute négociation sérieuse. La plupart des difficultés sont susceptibles de recevoir deux types de solutions. Ou bien on pense à appliquer le côté restrictif du texte constitutionnel : « Le droit de grève s'exerce dans le cadre des lois qui le réglementent. » C'est ce que fait la loi de 1963 qui impose notamment un préavis dans les services publics, limitation légère et pourtant assez peu respectée peu d'années plus tard. Ou bien on s'aperçoit que le désordre vient en grande partie de la faiblesse, de la pauvreté, de la division des syndicats : l'impossibilité d'imposer le respect de la signature, la surenchère, la nécessité de faire grève pour prouver qu'on est fort, la difficulté d'effectuer des arbitrages entre les intérêts divergents des membres, autant d'obstacles à un usage raisonnable et organisé de la menace de grève. *Renforcer le syndicalisme est un moyen aussi sûr que de renforcer la législation,* sinon pour supprimer les conflits, du moins pour éviter leur caractère anarchique.

De toute façon, les syndicats ont toujours eu recours à la menace de grève à partir de deux considérations liées à la structure de la vie publique en France. D'une part, le blocage politique de la plus grande partie des voix ouvrières sur les partis de gauche. Puisque ces voix s'exprimaient normalement par une attitude oppositionnelle, pourquoi la majorité et le Gouvernement en auraient-ils tenu compte s'il n'y avait pas pression forte? D'autre part, les syndicats n'étaient pas sur un pied d'égalité avec les groupes économiques et financiers quand il s'agissait de négocier avec l'Administration. Quelle que fût l'orientation politique des hauts fonctionnaires, il y avait entre eux et les dirigeants industriels ou bancaires une communauté de milieu, de langage, d'attitudes intellectuelles qui permettaient à ces dirigeants une sorte d'*action par sympathie*. Le recrutement de l'École nationale d'administration, encore plus nettement lié au milieu d'origine privilégié des candidats que celui des facultés, renforçait le phénomène. De plus, le « pantouflage », le passage de hauts fonctionnaires dans le secteur privé, créait entre Administration et dirigeants de l'économie des rapports qui rendaient souvent inutile le recours à la menace.

L'arrivée de la gauche au pouvoir a d'abord paru modifier la situation, les syndicats se trouvant proches du pouvoir et le patronat sous le choc des nationalisations et aussi d'une sorte de diabolisation du secteur privé. Puis la réorientation de la politique économique et les nécessités de la transformation industrielle, joints au fait qu'après tout le nouveau milieu dirigeant ne se distinguait pas tellement de l'ancien par son origine et sa formation, ont dans une large mesure rétabli la situation antérieure. En 1984, le « plan acier », appliqué dans une industrie nationalisée depuis 1982, n'a pas été élaboré en consultation avec les syndicats. Dans l'industrie automobile, la CGT a recours aux grèves et occupations d'usines pour empêcher des suppressions d'emploi que le Gouvernement où siègent des ministres communistes a jugés économiquement indispensables.

ACTION PUBLIQUE ET ACTION POLITIQUE

Tout le monde reconnaît aux groupes une place dans la vie publique, c'est-à-dire dans les relations sociales, dans l'activité économique, dans la formation et l'expression de désirs collectifs. Qu'en est-il de leur fonction dans ce secteur mal défini de la vie publique que constitue la vie politique ? Si l'on parle de la « dépolitisation » des individus et de leurs préoccupations, on évoque en effet sans cesse aussi la « politisation » des problèmes et des groupes, les deux notions étant le plus souvent employées dans un sens péjoratif.

La doctrine classique a été formulée avec une parfaite clarté par le général de Gaulle, alors président du Gouvernement provisoire, lorsqu'une « délégation des gauches » lui demanda audience le 1ᵉʳ septembre 1945 à propos de la loi électorale. Comme la délégation comprenait Léon Jouhaux, il écrivit à celui-ci :

... Je ne puis vous cacher que j'ai été surpris de cette démarche de la part du secrétaire général de la CGT que sa nature d'association professionnelle constituée en vertu et sous les garanties de la loi de 1884, ne saurait aux yeux du Gouvernement placer sur le même plan que les représentants des partis politiques...
Si je me félicite d'avoir, à toute occasion, l'avantage de m'entretenir avec vous de ce qui a trait aux intérêts professionnels que représente la CGT, je ne puis agir de même en matière d'élections politiques. Une conversation officielle qui aurait lieu à ce sujet entre vous-même et le président du Gouvernement ne paraîtrait pas s'accorder avec le caractère de la « Confédération », tel qu'il est défini par la loi, dont l'article 3 stipule que « les syndicats professionnels ont exclusivement pour objet l'étude et la défense des intérêts économiques, industriels, commerciaux et agricoles ».

Pour nette qu'elle soit, cette doctrine n'en suscite pas moins des objections sérieuses. Dans les situations extrêmes, qui ne se félicite de l'action nettement politique des syndicats ? Louis Saillant et Gaston Tessier siégeaient au Conseil national de la Résistance comme représentants l'un de la CGT, l'autre de la CFTC. Les gouvernements Pflimlin et Debré, en mai 1958 et en avril 1961, n'ont pas considéré que les syndicats sortaient de leur rôle en appelant leurs cadres et leurs membres à lutter contre la subversion. De plus, les groupes se réclament moins de la loi syndicale de 1884 que de la loi de 1901 qui restreint la liberté d'association simplement de la façon suivante :

Art. 3 : Toute association fondée sur une cause ou en vue d'un objet illicite, contraire aux lois, aux bonnes mœurs ou qui aurait pour but de porter atteinte à l'intégrité du territoire national et à la forme républicaine du gouvernement, est nulle et de nul effet.

De plus, le préambule de la constitution de 1946, maintenu par celle de 1958 comme charte des droits fondamentaux, a fait disparaître les épithètes restrictives de la loi de 1884 en disant simplement : « Tout homme peut défendre ses droits et ses intérêts par l'action syndicale. »

Enfin l'interprétation des domaines et des problèmes est telle que la distinction entre le secteur politique et les autres est extrêmement difficile à maintenir. Comment séparer l'organisation de l'enseignement de la promotion ouvrière ? Comment séparer l'action sur le budget de l'Éducation de considérations sur le budget de la Défense nationale ? Est-il normal de demander à une organisation paysanne de limiter ses vues à la politique agricole du Marché commun et de ne pas s'interroger sur la politique européenne et internationale dans son ensemble? Les groupements agricoles se contentaient naguère de demander des subventions pour les agriculteurs. Aujourd'hui certains d'entre eux se demandent quelle politique économique permettrait la transformation de leur sort, quelles structures devraient être créées, quelle politique générale permettrait une telle politique économique. Il y a eu « politisation » quand l'UNEF ne se contenta plus d'exiger des amphithéâtres et des laboratoires, mais discuta, à partir de 1956, de la rentabilité de ces dépenses pour l'économie nationale et de la politique économique qui tiendrait compte de cette rentabilité.

Qui ne voit que *cette politisation comprend de sérieux avantages*? L'étude des problèmes généraux, le fait de ne pas séparer ses préoccupations propres des réalités nationales et internationales, sont des remèdes contre l'égoïsme particulariste, contre le « il n'y a qu'à... ». En outre les membres des groupes sont conduits, par le biais des soucis particuliers de leur situation sociale, à s'intéresser à la politique et à participer, par l'intermédiaire du groupe, à la vie politique. La dépolitisation si souvent déplorée n'est, dans une large mesure, qu'un transfert vers un intérêt, vers une participation « médiatisée » par les groupes.

Mais cette politisation des groupes recèle d'incontestables dangers. Jointe à la faiblesse des partis — dont elle est en même temps une des causes et une des conséquences — *elle aboutit à de redoutables confusions de compétences*. La guerre d'Algérie a eu de sérieux effets sur la vie des étudiants. Ses formes et son objet devaient préoccuper ceux d'entre eux qui croyaient à la responsabilité des intellectuels. L'UNEF était donc normalement conduite à prendre position. Mais lui appartenait-il de trancher entre diverses modalités de solution, *entre tel ou tel statut du Sahara*? Est-il normal que les partis se camouflent derrière les organisations syndicales? C'est l'ensemble des ouvriers qui a dû souffrir de l'échec des grandes grèves de 1947 et 1948, échec dû pour une grande part à l'utilisation des mouvements par le Parti communiste en guerre contre le plan Marshall. Et en 1968, l'*UNEF* a carrément cessé d'être une organisation représentant l'intérêt collectif des étudiants dans le domaine universitaire pour devenir un *instrument de combat politique*, au risque de perdre son assise en milieu étudiant.

Le discrédit dans lequel les partis sont tombés permet aussi aux groupes d'accaparer toute une élite dirigeante. Dans la conception courante, une homme qui accepte une responsabilité dans un syndicat, dans une association professionnelle ou idéologique passe pour un homme de bien, dévoué aux intérêts d'autrui. Un homme qui veut œuvrer pour la collectivité en assumant des responsabilités dans un parti est facilement considéré soit comme un naïf, soit comme un ambitieux. Le phénomène est cumulatif : plus les groupes attirent les hommes désintéressés et capables, plus le personnel politique s'appauvrit en qualité; la baisse de qualité rend moins tentant, pour ces hommes, de « faire de la politique » et provoque donc un nouvel appauvrissement du personnel politique.

Est-il sûr enfin que même les plus lucides des dirigeants de groupes parviennent à oublier les renvendications spécifiques de leurs groupes, quand ils considèrent les problèmes généraux? Parmi les autres, la notion de « défense des intérêts » joue un tel rôle que *l'action des groupes vise le plus souvent à la préservation de l'acquis*, c'est-à-dire qu'elle a un effet purement conservateur. Assurément les partis expriment eux aussi les aspirations de secteurs limités de la population. Mais leur vocation propre — même s'ils ne savent pas toujours lui être fidèles — est en premier lieu d'agir dans le domaine politique, c'est-à-dire au niveau des décisions globales, et de s'interroger sur les buts de la société dans son ensemble. Il est vrai qu'il faudrait faire bien des distinctions entre les groupes : les fins des syndicats ouvriers ne sont pas du même ordre que celles de l'association des bouilleurs de cru. Il nous semble cependant que *l'accaparement de la représentation par les groupes,* la confusion de leurs fonctions avec celles des partis *constitueraient un phénomène malsain* pour la société politique, surtout si certains de ces groupes en sont à nier la nécessité d'un société politique organisée et soumise à une légalité.

Mais il n'est pas sûr non plus que la crise et le chômage ne produisent un tout autre phénomène à savoir un rejet global de toutes les organisations représentatives, gouvernement, partis et syndicats, à partir d'une sorte de désespérance qui peut se traduire *soit par l'apathie résignée, soit par des colères sporadiques et anarchiques.* Et c'est ici qu'on voit que les catégorisations habituelles, y compris et peut-être surtout celles de gauche, ne tiennent pas compte d'une réalité sociale devenue essentielle : il y a d'un côté les gens menacés de perdre leur emploi, de l'autre ceux qui sont certains de le conserver. Le petit fonctionnaire, un privilégié par rapport au cadre supérieur d'une entreprise privée? Ce n'est pas un simple paradoxe, même si une telle réalité n'est pas encore perçue par les groupes organisés traditionnels.

LECTURES COMPLÉMENTAIRES

Il n'y a malheureusement pas eu d'ouvrage d'ensemble depuis :

○ MEYNAUD Jean, *Nouvelles études sur les groupes de pression en France*, Colin, 1962, 454 p.

On se reportera cependant aux ouvrages sur la société française indiqués dans l'Orientation bibliographique en fin de volume.

Syndicalisme ouvrier

○ CAIRE Guy, *Les Syndicats ouvriers*, PUF, 1971, 602 p.
○ REYNAUD Jean-Daniel, *Les Syndicats en France*, Seuil, 1975, 2 vol. 320 + 347 p.
○ ADAM Gérard, *Le Pouvoir syndical*, Dunod, 1983, 176 p.
○ MOURIAUX René, *Les syndicats dans la société française*, Presses de la FNSP, 1983, 272 p.
○ LEFRANC Georges, *Le Mouvement syndical, de la Libération aux événements de mai-juin 1968*, Payot, 1969, 312 p.
○ MONTALDO Jean, *La Maffia des syndicats*, A. Michel, 1981, 430 p. (vigoureusement polémique; à contre-courant).
○ CAIRE Guy, *La Grève ouvrière*, Éd. ouvrières, 1978, 223 p.
○ REYNAUD J.-D., *Les Syndicats, les patrons et l'État*. Tendances de la négociation collective en France, *Id.*, 1978, 192 p.

○ BRANCIARD Michel, *Syndicats et partis :* autonomie ou dépendance, Syros, 1982, t. 2 1947-81, 337 p.
○ MOURIAUX René, *La CGT*, Seuil, 1982, 251 p. (vue très positive).
○ HARMEL Claude, *La CGT*, PUF (« Que sais-je? »), 1982 (vue très négative).
○ BERGOUGNIOUX Alain, *Force ouvrière*, Seuil, 1975, 254 p. (plus restreint, mais plus récent que « Que sais-je? »).
○ BERGERON André, *Ma route et mes combats*, Ramsay, 1976, 228 p.
○ HAMON Hervé, ROTMAN Patrick, *La Deuxième Gauche : Histoire intellectuelle et politique de la CFDT*, Ramsay, 1982, 447 p.
○ LANDIER Hubert, *La CFTC. Pourquoi?*, Éd. du Cerf, 1975, 150 p.

Les autres groupes professionnels

○ *Histoire de la France rurale*, dir. par G. DUBY et A. WALLON, tome IV « De 1914 à nos jours », par M. GERVAIS, M. JOLLIVET, Y. TAVERNIER, Seuil, 1976, 672 p. (fondamental).
○ DEBATISSE Michel, *Le Projet paysan*, Seuil, 1983, 222 p.
○ GUILLAUME François, *Le Pain de la liberté*, Lattès, 1983, 301 p.

○ EHRMANN Henry, *La Politique du patronat français 1936-1955*, Colin, 1959, 425 p.
○ LEFRANC Georges, *Les Organisations patronales en France du passé au présent*, Payot, 1976, 420 p.
○ BRIZAY Bernard, *Le Patronat : histoire, structure, stratégie du CNPF*, Seuil, 1975, 310 p.
○ BUNEL Jean, SAGLIO Jean, *L'Action patronale*, PUF, 1979, 239 p.
○ BAUER Michel, COHEN Élie, *Qui gouverne les groupes industriels?*, Seuil, 1981, 278 p.
○ LAVAU G., GRUNBERG G., MAYER N. (sous la direction de), *L'Univers politique des classes moyennes*, Presses de la FNSP, 1983, 389 p.

○ Boltanski Luc, *Les Cadres,* Éd. de Minuit, 1982, 520 p.
○ Mouriaux René, Grunberg Gérard, *L'Univers politique et syndical des cadres,* Presses de la FNSP, 1979, 230 p.
○ Bernard M., Quentin J., *L'Avant-garde des consommateurs : luttes et organisations en France et à l'étranger,* Éd. ouvrières, 1975, 235 p.
○ Guerin Jean-Claude, *La FEN, un syndicat?,* Éd. du Cerf, 1973, 95 p.
○ Cheramy Robert, *FEN, 25 ans d'unité syndicale,* Éd. de l'Épi, 1974, 160 p.

Le cas des catholiques

○ Coutrot Aline, Dreyfus F.-G., *Les Forces religieuses dans la société française,* Colin, 1966, 344 p.
○ Metz René, *Églises et État en France.* La situation juridique actuelle, Éd. du Cerf, 1977, 146 p.
○ Mehl Roger, *Les Catholiques français dans la société actuelle,* Le Centurion, 1977, 222 p.
○ Madelin Henry, *Les Chrétiens entrent en politique,* Éd. du Cerf, 1975, 102 p.
○ Michelat G., Simon M., *Classe, religion et comportement politique,* Presses de la FNSP, 1977, 500 p.
○ Duquesne Jacques, *La Gauche du Christ,* Grasset, 1972, 279 p.

Chapitre 6

L'INFORMATION
DANS LA VIE POLITIQUE

L'INFORMATION, LE GOUVERNEMENT ET LES SONDAGES

Nous venons de constater la place que tient l'information dans l'action des groupes. Dans les chapitres antérieurs, on aurait pu insister également sur son rôle. Les partis servent de relais entre les citoyens et le Gouvernement pour exprimer à celui-ci les opinions et les désirs de ceux-là, pour faire savoir aux premiers les réussites (s'il s'agit d'un parti de la majorité) ou les échecs (s'il s'agit d'un parti d'opposition) du second. Quant aux élections, elles ne constituent pas seulement un moyen de choisir des représentants : elles méritent vraiment le nom qui leur est donné souvent, celui de « consultations ».

Pour distinguer entre différents types de régimes politiques, on se réfère habituellement aux rapports entre les pouvoirs, au nombre des partis, aux libertés individuelles. Il faudrait également tenir compte dans chaque cas de la circulation de l'information. L'information présente au moins deux aspects, liés mais distincts. D'une part, il s'agit, pour chaque acteur du jeu politique (citoyens, groupes, partis, députés, Gouvernement), de *faire connaître aux autres sa volonté, ses aspirations, ses idées.* Ensuite il s'agit pour tous d'*accéder à la connaissance des faits,* des réalités proprement politiques, mais économiques et sociales, nationales et internationales, qui orientent l'avenir de la collectivité. Plutôt que de la liberté de l'information, il vaut mieux parler, comme composantes d'un régime véritablement démocratique, d'un double droit à l'information : celui de faire savoir et celui de connaître.

On oppose souvent information à propagande, c'est-à-dire la diffusion de connaissances désintéressées, honnêtes, objectives à la diffusion intéressée, mensongère, subjective.En réalité, *toute information*, par le seul fait qu'elle ait été choisie plutôt qu'une autre, qu'elle soit énoncée sous une forme plutôt que sous une autre, *est orientée*. Il s'agit ensuite du contrôle et de la limitation d'un droit impliqué dans celui de faire connaître : *le droit d'influencer*. Les individus et les groupes cherchent sans cesse à s'entrinfluencer par les informations qu'ils se communiquent. C'est un désir parfaitement légitime, qu'il soit celui d'un syndicat ou d'un Gouvernement. Mais il y a inévitablement inégalité de moyens dans l'exercice de ce droit. On la réduira en ouvrant l'accès de canaux de communication aux démunis et en limitant l'accès des puissants (ce qui constitue évidemment une difficulté majeure, puisque l'accès privilégié est le plus souvent à la fois une expression et une source de leur puissance).

Il y a aussi la tentation inévitable de réduire l'information communiquée à la part utile à l'influence, de tronquer, de truquer, d'infléchir la communication. La démocratie, ce n'est pas l'objectivité de l'information : l'objectivité ne peut pas exister, puisque toute information résulte d'un choix effectué en fonction de critères subjectifs de sélection, puisque aucun message n'est entièrement séparable de la subjectivité de l'émetteur et de l'intermédiaire. Mais il y a tendance à la démocratie quand il y a volonté d'objectivité, aspiration à l'objectivité, de la part des émetteurs et surtout des relais, et quand il y a mise en place de procédures, de préférences institutionnalisées, qui permettent à ces relais de ne pas être de simples instruments entre les mains d'acteurs du jeu politique cherchant uniquement à communiquer pour influencer.

Quand un Gouvernement veut faire connaître sa politique aux citoyens, quand il a une nouvelle importante à communiquer, comment procède-t-il? La tradition des régimes parlementaires donnait une réponse claire : le Gouvernement fait une déclaration devant l'Assemblée ou répond à des questions posées par les députés. L'information est ensuite diffusée par un double circuit : la presse rend compte de la séance au Parlement et la commente; les députés, de retour dans leur circonscription, expliquent aux notables locaux le sens qu'il faut attribuer selon eux aux déclarations gouvernementales.

Ce schéma n'est valable aujourd'hui dans aucun pays. D'abord parce que l'existence de partis fortement structurés amène souvent le Gouvernement à se servir du canal du parti majoritaire, ensuite et surtout parce que *le développement des « mass media » entraîne* de plus en plus, un peu partout, *la diminution du rôle du Parlement* à la fois comme représentant de l'opinion et comme relais entre le Gouvernement et les citoyens. La radio et la télévision permettent un contact direct entre gouvernants et gouvernés qui met en cause la nature même de la démocratie représentative. En France, depuis 1958, le général de Gaulle a poussé fort loin une tendance décelable un peu partout, et qui était apparue à la radio avec des allocutions régulières faites par, à l'imitation des « Causeries au coin du feu » du président Roosevelt, par P. Mendès France pendant son passage au pouvoir si chargé en événements en 1954. L'utilisation des déclarations radiotélévisées, des conférences de presses, des interviews a atteint un développement tel que l'élimination des Parlements des circuits d'informations est presque achevée. Le circuit inverse — l'information du Gouvernement sur l'état de l'opinion — se présente sous un aspect légèrement différent. Ici les parlemenaires ont deux rivaux comme relais ou comme représentants : la presse et les instituts de sondage. Mais, en même temps, surtout s'il y a suffrage majoritaire uninominal, le député parvient souvent à sauver son rôle propre parce qu'il peut être en contact avec une réalité psychologique qui échappe souvent à l'administration, cette autre source d'information gouvernementale[1].

Plus que tout autre participant de la vie politique, le Gouvernement devrait toujours décider « en toute connaissance de cause ». Le peut-il? Beaucoup moins qu'on ne le croit. En matière économique, par exemple, la condition première d'une politique délibérée, à savoir une information statistique sérieuse, commence seulement à être remplie en France. Rétrospectivement, on discute encore pour savoir si, en 1936, la politique économique du Front populaire a été bonne ou mauvaise. Il vaudrait mieux souligner qu'elle devait nécessairement reposer sur des incertitudes, puisque la connaissance de la réalité était terriblement embryonnaire à l'époque. Aujourd'hui elle est encore fort lacunaire. En politique extérieure, les intentions des interlocuteurs, et même des faits élémentaires, sont souvent ignorés : que s'est-il passé réellement en tel point du monde à un moment donné? *Le ministre n'en sait souvent pas plus que le lecteur de la grande presse*.

La tendance naturelle des citoyens à surestimer le degré d'information du Gouvernement a deux conséquences fâcheuses. Elle conduit à la fois à l'abdication et à l'intransigeance. En ne se rendant pas compte que la lecture sérieuse d'un journal sérieux le met à même de porter, sur une situation politique, un jugement aussi assuré qu'un ministre, *le citoyen se résigne à subir plutôt qu'à vouloir*. En croyant que le ministre a pris une décision en disposant de tous les éléments d'information, il se prépare à le condamner sévèrement en cas d'échec. Or l'homme d'État ne peut pas attendre de tout savoir; il lui faut agir même si lui font défaut des renseignements dont disposera l'historien de l'avenir. *Dans toute décision politique entre ainsi un élément de pari* qui devrait inciter les gouvernés à une certaine indulgence à l'égard des gouvernants.

A condition cependant que ceux-ci cherchent vraiment à s'informer. Or ce n'est pas toujours le cas. Il y a souvent un lien étroit entre le refus d'informer l'opinion et de lui faire comprendre les problèmes, et l'acceptation de ne pas être très bien informé soi-même, de ne pas s'avouer la réalité à soi-même. On rassure d'autant mieux qu'on s'est d'abord rassuré.

En général cependant, les gouvernants tiennent au moins à bien connaître l'état de l'opinion. Napoléon avait trouvé un bon moyen pour concilier son besoin d'information avec son refus de la liberté de l'information : il faisait rédiger un journal libre par un journaliste informé et intelligent — en un seul exemplaire. La presse, les élections, le Parlement, les manifestations des groupes : autant de sources d'information sur l'état de l'opinion. Depuis quelques années s'y sont ajoutés *les sondages*.

---

1. Voir le chapitre suivant.

Sans même insister sur les risques de manipulation des résultats, la pratique des sondages comporte deux dangers sérieux, patents dans les pays où elle est courante (États-Unis, Allemagne), déjà perceptibles en France où leur utilisation est plus récente. Les Gouvernements et les partis attachent trop d'importance aux résultats : ils ont tendance à infléchir leur politique (ou à demander au pouvoir d'infléchir la sienne) en fonction du plus récent sondage. Le Gouvernement se prive ainsi d'une prérogative importante : celui de prendre des mesures impopulaires et d'être jugé, à la fin d'une période relativement longue, sur l'ensemble de son action. Démocratique d'apparence, le sondage constitue ainsi une sorte d'invitation à la démagogie. De plus, comme on l'a vu[1], il défavorise le citoyen actif et informé en s'adressant au « citoyen moyen » que seule la question de l'enquêteur fait sortir de sa passivité.

Le sondage risque aussi de se voir attribuer le rôle de régulateur ou même de *créateur de normes morales,* même si chacun se contredit furieusement à cet égard. Ainsi les partisans de la libéralisation de l'avortement se sont appuyés sur les sondages pour demander un changement de législation. Les partisans de la peine de mort en ont fait autant pour demander son maintien. Mais les premiers déniaient à la majorité manifestée par les sondages le droit de fixer la norme pour la peine de mort, les seconds en faisaient autant pour l'avortement. Il y a là un problème qui dépasse de beaucoup en gravité celui de l'influence des sondages sur les élections.

La discussion sur les sondages a été particulièrement vive à l'occasion de la campagne présidentielle de 1974. En premier lieu, parce qu'il y a eu multiplication, déluge de sondages, chiffres et commentaires, tenant souvent plus de place à la « une » des journaux que les enjeux du combat. Ensuite et surtout parce que les sondages étaient accusés de fausser la campagne. En fait, ils ont exercé une influence certaine, mais limitée. L'écart soudain creusé entre V. Giscard d'Estaing et J. Chaban-Delmas, ils l'ont constaté, mais non créé, les prestations des candidats à la télévision ayant joué un rôle important. Mais le constat par lui-même a modifié les stratégies des antagonistes et sans doute attiré à V. Giscard d'Estaing des voix supplémentaires parce que les sondages rendaient sa victoire sur F. Mitterrand plus crédible que celle de son adversaire de la majorité. Il est aussi hors de doute que l'incertitude du résultat, signalée par les sondages, n'a pas peu contribué à mobiliser les électeurs et à donner une participation record, mais sans qu'il soit possible de dire en faveur de qui cette mobilisation a joué.

La croyance que les sondages influençaient grandement les électeurs — même si elle n'est pas scientifiquement démontrable — a conduit le Parlement à adopter la loi du 19 juillet 1977 qui tend à établir *un contrôle judicieux de la technique des sondages,* mais qui *interdit aussi la publication* de tout sondage *dans la semaine précédant une consultation électorale,* alors que la seule influence certaine, en cas d'annonce d'un résultat serré, est la mobilisation des électeurs, en principe désirée par tout le monde. Certains auraient voulu qu'on allât plus loin et qu'on limitât davantage la publication des sondages. Mais la destruction du thermomètre serait-elle utile à la médecine? Ou, plus exactement, n'aboutirait-on pas à réserver la lecture de la température à ceux qui se prétendent médecins, Gouvernements, partis et journaux soucieux de trouver ce qu'il faut dire pour

---

1. Voir les chapitres 4 et 5.

flatter leur public? De plus, les sondages donnent une voix à des groupes sociaux sans voix parce que non organisés, les vieux par exemple. Ils détruisent (et c'est ce qui crée l'hostilité de tant de notables à leur égard) la prétention de représentants à parler au nom de ceux qu'ils disent représenter, qu'il s'agisse de chefs de partis, de dirigeants d'associations ou d'éditorialistes de journaux. Comme ceux-ci, comme les émissions de radio ou de télévision, les sondages peuvent être mal faits ou mal présentés. Ce sont là les risques inévitables de la libre circulation des connaissances, erreurs comprises. Il n'est cependant pas impossible de les atténuer, moins par une réglementation qu'*en faisant connaître dès l'école* comment on fabrique un journal, réalise une émission, effectue un sondage, en montrant les limites de l'instrument de connaissance ainsi étudié. Limites concernant notamment les variations des résultats en fonction de la réalité politique trafisformable par les événements ou par la volonté d'un homme. Ainsi, les sondages montraient les Français désireux de voir la France se maintenir dans l'organisation militaire de l'alliance atlantique; le général de Gaulle, en 1966, l'en fit sortir, décision qui reçut l'approbation des Français dans les sondages ultérieurs. Et qui eût pronostiqué la victoire de François Mitterrand pour mai 1981 quand les sondages de 1980 montraient sa popularité en déclin, alors que celle de Michel Rocard ne cessait de monter? Il n'empêche que les instituts de sondage décelèrent fort bien ensuite le renversement de tendance. Et en 1982/83, leurs indications se trouvèrent fort correctement confirmées par les élections locales ou partielles.

Par le sondage comme par les autres moyens, le Gouvernement a le devoir de s'informer. Il a le droit et le devoir d'informer. La tendance des Français est d'appeler propagande et de condamner tout effort gouvernemental d'information. Or le silence du pouvoir est assurément moins démocratique que la volonté d'expliquer, de s'expliquer, de convaincre. En outre, *l'exercice du pouvoir comprend l'usage d'une pédagogie,* la volonté de faire poser par les gouvernés les problèmes politiques dans les mêmes termes que les gouvernants. Mais pédagogie ne veut pas dire autoritarisme ou monopole : à l'effort d'explication, de persuasion du Gouvernement doit pouvoir s'opposer librement, dans un régime qui se réclame du pluralisme, un effort équivalent de ceux qui aspirent à gouverner à sa place. A peu près réalisée dans la presse, cette condition n'a jamais été remplie en France pour l'information radiodiffusée et télévisée.

LA RADIO ET LA TÉLÉVISION

De façon assez paradoxale, la discussion politique autour des pouvoirs gouvernementaux est devenue plus intense à mesure que, en 1959, 1964, 1972, 1974 et 1982, de nouvelles structures devaient en principe assurer à la radiotélévision une plus grande autonomie. L'intensification du débat s'explique cependant aisément à partir de trois faits et d'une croyance.

Le premier fait, c'est le *changement d'échelle du phénomène télévisuel.* Quand la Ve République s'installe, en 1958, il y a moins d'un million de récepteurs de télévision en France. Les 5 millions sont dépassés en 1964. En 1967, les propriétaires d'un petit écran sont pour la première fois plus nombreux que ceux qui ont seulement un appareil de radio. En 1969, on en est à plus de 10 millions d'appareils de télévision. Lors des élections présidentielles de 1974, on en est environ à 14 millions, à la fin de 1983 à 15,8 millions. Le second fait, c'est que le pouvoir gouvernemental est très stable depuis 1958, alors que, sous la République précédente, l'influence du Gouvernement et des partis sur la radiotélévison était voilée par l'instabilité des uns et la multiplicité concurrentielle des autres. Le troisième fait, c'est que le général de Gaulle a rapidement pris l'habitude de s'adresser directement aux Français par le moyen de la télévision, ce qui a encore renforcé la croyance, assez générale dans le monde au début des années soixante, que la télévision exerçait une influence décisive sur le comportement politique des citoyens, croyance aujourd'hui plus répandue chez les hommes politiques que chez les spécialistes, plus portés à parler d'action sur les attitudes durables que d'impact immédiat sur les opinions.

En réalité, la donnée essentielle est longtemps restée sous la Ve République ce qu'elle était sous la IVe : *la confusion entre la notion de collectivité nationale et celle de Gouvernement*. Aux États-Unis, la largeur du champ couvert par l'information télévisée est assurée par la concurrence commerciale entre les chaînes privées et par la façon de concevoir le métier de journaliste : il s'agit d'offrir davantage au client potentiel des annonceurs et il se trouve que le journaliste conçoit vraiment sa profession comme une chasse à l'information dans laquelle il s'agit de rapporter plus de gibier que le concurrent; d'où, par exemple, la remarquable ampleur de la « couverture » assurée pour la guerre du Vietnam ou pour les révoltes dans les ghettos noirs. En Grande-Bretagne et en Allemagne, il y a propriété de la collectivité sans qu'il y ait direction gouvernementale. En France, la radiodiffusion est le monopole de l'État, du moins jusqu'à la loi de 1982. Les chaînes privées ne peuvent émettre sur le territoire français, même si, tels Radio-Luxembourg et Europe I, on les laisse installer leurs principaux bureaux à Paris et même si, en violation de la loi, on a laissé installer à Roumoules, dans les Alpes-de-Haute-Provence, un puissant réémetteur qui permet à Radio-Monte-Carlo de couvrir pratiquement tout le territoire français. Ce monopole a été établi, comme les autres nationalisations, en vertu d'une conception qui s'exprime dans le préambule de la constitution de 1946, préambule dont celle de 1958 proclame la validité : « Tout bien, toute entreprise dont l'exploitation a ou acquiert les caractères d'un service public national... doivent devenir la propriété de la collectivité. »

L'importance de la radiodiffusion et de la télévision en matière d'information est telle que la formule peut lui être appliquée, la préoccupation principale étant d'éviter la mainmise de l'argent, notamment par l'intermédiaire de la publicité. Mais la doctrine de tous les Gouvernements français depuis 1945 jusqu'en 1964 a été que « collectivité » et « gouvernement » étaient synonymes. Or, à l'étranger, notamment en Grande-Bretagne et en Allemagne, le Gouvernement passe pour l'expression de la majorité du moment, la collectivité nationale comprenant, elle, toutes les tendances qui s'expriment dans la vie publique. Aussi la BBC à Londres et les diverses chaînes allemandes, à Cologne, à Hambourg ou à Munich, jouissent-elles d'un statut qui les rend indépendantes à la fois à l'égard de l'argent et à l'égard du Gouvernement. Le fédéralisme allemand constitue une garantie supplémentaire contre les interventions gouvernementales, tandis qu'en Grande-Bretagne la coutume de la non-ingérence interdit au Gouvernement d'intervenir même s'il en a juridiquement la possibilité. La doctrine allemande a été formulée, avec précision, dans un arrêt de la Cour constitutionnelle fédérale qui, le 28 février 1961, a décidé que le Gouvernement n'avait pas le droit de contrôler une chaîne de télévision, parce que ce serait une atteinte à la liberté d'expression fixée dans la constitution.

La situation française a été radicalement autre. En 1945, après le retrait des autorisations d'émettre accordées avant la guerre à des sociétés privées et l'affirmation du monople, la Radiodiffusion française, qui allait devenir la Radiodiffusion-Télévision-Française (RTF), fut créée comme administration individualisée, directement soumise au ministre de l'Information. Un premier pas important est franchi au début de la Vᵉ République avec l'*ordonnance du 4 février 1959* qui fait de la RTF un établissement public à caractère industriel et commercial. Elle acquiert ainsi une existence administrative propre, mais continue à relever directement de l'autorité gouvernementale, ce qui entraînait une conséquence claire : le vrai directeur de la RTF n'était pas l'homme qui portait ce titre, mais le ministre. Qu'il le voulût ou non, le plus libéral des ministres était obligé de peser sur l'information à la RTF, sur ses programmes culturels et artistiques : puisqu'il avait le pouvoir de choisir ou d'interdire toute nouvelle, toute émission était considérée comme diffusée avec sa permission, son approbation. *La loi du 27 juin 1964* transformant la RTF en ORTF (Office de radiodiffusion-télévision française) était censée mettre fin à cette situation. Elle limitait désormais en principe le pouvoir du ministre à une simple tutelle, à un contrôle administratif et financier et créait un conseil d'administration à larges pouvoirs ainsi qu'un directeur général assurant la gestion de l'établissement.

Les responsabilités que le statut donnait au conseil d'administration étaient précises et importantes. Que ses membres fussent nommés par le Gouvernement ne constituait pas une certitude de dépendance, puisque le conseil de la BBC se trouve dans la même situation. Mais l'âge de la plupart des membres désignés en 1964 et l'incompétence de bon nombre d'entre eux en matière de radio et de télévision limitaient fortement l'action d'un organe de toute façon sans grande prise sur le directeur général. Nommé lui aussi par le Gouvernement, celui-ci était de plus, conformément à une tradition française qui ne connaît guère d'exception que pour l'administrateur de la Comédie-Française, révocable à tout moment. Il aurait pu cependant assurer son indépendance et celle de ses subordonnés face au Gouvernement en s'appuyant sur le texte fort clair de la loi et en faisant appel, en cas de conflit, à l'opinion. En fait, le statut de 1964 ne provoqua pas un changement profond dans les habitudes, du moins jusqu'à la crise de 1968.

Provoquée par l'interdiction de diffuser une séquence sur les troubles du quartier Latin, *la grève de l'ORTF* fut la plus longue des grèves de mai-juin 1968. Elle connut des épisodes variés allant de dignes manifestations de solidarité avec les grévistes jusqu'à des scènes plutôt burlesques dans la Sorbonne occupée. On reprocha aux grévistes de se révolter contre ce qu'ils avaient si longtemps accepté et pratiqué. A quoi ils pouvaient répondre que c'est le propre de toutes les révoltes. Les négociations menées pendant la grève ne donnèrent aucun résultat. La direction générale et le Gouvernement prirent des engagements qui ne furent pas tenus. Finalement, un nombre appréciable de journalistes furent licenciés, en principe pour raison d'économies, en fait comme sanction pour la grève et ses à-côtés.

De façon paradoxale, les grévistes l'ont emporté à moyen terme. Pendant la campagne présidentielle de 1969, la thèse de la libéralisation de l'ORTF tint une place importante et, dès l'installation de G. Pompidou à l'Élysée et de J. Chaban-Delmas à l'hôtel Matignon, *la volonté du Gouvernement de se dégager du contrôle direct* devint évidente. On mit en place l'étude d'une réforme du statut. On passa surtout à l'application du statut, en considérant comme des évidences certains des principes au nom desquels la grève de 1968 avait eu lieu. En novembre 1969, le conseil d'administration donna enfin des directives précises aux nouvelles unités d'information mises en place pour les deux chaînes, mise en place d'ailleurs effectuée par décision gouvernementale, alors qu'elle aurait dû être de la seule compétence interne de l'Office.

Le statut de 1964 fut assez soudainement transformé en 1972, le Parlement votant à la hâte une loi inspirée par le président de la République et ses conseillers. Dans le nouveau système, le conseil d'administration perdait encore un peu de son importance, puisqu'il ne contrôlait plus le directeur général, devenu son président dans le nouveau système et toujours nommé directement par le Gouvernement. Mais une nouveauté apparaissait : le président-directeur général était nommé pour une durée déterminée, à savoir trois ans. Seulement, bien qu'il fût au départ un fidèle du président de la République, le premier nommé n'alla même pas jusqu'à la moitié de son mandat. Voulant défendre ses prérogatives, il se trouva en conflit avec le ministre de l'Information en octobre 1973 et fut renvoyé par le Gouvernement grâce à un artifice juridique probablement illégal : comme le PDG devait être pris parmi les membres du conseil d'administration et comme la catégorie de membres à laquelle Arthur Conte appartenait était révocable, on le révoquait comme membre, ce qui l'empêchait d'être président-directeur général ! Comme successeur, on en revint à un haut fonctionnaire, alors qu'A. Conte était un homme politique. Le nouveau PDG expliqua immédiatement à la presse qu'il acceptait cette fonction comme toutes les autres responsabilités que le Gouvernement lui avait confiées dans le passé.

Le second statut de l'ORTF a eu une vie encore plus brève que le premier. Dès son accession à la présidence de la République, V. Giscard d'Estaing décide non plus de réorganiser l'Office, mais de le supprimer. Élaborée et adoptée à la hâte, sans que soient réglées des questions importantes laissées à la discrétion des décrets gouvernementaux, *la loi du 7 août 1974* conserve l'idée du monopole et reprend les déclarations d'intention des deux précédents statuts :

> *Art. 1.* — Le service public national de la radiodiffusion française assume, dans le cadre de sa compétence, la mission de répondre aux besoins et aux aspirations de la population, en ce qui concerne l'information, la communication, la culture, l'éducation, le divertissement et l'ensemble des valeurs de civilisation. Il a pour but de faire prévaloir dans ce domaine le souci exclusif des intérêts généraux de la collectivité.
>
> Il assure un égal accès à l'expression des principales tendances de pensée et des grands courants de l'opinion. Un temps d'antenne est mis régulièrement à leur disposition.
>
> Il participe à la diffusion de la culture française dans le monde.
>
> Ces responsabilités lui font un devoir de veiller à la qualité et à l'illustration de la langue française.

Mais le nouveau texte fait disparaître toute structure centrale ou unificatrice et crée six sociétés nationales : l'établissement public de diffusion, la société de production et quatre sociétés nationales de programme, l'une « chargée de la conception et de la programmation des émissions de radiodiffusion », les trois autres « chargées de la conception et de la programmation des émissions télévisées ». Toutes les quatre sont gérées d'après le même principe :

> *Art. 11.* — Le conseil d'administration de chaque société comprend six membres : deux représentants de l'État, un parlementaire, une personnalité de la presse écrite, un représentant du personnel et une personnalité du monde culturel.
>
> Pour la société[1] mentionnée à l'article 10, cette personnalité appartient au cinéma.
>
> Les membres du conseil d'administration exercent leur mandat pour trois ans.
>
> Le représentant du personnel est nommé sur une liste de présentation établie par les organisations syndicales représentatives du personnel.
>
> Le président, choisi parmi les membres du conseil d'administration, est nommé pour trois ans par décret en conseil des ministres. Il organise et en nomme les membres.

Les nouvelles structures n'ont pas modifié profondément les comportements ni réduit considérablement les possibilités d'influence du Gouvernement, non que les hauts fonctionnaires nommés à la plupart des directions soient serviles, mais ils sont habitués à se sentir représentants de l'État et du pouvoir plus que des citoyens en droit de réclamer leur autonomie face à l'État. Non que les journalistes des sociétés de programme soient tous ni même majoritairement des « gouvernementaux », ni qu'ils soient soumis à une sorte de censure permanente. En fait, il y a surtout *une autocensure considérable* que résume bien la formule : « C'est un sujet vachement piégé; il faut faire drôlement gaffe! » On cherchera à ne pas déplaire, à éviter les histoires, à ne pas contrarier.

Ne pas déplaire à qui? Au Gouvernement, bien sûr, mais c'est caricaturer la réalité que de s'en tenir là. On ne veut pas non plus déplaire à la masse des téléspectateurs ni aux groupes sociaux dont ils se composent. D'où d'innombrables timidités. Timidités sur l'histoire contemporaine où seules les vérités établies (sur la période de guerre, sur la IVᵉ République, etc.) meublent l'écran. Timidités politiques et sociales : dès qu'une enquête essaie d'aller au fond des choses, son passage sur l'écran devient improbable. Les médecins, les professeurs, les paysans, les anciens combattants, les administrations veillent à ce qu'on ne les critique pas trop.

D'où un phénomène fondamental qui est aussi celui de la presse à situation de monopole, puisqu'elle s'adresse elle aussi à tous les publics : par une sorte de pudeur que personne n'impose directement, on ne parle guère que de ce qui ne choque personne. Sans doute est-ce là quelque chose de plus important que l'emprise gouvernementale sur l'information, d'autant plus qu'en période électorale, un équilibre assez remarquable est établi — de façon fort transitoire — entre les différents candidats que la loi (et une commission spéciale de contrôle) obligent à placer sur le même pied.

Dans l'opposition, les socialistes n'ont cessé de protester contre la mainmise gouvernementale sur la radiotélévision et d'annoncer qu'une fois au pouvoir, ils la rendraient indépendante. Dès l'été de 1981, il est clair que les choses ne sont pas simples.

---

1. L'ancienne troisième chaîne.

D'une part parce que le respect de la loi existante n'est pas total : bien que juridiquement en place pour plus de deux années encore, les présidents-directeurs généraux de TF1, Antenne 2, FR3 et Radio-France sont non pas révoqués, mais contraints au départ, ce qui accrédite une nouvelle fois l'idée que les fluctuations du pouvoir doivent se répercuter sur la radiotélévision. D'autre part, les nouveaux dirigeants politiques hésitent entre deux orientations : respecter les engagements d'indépendance ou utiliser les puissants instruments d'influence que sont la radio et la télévision pour faire passer leur « message culturel », pour changer ce qu'il y a dans les têtes. En fait, on met en place un nouveau système institutionnel permettant plus d'indépendance et plus de liberté, tout en continuant des pratiques anciennes en contradiction avec l'esprit de ce système

La loi du 29 juillet 1982 sur la communication audiovisuelle (donc de portée plus large que les lois antérieures limitées à la radiotélévision publique) commence par une affirmation dont la portée proprement révolutionnaire n'a pas été clairement perçue au départ :

> *Art. 1er.* − La communication audiovisuelle est libre.
> Au sens de la présente loi, la communication audiovisuelle est la mise à la disposition du public, par voie hertzienne ou par câble, de sons, d'images, de documents, de données ou de messages de toute nature.
> *Art. 2.* − Les citoyens ont droit à une communication audiovisuelle libre et pluraliste.

Le monopole se trouvait ainsi aboli, ce qui entraînait notamment la possibilité, pour les « radios libres », d'avoir enfin une existence légale, bien que dominée par des prescriptions et des contrôles fort précis. Et le champ était ouvert pour de nouveaux médias, en particulier pour les télévisions locales. Mais l'essentiel de la télévision en France demeurait du ressort du « service public de la radiodiffusion sonore et de la télévision » qui, selon l'art. 5, « a pour mission de servir l'intérêt général

> − en assurant l'honnêteté, l'indépendance et le pluralisme de l'information ;
> − en répondant aux besoins contemporains en matière d'éducation, de distraction et de culture des différentes composantes de la population, en vue d'accroître les connaissances et de développer l'initiative et les responsabilités des citoyens... ».

La division de 1974 se trouvait maintenue, et même compliquée par l'apparition de sociétés régionales de radio et de télévision. Le conseil d'administration de chacune des quatre sociétés nationales comprend « douze membres nommés pour trois ans : deux parlementaires désignés respectivement par le Sénat et par l'Assemblée nationale ; quatre administrateurs, dont le président, nommés par la Haute Autorité ; deux administrateurs désignés par le conseil national de la communication audiovisuelle ; deux représentants du personnel de la société ; deux administrateurs représentant l'État actionnaire. En cas de partage des voix, celle du président est prépondérante ».

« Nommés par la Haute Autorité » : le changement est de taille par rapport à la nomination gouvernementale antérieure. Et *la Haute Autorité* de la communication audiovisuelle constitue la principale originalité institutionnelle de la loi de 1982. La Haute Autorité, « chargée notamment de garantir l'indépendance du service public de la radiodiffusion sonore et de la télévision », a des pouvoirs de nomination, de décision (sur le droit de réplique aux communications du Gouvernement, sur les conditions de production, de programmation et de diffusion des émissions relatives aux campagnes électorales et des émissions où s'expriment les partis politiques ou les diverses « familles de croyance et de pensée »; et c'est elle qui « délivre les autorisations en matière de services locaux de radiodiffusion sonore »), de recommandation (pour le respect du pluralisme et l'équilibre des programmes; pour les normes des communications publicitaires, pour l'harmonisation des programmes). Les décisions de la Haute Autorité « sont exécutoires à l'issue d'un délai de vingt-quatre heures », mais certaines ne le sont qu'« à l'issue d'un délai de quinze jours au cours duquel le Gouvernement peut demander une nouvelle délibération ».

La Haute Autorité est composée à l'image du Conseil constitutionnel : neuf membres nommés pour neuf ans renouvelables par tiers, les instances de nomination étant le président de la République et les présidents de l'Assemblée nationale et du Sénat, le président de la Haute Autorité se trouvant nécessairement nommé par le président de la République. Deux différences avec le Conseil constitutionnel prévoient un travail lourd : les membres de la Haute Autorité ne peuvent remplir aucun mandat électif ni exercer aucune activité professionnelle permanente et, au moment de leur nomination, ne doivent pas avoir atteint l'âge de 65 ans.

Sous l'impulsion de son premier président, Michèle Cotta, antérieurement président de Radio-France, la Haute Autorité a cherché à occuper tout le domaine qui lui était attribué et même à en élargir les limites, tout en rencontrant au moins deux difficultés de taille. La première concerne le contenu des émissions. La loi ne lui donne nulle compétence sur le comportement professionnel des journalistes tout en la chargeant de veiller à « l'honnêteté, l'indépendance et le pluralisme de l'information » : elle n'a pas à juger les journalistes, mais elle a le devoir de juger le produit fini qu'ils proposent aux auditeurs et aux téléspectateurs. L'autre difficulté éclate dans une déclaration faite en septembre 1983 par le président qu'elle venait de nommer à la tête de TF 1 après la démission du président nommé l'année précédente : « J'ai l'avantage d'être assez proche du président de la République, et c'est la raison pour laquelle personne ne m'imposera quoi que ce soit. » N'est-ce donc pas la Haute Autorité qui est la garante de l'indépendance des présidents qu'elle a en principe librement choisis?

Il est vrai que l'environnement des sociétés du service public montre que François Mitterrand est aussi soucieux de placer des hommes à lui à la tête de puissants organismes que l'était Valéry Giscard d'Estaing. Ainsi pour l'Agence Havas nationalisée en 1945, ainsi pour la SOFIRAD — la Société française d'information et de radiodiffusion appartenant à l'État — qui contrôle entièrement Radio-Monte-Carlo et est fortement présente à Europe I, Havas de son côté ayant du poids au conseil d'administration de RTL, l'autre grande « radio périphérique ».

Le monopole s'est en effet trouvé tourné dès l'immédiat après-guerre par des émetteurs situés à la périphérie du territoire national (Monaco, le Feldberg en Sarre pour Europe I, Beidweiler, au Luxembourg, pour RTL), les bureaux et les studios des sociétés propriétaires se trouvant installés à Paris, Europe I et Radio-Luxembourg ont toujours joui d'une beaucoup plus grande possibilité d'initiative que l'ORTF puis que Radio-France. Limités eux aussi par des tabous (d'autant plus que les deux postes vivent exclusivement de la publicité), leurs journalistes peuvent faire beaucoup plus complètement leur métier, depuis le commentaire fait par des journalistes à prestige (alors que la radio publique a toujours craint la personnalisation du commentaire) jusqu'aux confrontations improvisées, aux interventions des reporters partout où il se passait quelque chose susceptible d'intéresser le public (et de lui faire entendre ainsi les réclames des annonceurs).

LA PRESSE ET SON INFLUENCE

La concentration et l'argent

Le point de départ est particulier à la France. Les grandes lignes de l'évolution ne le sont pas. A la Libération, en 1944, une décision révolutionnaire fut prise. Les journaux qui avaient paru sous l'occupation allemande virent leurs biens confisqués et des organes issus de la Résistance installés à leur place. Échappèrent à l'interdiction le quotidien catholique *La Croix* et *Le Figaro*, celui-ci ayant cessé de paraître à Lyon peu de jours après l'entrée des Allemands en zone non occupée en novembre 1942. L'idée centrale de l'époque était de créer une presse qui fût indépendante à la fois à l'égard du pouvoir politique et à l'égard de l'argent.

Pour tout un ensemble de raisons, la seconde indépendance se révéla rapidement illusoire et les nouveaux organes devinrent, à des degrés et selon des modalités différents, *des entreprises commerciales « normales »*. La coupure de 1944 entraîna cependant des modifications profondes dans le visage de la presse, l'une d'entre elles étant due à la coupure de la France en 1940 : si, avant la guerre, la presse de Paris avait de nombreux lecteurs en province, la presse de province, d'ailleurs nettement plus prospère que la presse parisienne, est depuis 1945 largement maîtresse chez elle. Une faible partie des élites régionales intellectuelles, économiques et politiques lit *Le Monde, Le Figaro* ou *La Croix*. Mais c'est bien la presse locale qui constitue la lecture de base de l'ensemble de la population extérieure à l'agglomération parisienne.

Trois réserves cependant à cette constatation : d'une part, l'agglomération en question représente environ un cinquième de la population française; d'autre part l'information des quotidiens de province est largement inspirée par le numéro du *Monde* paru l'après-midi précédent et, surtout, la presse hebdomadaire est presque exclusivement parisienne. Il n'en reste pas moins qu'il ne faut pas imaginer la presse française et son rôle à travers la seule presse parisienne. Le phénomène va d'ailleurs s'accentuant. La part des tirages des quotidiens provinciaux dans celui de l'ensemble des quotidiens représentait 60 % en 1946 et est montée progressivement jusqu'à 73 % en 1981. Il ne faut pas se tromper sur les chiffres : il ne s'agit pas d'un beau développement provincial, mais d'*un recul parisien*. En ascension dans les années soixante (11,6 millions d'exemplaires quotidiens tirés en 1960, 13,2 millions en 1967), la presse française a décliné jusqu'à 11,1 en 1980. Les quotidiens de province ont simplement mieux résisté (tirage 1960 : 7 millions; 1967 : 8,1 millions; 1980 : 7,4 millions) que les parisiens (4 millions en 1960; 4,4 en 1967; 2,8 en 1980). Tout cela malgré une population de lecteurs potentiels en croissance continue. Rivalité de la radio et de la télévision, rivalité des hebdomadaires, tradition qui fait des Français, dans la comparaison internationale, de « petits » lecteurs de quotidiens? Toujours est-il que, quand un quotidien de Paris disparaît, une faible partie seulement de sa clientèle passe à d'autres journaux; le reste s'évanouit purement et simplement.

Les deux phénomènes les plus importants de l'évolution de l'après-guerre sont les mêmes que dans les autres pays d'Europe occidentale : *la « départisation » et la concentration*. Vers 1946, les grands partis possédaient ou contrôlaient directement d'importants quotidiens. Aujourd'hui, il y a longtemps que les journaux de partis sont en crise. Dès 1945, le Parti radical avait perdu, en même temps que sa puissance électorale, ses deux piliers de presse, *Le Progrès* de Lyon et *La Dépêche de Toulouse* qui, cependant, devenue *Dépêche du Midi,* demeurait de tendance radicale et allait jouer, encore sous la Vᵉ République, un rôle important d'opposition au gaullisme dans sa large zone de pénétration du Sud-Ouest. Des trois grands partis de la Libération, l'un, le MRP, voyait disparaître son quotidien, *L'Aube,* dès 1951, le second, le Parti socialiste, arrive à faire survivre *Le Populaire* comme quotidien jusqu'en 1966, tandis que le troisième, le Parti communiste, parvient encore à maintenir aujourd'hui, pour son quotidien national *L'Humanité,* un tirage d'environ 200 000 et une diffusion d'environ 140 000 exemplaires par jour — cela pour plus de quatre millions d'électeurs communistes. Il est vrai que l'organe de l'autre grand parti de la Vᵉ République était encore beaucoup plus mal loti, puisque son quotidien *La Nation,* avec ses quatre petites pages et sa diffusion d'une douzaine de milliers d'exemplaires, serait devenu un organe confidentiel si ses éditoriaux n'avaient pas été cités par les autres journaux et par les informations radiotélévisées. Nous avons vu au chapitre 4 comment *La Nation* a disparu en août 1974.

La concentration, elle, peut s'exprimer en quelques chiffres. En province, 175 titres en 1939, 175 de nouveau en 1946, 117 en 1952, 78 en 1972, 71 en 1975, 76 en 1983. A Paris, 31 titres en 1939 (non compris les quotidiens spécialisés dans le sport, l'économie, les courses...), 28 en 1946, 14 en 1952, 11 en 1972 et en 1983. Mais la concentration de la presse est beaucoup plus forte que le tableau ne le laisse supposer. Une bonnne partie des titres sont ceux de journaux appartenant à un groupe de presse, seules les informations locales étant vraiment élaborées par la rédaction. Même entre organes importants, des situations d'interdépendance peuvent exister. A Paris, c'est à peine si le titre distingue encore *L'Aurore* du *Figaro,* tandis que *France-Soir* appartient lui aussi au groupe Hersant. A Marseille, *Le Provençal,* dirigé par Gaston Defferre, a racheté son principal rival *Le Méridional,* auquel il laisse quelque latitude rédactionnelle pour se situer plus à droite, afin de contrôler l'ensemble du champ politique.

La concentration a créé de véritables situations de monopole dans de larges zones du territoire français. Les cas les plus caractéristiques sont ceux de *Sud-Ouest* paraissant à Bordeaux et surtout d'*Ouest-France* publié à Rennes qui, avec un tirage proche de 800 000 exemplaires, coexiste cependant avec des concurrents nettement plus petits dans bon nombre de départements. Cet état de choses a des inconvénients dénoncés également dans les autres pays et qui seront analysés plus loin. Il a aussi des avantages : quand le même journal est lu par tous les milieux, la communication sociale entre groupes se fait plus aisément que lorsque chaque tendance ne lit que le journal qui lui convient. (Il n'est pas du tout certain que la télévision par câbles aboutisse à une meilleure information plutôt qu'à l'établissement de véritables ghettos à communication purement interne.)

Encore faudrait-il que le journal à monopole transmette des messages différents, ce qu'il ne fait évidemment que dans une mesure limitée. Mais pour les campagnes électorales de 1974, 1978, 1981, l'attitude d'*Ouest-France* a été remarquable d'équilibre et de sérieux. Pour Paris, la tendance à la concentration apparaît faible, si l'on compare avec les autres grandes villes du monde : par rapport à New York et Londres, la presse parisienne connaît encore un véritable foisonnement pluraliste!

Le problème du pouvoir au sein de chaque journal, lié à celui de la dépendance et de l'indépendance de la rédaction, se pose en France de la même façon que dans les autres pays de même type, avec la même évolution dans le domaine de la concentration, à savoir la multiplication des prises de contrôle multi-médias (presse, radio, télévision et télématique, vidéo, film, etc.). En principe, une ordonnance de 1944 interdit qu'une même personne dirige plusieurs journaux. En fait, les empires de presse, personnels ou à structure impersonnelle, se sont créés dès les années cinquante. Deux d'entre eux se sont effondrés à la fin des années soixante-dix. En juillet 1978, Marcel Boussac, grand industriel du textile, dut vendre *L'Aurore* et *Paris-Turf.* Lorsque, le 17 octobre suivant, Jean Prouvost mourut à 93 ans, cet homme exceptionnel, grand patron de l'industrie lainière, véritable inventeur de plusieurs types de journaux (à la veille de la guerre, la trinité *Paris-Soir, Match, Marie-Claire* avait représenté un triple triomphe), venait de voir disparaître l'empire reconstruit après la guerre et puissamment influencé par lui jusqu'à ce que des difficultés financières l'eussent acculé à vendre *Le Figaro, Télé 7 jours,* de loin le plus fort tirage de la presse française, et *Paris-Match,* en fort déclin au moment de sa vente au groupe Hachette.

Il n'est pas aisé de présenter *le monde fluctuant et enchevêtré des empires de presse.* Au début de 1984, le groupe Hersant est surtout implanté à Paris, dans le Nord, en Normandie, dans la région Rhône-Alpes et des deux côtés de l'estuaire de la Loire. Une douzaine de publications spécialisées (automobile, chasse, jardinage, cuisine, tricot) lui appartiennent également. Le groupe Hachette, fortement présent dans l'édition (livres scolaires, livres de poche, éditions Hachette, Fayard, Grasset, Stock), constitue la principale puissance dans la distribution des journaux. Implanté dans la publicité, dans l'imprimerie, dans l'exploitation des vidéocassettes, Hachette a dû fortement réduire sa présence dans la presse. Il a ainsi été obligé de se défaire de *France-Soir* et de rétrocéder *Paris-Match* au groupe Filipacchi (*Lui, Pariscope,* etc.), tout en gardant comme filiale *Le Point.* En 1981, le sort de cet hebdomadaire, lancé en 1972 par une équipe de journalistes qui venaient de quitter *L'Express,* a soulevé un problème compliqué. En effet, l'État allait nationaliser la société Matra en prenant une participation de 51 %. Mais Matra, ce n'était pas seulement l'armement de pointe; c'était aussi un empire dans les médias, notamment d'importantes participations dans Europe 1, Hachette, *Les Dernières Nouvelles d'Alsace.* Une société de holding contrôlant ces participations sans présence de l'État fut la solution adoptée, tandis que *Le Point* voyait la société de cinéma Gaumont arriver comme actionnaire principal.

Les nationalisations de 1982 ont tout de même eu une importante répercussion en matière de presse : le crédit se trouvant désormais presque entièrement entre les mains de l'État, le Gouvernement ne serait-il pas indirectement maître de la création ou de la non-création de nouveaux journaux, aucun lancement de quotidien n'étant vraiment possible sans crédits bancaires? Il est vrai que la pesée financière du pouvoir politique s'était exercée fort directement auparavant. Racontant son départ du *Figaro* en 1977, après le rachat du titre par Robert Hersant, Raymond Aron a écrit dans ses *Mémoires* : « Avant de prendre ma décision, je demandai une audience au président de la République et au ministre de l'Intérieur. Valéry Giscard d'Estaing m'informa, sous le sceau du secret, de l'origine des fonds mis à la disposition de R. Hersant (je ne crois pas que son information ait été complète)... Le président me fit sentir que *Le Figaro* ne méritait guère son actuelle autonomie. »

La propriété directe ne constitue pas le seul moyen d'influencer la presse. Le syndicat du livre CGT a plus d'une fois exercé des pressions, ne serait-ce que par des grèves ou par des actes de violence. L'Agence Havas, propriété de l'État, ce qui, en France, veut dire du Gouvernement, est devenue non seulement le numéro 1 de la publicité, mais une puissance dans les médias. On l'a vu pour la radiotélévision. Elle n'est pas sans influence dans le domaine de la presse. Que deux présidents successifs, Valéry Giscard d'Estaing et François Mitterrand, aient jugé bon de placer à sa tête un très proche collaborateur (Yves Cannac, puis André Rousselet) montre bien qu'il ne s'agit pas seulement d'une entreprise commerciale. Mais il est vrai que la propriété financière donne du pouvoir et que la volonté de limiter les empires et de rendre transparente la structure financière des journaux est parfaitement légitime.

La loi sur la presse longuement préparée, annoncée par Pierre Mauroy le 29 octobre 1983 au congrès de son parti à Bourg-en-Bresse, présentée au Parlement en novembre, violemment et longuement débattue en commission et en session extra-ordinaire à l'Assemblée, a été adoptée par celle-ci en première lecture le 13 février 1984. Les amendements votés n'en avaient pas modifié l'économie générale. Était-elle pour autant cohérente et équilibrée? N'était-elle pas floue dans sa définition du propriétaire et plus encore dans celle de la notion de contrôle? L'institution d'une commission dotée de pouvoirs considérables, notamment pour l'autorisation des achats de titres et pour les investigations à mener sur la situation financière des entreprises de presse, n'entraînerait-elle pas des violations multiples de la liberté de la presse, d'autant plus que la composition prévue ne garantissait pas son impartialité? Et au nom de l'article 4 de la constitution garantissant aux partis une libre activité, fallait-il soustraire à ces investigations la presse des partis ou, plus exactement, celle du seul parti ayant constitué un véritable groupe de presse? Cela, alors que Georges Marchais avait lui-même, dans un important discours, prononcé en octobre 1979 pour le 35e anniversaire de *La Marseillaise,* quotidien de Marseille, défini la presse communiste comme un ensemble s'opposant au reste de la presse : « Un journal communiste n'est pas un journal comme les autres. C'est un journal révolutionnaire. C'est le journal de ceux et de celles qui, sans qui, n'auraient pas la parole, ne disposeraient pas d'un outil de presse pour défendre leurs intérêts de classe », « l'immense majorité de la presse en France » représentant « le point de vue de la bourgeoisie ».

De toute façon, pour essayer de protéger leur liberté, pour lutter contre la puissance de propriétaires vendant les entreprises de presse comme d'autres entreprises industrielles, les rédacteurs ont essayé, sans doute plus tôt et plus souvent qu'en d'autres pays, d'obtenir des garanties. Jusqu'en 1969, la rédaction du *Figaro* s'est trouvée fort bien protégée par un système de gestion à plusieurs étages. Mais le mouvement s'est ralenti et la tendance s'est inversée. Sauf dans une large mesure à *Libération*, aucune société de rédacteurs n'est parvenue à des résultats vraiment décisifs et l'exemple du *Monde* demeure isolé. La société *Le Monde,* fondée le 11 décembre 1944 sous la forme d'une SARL, est en effet unique en son genre. Son capital se trouve divisé en mille parts réparties en trois catégories : le gérant (en 1984, André Laurens, directeur depuis le 1er juillet 1982) en a 110, la société Les Rédacteurs du *Monde* 400, la société des cadres 50, la société des employés 40 et une quinzaine de personnes physiques au total 400 (dont les anciens directeurs Hubert Beuve-Méry et Jacques Fauvet respectivement 65 et 15). Tant que le journal n'a cessé d'augmenter son tirage et ses recettes publicitaires et que ses machines étaient modernes, la question d'apports de capitaux frais ne se posait pas, ce qui assurait à la société des rédacteurs une place privilégiée pour le contrôle, sinon pour la direction effective, situation qui présente elle aussi des inconvénients. La situation financière détériorée depuis 1982 a posé au journal de nouveaux problèmes.

Dans quelle mesure *la publicité* entrave-t-elle la liberté des journaux? La réponse n'est pas aisée : la limitation n'est pas directement politique, mais l'inventaire des problèmes économiques et sociaux qui peuvent intéresser les annonceurs serait long — ce qui ne veut pas dire que les grands journaux considérés comme de bons supports par les agences doivent nécessairement s'incliner devant les intérêts des annonceurs. Toujours est-il que la part de la publicité dans les budgets des journaux français est, dans la comparaison internationale, particulièrement importante (jusqu'à 80 % des recettes) parce que le lecteur français s'abonne peu, ce qui annule pratiquement la part des recettes provenant des lecteurs, tellement sont lourds les frais de distribution pour la vente au numéro. Seule *La Croix* n'a presque que des abonnés, ce qui lui permet de résister à un manque tragique de recettes publicitaires, sa clientèle étant considérée comme peu « consommatrice » par les annnonceurs. On touche ici un aspect fondamental de la pesée de l'argent : plus un journal a de clientèle et plus cette clientèle a de ressources, plus il reçoit de publicité, ce qui lui permet de s'étendre davantage, donc d'avoir plus de publicité, donc de s'étendre encore.

En principe, la « révolution » intervenue dans la presse en 1944 devait conduire l'État à protéger quelque peu les journaux contre l'argent. *Une aide réelle de l'État* à la presse existe, que ce soit sous la forme de subvention pour les achats de papier, permettant à la presse française d'acheter son papier au-dessous du cours mondial, ou par des tarifs postaux privilégiés ou encore par des détaxations. Mais *cette aide a deux graves inconvénients.* D'une part, elle favorise les riches. Comme les gros utilisent plus de papier et envoient par la poste des numéros plus lourds, ils sont proportionnellement plus aidés que les petits. Une faible compensation a été créée sur ce point par une aide exceptionnelle de l'État aux quotidiens nationaux « à faibles ressources publicitaires »; elle a été attribuée pour la troisième fois en 1983 et a apporté 3,8 millions de francs à *La Croix,* 4,6 millions à *L'Humanité,* 2,4 millions à *Libération* et 228 000 F au journal d'extrême droite *Présent,* tandis que *Le Quotidien de Paris* a toujours refusé cette aide. Mais d'autre part, le Gouvernement dispose, avec la menace de relever le prix du papier et les tarifs postaux ou encore le taux de la TVA, d'un redoutable moyen de pression sur les journaux dans leur ensemble.

Pour avoir une idée du poids d'un journal dans la vie publique, il est utile de se rendre compte de sa diffusion réelle, nettement inférieure au tirage. En 1982/83, lors des contrôles de l'Office pour la justification de la distribution, les dix premiers quotidiens français ont été *Ouest-France* (708 000), *France-Soir* (429 000), *Le Monde* (400 000), *Le Dauphiné Libéré* (375 000), *La Voix du Nord, Sud-Ouest, Le Figaro, Le Parisien Libéré* et *Le Progrès* de Lyon se situant entre 373 000 et 321 000, *La Nouvelle République du Centre-Ouest* diffusant 281 000 exemplaires.

Ces chiffres ne disent pas grand-chose sur le nombre de lecteurs (les 442 000 exemplaires vendus chaque semaine en moyenne en 1982 par *Le Canard enchaîné* étaient ainsi lus par 2,43 millions de personnes), ni sur la qualité de la lecture (pages locales seulement ou éditoriaux aussi?), encore moins sur l'effet politique de la lecture, notamment sur le lecteur hostile, ce qui est le cas, pour des raisons différentes, chez nombre d'habitués du *Parisien Libéré* et du *Monde*. Comment cet effet se combine-t-il avec celui qu'exerce la lecture des périodiques, hebdomadaires ou mensuels, le plus important de ces derniers, après *Modes et Travaux,* étant *Sélection du Reader's Digest*?

Quelle influence?

Admettons que la fonction essentielle du journal soit d'informer. Quel type d'information passe le plus aisément? En province, la réponse est assez simple : le journal permet prioritairement de se tenir au courant de la vie locale à son niveau le moins politisé. Quand, en février 1972, une grève a empêché *Sud-Ouest* de paraître, on a bien vu quelle masse d'articles, de communiqués, d'annonces contenaient ses multiples éditions locales : peu de monde aux enterrements et aux mariages, cinémas des villes désertés par les ruraux, réunions compromises pour toutes sortes d'associations, etc. Le journal peut aussi apporter une « information » sur des faits, vrais ou faux, qui permettent de fuir les préoccupations quotidiennes. A l'occasion d'une visite de la reine Élisabeth en France, le *Sunday Times* a présenté un amusant bilan des « informations » parues dans une certaine presse française au cours des années antérieures. Il en résultait que la reine avait été enceinte 92 fois, avait eu 149 accidents, fait 9 fausses couches, été au bord de l'abdication à 63 reprises et près de la rupture avec le prince Philip 73 fois!

Information d'utilité quotidienne (le temps qu'il fera, le concert de la fanfare municipale) et information-divertissement peuvent toutes deux contribuer à une certaine dépolitisation. Les très nombreux hebdomadaires et mensuels qui constituent « la presse du cœur » et publient d'innombrables romans-photos accentuent encore ce courant : la secrétaire qui lit de tendres histoires de secrétaires qui épousent à la dernière image leur patron ou son fils, fuit la réalité — et ne pensera guère à changer son sort par l'action syndicale.

Les journaux et la télévision ont cependant, en France comme dans les autres pays, une excuse décisive pour ne pas s'attarder sur la présentation analytique de phénomènes sociaux, économiques, politiques, délicats et complexes : le lecteur, le téléspectateur ne le demandent pas. Et s'ils ne le demandent pas, c'est qu'ils n'ont pas été habitués à être exigeants à l'égard des médias. Habitués par l'école primaire, par le lycée, par l'université. Pas plus qu'ailleurs, le système scolaire français ne prépare les futurs citoyens à la pratique critique des médias, ne serait-ce qu'en leur fournissant les connaissances de base permettant de comprendre la portée de l'information parcellaire.

Qu'elle s'exerce dans un sens positif ou négatif, *l'action des journaux sur leur public n'est guère mesurable*. Tout au plus peut-on trouver quelques indices. L'un d'entre eux montre les limites de l'influence directement politique. De même qu'aux États-Unis les républicains devraient toujours l'emporter si la presse déterminait le vote puisque, dans sa plus grande partie, elle est de tendance républicaine, de même la banlieue « rouge » de Paris devrait depuis longtemps avoir cessé de donner la majorité au Parti communiste.

Traditionnellement, par ailleurs, l'éditorialiste et le reporter disaient, chacun à sa façon, quels étaient les sentiments des lecteurs et même de la population dans son ensemble. Leurs articles contribuaient largement à façonner l'image que les citoyens avaient des orientations dominantes de l'opinion publique. Aujourd'hui, cette image est transmise (et en partie créée) par les sondages, de même que les journaux créent en partie les courants qu'ils prétendent refléter. Les grands journaux y perdent dans une large mesure leur qualité de représentants, de porte-parole du corps électoral face au milieu politique, au milieu dirigeant. Or ce phénomène coïncide dans le temps avec un autre qui diminue lui aussi l'influence des journaux sur ce milieu : sous la IIIᵉ et sous la IVᵉ République, les journalistes de renom et les grands directeurs étaient en contact permanent avec les hommes politiques qui avaient terriblement besoin d'eux dans des situations politiques et gouvernementales extrêmement fluctuantes. Cette sorte de pouvoir direct a sensiblement diminué depuis 1958, tout en demeurant plus fort qu'il n'y paraît.

De toute façon les luttes et *les jeux du milieu politique sont encore largement influencés par une partie de la presse* qu'il est assez facile de circonscrire. N'en font partie ni un journal à grand tirage comme *Le Parisien Libéré* dont chacun sait qu'il n'est guère représentatif de ses lecteurs, ni un journal de qualité comme *La Croix* parce que son champ d'influence est ignoré par le milieu politique. En font partie à coup sûr *Le Figaro, Libération, Le Matin* et *Le Quotidien,* les quatre hebdomadaires *L'Express, Le Point, Le Nouvel Observateur* et *Le Canard enchaîné,* et surtout *Le Monde* qui, en dehors des informations et des commentaires de ses rédacteurs, publie souvent des prises de position de dirigeants politiques et est, même pour ceux qui le critiquent le plus vivement, une sorte de lieu de dialogue du milieu politique avec lui-même. Un milieu politique qu'il est fort difficile de définir, car ses contours sont flous et sa composition fort disparate.

D'autres groupes sociaux sont peut-être plus faciles à circonscrire, mais pas à analyser en termes de perméabilité à l'influence de la presse. En partie parce que les organes de presse les plus agissants sont sans doute d'un type qui n'a pas encore été évoqué : de plus en plus on lit des hebdomadaires ou des mensuels spécialisés s'adressant à une catégorie professionnelle distincte.

De toute façon, *l'influence est toujours réciproque*. Il ne faut pas pousser trop loin la distinction entre informateurs et informés, ni même entre propagandistes et « propagandés ». Comme les dirigeants, ministres ou parlementaires, comme les chefs d'entreprise ou les leaders syndicalistes, les directeurs de journaux et les journalistes sont à la fois agissants et agis, orientateurs et orientés. Les « guides de l'opinion » font partie de l'opinion. C'est ce qui fait du problème de l'information l'un des plus importants et l'un des plus décevants de la vie politique.

LECTURES COMPLÉMENTAIRES

○ Voyenne Bernard, *L'Information aujourd'hui*, Colin, 1979, 320 p.
○ Cayrol Roland, *La Presse écrite et audio-visuelle*, PUF, 1973, 628 p. (deux ouvrages comparatifs).
○ Bon F., Burnier M.-A., Mayer N., *Les Sondages peuvent-ils se tromper?*, Calmann-Lévy, 1974, 215 p.
○ Gourieroux Christian, *Théorie des sondages*, Economica, 1981, 282 p. (difficile).
○ Albert P., Tudesq A.-J., *Histoire de la radio-télévision*, PUF (« Que sais-je? »), 1981, 127 p.
○ Duval René, *Histoire de la radio en France*, A. Moreau, 1979, 444 p. (60 p. pour 1941-1979).
○ Smith Anthony, dir., *Television and political life. Studies in six European Countries*, London, Macmillan, 1979, 261 p.
○ Missika Jean-Louis, Wolton Dominique, *La Folle du logis. La télévision dans les sociétés démocratiques*, Gallimard, 1983, 338 p. (moins comparatif, mais plus fouillé que le précédent, surtout sur la France).
○ Bombardier Denise, *La Voix de la France. Les Français et leur télévision*, Laffont, 1975, 299 p. (analyse vigoureusement critique et encore largement exacte d'une journaliste canadienne).
○ Montaldo Jean, *Tous coupables*. Dossier ORTF 1944/1974, A. Michel, 1974, 305 p. (redoutables citations sous deux Républiques).
○ Blumler J., Thoveron G., Cayrol R., *La Télévision fait-elle l'élection? Une étude comparative*, Presses de la FNSP, 1978, 283 p.
○ Souchon Michel, *La Télévision et son public 1974-1977*, La Documentation Française, 1978, 64 p. (rapports entre la télévision diffusée et celle reçue).
○ Jeanneney J.-N., Sauvage, M., *et al. Télévision et nouvelle mémoire. Les magazines de grand reportage*, Seuil, 1982, 255 p.
○ *Histoire générale de la presse française*, sous la dir. de C. Bellanger, J. Godechot, P. Guiral et F. Terrou, PUF, t. IV et V, 1975, *1940-1958*, 486 p., *De 1958 à nos jours*, 550 p.
○ Albert Pierre, *La Presse française*, Doc. française, 1978, 160 p.
○ Derieux E., Texier J.-C., *La Presse quotidienne française*, Colin, 1974, 312 p.
○ Jamet Michel, *La Presse périodique en France*, Colin, 1983, 206 p.
○ Agnès Y., Croissandeau J.-M., *Lire le journal*, Éd. F. P. Lobies, 1979, 264 p.
○ Jeanneney J.-N., Julliard J., *« Le Monde » de Beuve-Méry*, Seuil, 1979, 383 p.
○ Launay Jean-Marie, *« L'Est républicain » de 1944 à nos jours*, Lille, Atelier de thèses, et Paris, H. Champion, 1981, 2 vol., 1 070 p. (deux bonnes monographies de quotidiens).
○ Perier-Daville Denis, *Main basse sur « Le Figaro »*, Tema, 1975, 217 p.
○ Pons Dominique, *H... comme Hersant*, A. Moreau, 1977, 286 p. (deux ouvrages très polémiques mais éclairants).

La meilleure façon de s'informer sur l'information est cependant de consulter la collection et de lire *Presse-Actualité*, mensuel publié par Bayard-Presse (3, rue Bayard, Paris 8ᵉ).

Chapitre 7

LE PARLEMENT

LE RÔLE DU PARLEMENT DEPUIS 1814

L'institution parlementaire existe en France depuis plus d'un siècle et demi; elle n'a connu d'éclipses depuis 1814 que, partielle, pendant les premières années du Second Empire et, totale, sous le régime de Vichy. Mais son rôle s'est profondément modifié au cours de cette longue suite d'années, sans que les procédures internes de son fonctionnement aient fait l'objet, en temps voulu, des changements qui auraient dû correspondre à ces modifications. C'est, avec l'extension du domaine dans lequel agissent les pouvoirs publics, une des raisons par lesquelles s'explique la crise que ces institutions ont traversée en France avant et après la deuxième guerre mondiale.

Limiter l'autorité du pouvoir

A l'origine, c'est-à-dire à l'époque de la monarchie représentative, la fonction du Parlement, et en particulier de la Chambre des députés, était d'être dans l'État *un élément d'équilibre,* en apportant une limitation à l'autorité du pouvoir. Nommé par le monarque, et responsable devant lui, le Gouvernement disposait d'une compétence propre étendue et d'une grande autorité. Il ne procédait en rien de la Chambre, désignée par les électeurs censitaires. En droit, il n'était pas responsable devant elle. Toutefois, la nécessité d'une certaine harmonie entre le Gouvernement et la Chambre résultait *des pouvoirs législatifs et financiers* reconnus à cette dernière. Un désaccord permanent et profond entre l'un et l'autre, se traduisant par le refus du budget et le rejet de l'autorisation de percevoir les impôts, aurait risqué de paralyser l'État. Mais cette harmonie, sous la Restauration, et même à certaines périodes de la monarchie de Juillet, fut réalisée autant grâce à des concessions de la majorité parlementaire au Gouvernement, que par une adaptation des points de vue de ce dernier à ceux des députés.

En face d'un Gouvernement qui jouissait à son égard d'une large indépendance, le pouvoir parlementaire exerçait essentiellement deux prérogatives : le vote des lois d'une part, le consentement aux impôts et la fixation des crédits ouverts aux ministres d'autre part.

L'exercice du pouvoir législatif s'opérait le plus souvent sur l'initiative du Gouvernement. Celui-ci possédait en outre un pouvoir réglementaire autonome de large étendue. Aucune définition d'ensemble des matières constituant le domaine de la loi, votée par les Chambres, n'était donnée par la Charte constitutionnelle. Mais lorsqu'un acte de forme législative était intervenu à quelque sujet que ce fût, seule une nouvelle loi, adoptée selon les mêmes procédures que la première, pouvait le modifier. Ainsi s'établit pratiquement, avec les années, la délimitation entre les problèmes que le Gouvernement pouvait résoudre seul, et ceux à propos desquels il lui fallait obtenir le concours d'une majorité parlementaire. Les pouvoirs financiers dévolus aux Chambres — *le droit exclusif de consentir l'impôt,* tant en en déterminant les règles d'assiette et de taux qu'en en autorisant annuellement la perception, et *celui de fixer* pour chaque exercice *le montant des crédits budgétaires* ouverts aux ministres — procédaient essentiellement du désir de défendre les intérêts des contribuables, dont les plus aisés formaient seuls le corps électoral des députés, en obligeant le Gouvernement à ne dépenser les deniers publics qu'avec parcimonie. On supposait en somme que la tendance des ministres, s'ils n'avaient été tenus en bride par le Parlement, aurait été d'engager des dépenses exagérées ou inutiles; c'est pour maintenir le volume du budget dans une limite raisonnable qu'on avait accordé aux Chambres le droit d'en fixer le montant global et les principaux éléments.

Au point de départ, non seulement les assemblées parlementaires ne constituent donc à aucun degré la source de l'autorité dans l'État, mais elles ont pour rôle essentiel de poser des bornes à un pouvoir d'essence héréditaire.

L'évolution, dès la Restauration, mais surtout sous la monarchie de Juillet, va dans le sens d'un *élargissement progressif du rôle de la Chambre* élue. Se considérant comme représentative de la nation, en dépit de l'étroitesse de son corps électoral, celle-ci attache de plus en plus d'importance aux fonctions proprement politiques qui s'ajoutent à ses prérogatives législatives et financières. La rédaction de l'Adresse qu'elle vote chaque année, jusqu'en 1848, en réponse au discours du Trône, lui donne l'occasion d'exprimer le point de vue de sa majorité sur l'orientation de la politique gouvernementale. La pratique de l'interpellation lui fournit, à partir de 1830, les moyens d'exercer sur les actes des ministres un contrôle de plus en plus étroit, et aboutit, sous la monarchie de Juillet, à instituer un régime quasi parlementaire, comportant à la fois la responsabilité politique du cabinet devant la Chambre, et l'existence au profit du pouvoir d'un droit effectif de dissolution, fréquemment utilisé.

Source de l'autorité gouvernementale

Mais c'est seulement après la révolution de 1848, lorsque se réunit l'Assemblée constituante de la IIe République, qu'intervient le renversement de l'état de choses initial. L'Assemblée, au lieu d'avoir pour fonction de limiter un pouvoir indépendant d'elle par son origine, est devenue la seule incarnation de la souveraineté, en sorte que le Gouvernement, jusqu'au vote de la constitution de la IIe République, et à l'élection du président de la République, trouve en elle, et en elle seule, la source de son autorité.

Il en sera de même de 1871 à 1875, après la période présidentielle de la IIe République et le Second Empire. L'Assemblée de Bordeaux, puis de Versailles, jusqu'à l'entrée en vigueur des lois constitutionnelles votées en 1875, interprète seule la souveraineté populaire. Le Gouvernement de Thiers, puis ceux que désigne Mac-Mahon, sont responsables devant elle; de la droite à la gauche, ses membres sont unanimes à faire preuve de la plus sourcilleuse susceptibilité dès qu'il est question de leurs prérogatives.

Selon la lettre des lois constitutionnelles de 1875, le Parlement de la IIIe République n'aurait pas dû hériter ce caractère souverain de l'Assemblée nationale. Sa division en deux assemblées, Chambre des députés et Sénat, les vocables mêmes utilisés pour les désigner, la liste des prérogatives conférées au président de la République (qui comprend le droit de nommer les ministres), tout indique que *les constituants de 1875 ont entendu établir de nouveau un régime dualiste,* dans lequel la place du Parlement serait moins grande que de 1871 à 1875.

Mais d'autres dispositions des lois constitutionnelles déjouent cette intention. Le président de la République étant élu par les membres des deux Chambres réunis en Assemblée nationale, comment le Parlement ne se considérerait-il pas comme supérieur au chef de l'État? L'étendue apparente des prérogatives présidentielles ne correspond pas à la réalité, car le président est irresponsable, et chacun de ses actes doit être contresigné par un ministre, chargé d'en répondre éventuellement devant les Chambres. Cette clause de la constitution a pour effet de transférer au Gouvernement les attributions apparemment confiées au président de la République[1]. Or le Gouvernement est politiquement responsable devant les Chambres, sans qu'aucune disposition constitutionnelle ait été prévue pour réglementer les conditions dans lesquelles pourra être mise en jeu cette responsabilité.

Chargé d'élire le chef de l'État et maître de congédier les ministres nommés par celui-ci, le Parlement de la IIIe République possède les moyens d'affirmer sa supériorité, car il tient le pouvoir à sa merci. Les précautions que le Sénat doit prendre pendant une vingtaine d'années pour consolider sa situation (car son mode de recrutement et même son existence

---

1. Voir le chapitre 8.

n'avaient été acceptés à l'origine qu'avec beaucoup de répugnance par les républicains) confèrent à la Chambre des députés, en matière politique, le quasi-monopole de cette supériorité, bien proche de la souveraineté.

Pour que la IIIe République évoluât autrement que vers une concentration croissante de l'autorité politique entre les mains de l'assemblée élue au suffrage universel direct, il aurait fallu que les premiers titulaires de la présidence de la République et de la présidence du Conseil fissent preuve à la fois de beaucoup d'habileté, et d'une volonté persévérante de maintenir intactes, face aux empiétements et aux prétentions de la Chambre, les prérogatives du pouvoir. Il n'en fut pas ainsi. *La maladresse de Mac-Mahon,* au moment du 16 mai 1877, ébranla de façon décisive le prestige de la présidence de la République. *La mort de Thiers,* survenue au mois de septembre de la même année, empêcha que, redevenant chef de l'État, celui-ci pût confier à Gambetta, comme il en avait l'intention, la direction du Gouvernement. La soumission de Mac-Mahon, après la victoire des républicains aux élections d'octobre 1877, sa démission en 1879, puis son remplacement par Jules Grévy, provoquèrent l'effacement rapide et prononcé de la fonction de président de la République. Dès lors, avec des hauts et des bas selon les circonstances et l'autorité personnelle plus ou moins grande de tel ou tel président du Conseil, *la subordination du Gouvernement à la Chambre des députés* devient un trait essentiel et presque constant du régime.

Une telle subordination n'était pratiquement concevable que grâce à la restriction du domaine d'action de l'État, qui permettait alors effectivement à la Chambre des députés d'inspirer la politique appliquée par le Gouvernement. Il faut faire exception pour la politique étrangère, dont on acceptait qu'elle constituât un domaine réservé à quelques spécialistes. Quant à la politique d'expansion coloniale, s'il est vrai qu'elle a été dans une grande mesure l'œuvre personnelle de certains hommes d'État, dont Jules Ferry fut le plus éminent, il faut ajouter que ceux-ci furent efficacement secondés à la Chambre par un petit noyau de spécialistes, dont plusieurs députés d'Algérie, conduits par Eugène Étienne, et groupés dans ce qu'on appelait « le parti colonial », que nous qualifierions aujourd'hui plutôt de groupe de pression que de parti.

Pour le surplus, les lois fiscales, les réformes juridiques, le perfectionnement de l'administration, la création de l'instruction primaire gratuite, laïque et obligatoire, les mesures destinées à restreindre l'influence sociale de l'Église catholique, les lois d'assistance, tout cela formait un faisceau de problèmes à l'égard desquels la compétence des députés, ces notables provinciaux, formés par l'administration des villes et des départements, en forte proportion praticiens du droit, balançait largement celle des bureaux des ministères, et donc des ministres eux-mêmes. Il était techniquement possible que l'initiative politique fût essentiellement le fait de la Chambre des députés; rien n'empêchait celle-ci d'étendre sa compétence et de *transformer progressivement le Gouvernement en une sorte de simple comité,* chargé d'appliquer ses décisions et de faire la politique qu'elle avait formulée. Ce comité était révocable *ad nutum* par la mise en jeu de la responsabilité ministérielle; l'instabilité gouvernementale due à l'indiscipline et à la multiplicité des groupes politiques put ainsi apparaître, puis s'installer au point de devenir habituelle, sans que la gestion des affaires publiques en subît, dans l'immédiat, de sensible préjudice.

Jusqu'à 1914, la IIIe République constitua donc un régime dans lequel l'initiative politique appartenait sans conteste à la Chambre des députés; en dehors de la politique étrangère, le Gouvernement n'était, au sens propre, que le pouvoir « exécutif », chargé, sous le contrôle permanent et tatillon de la Chambre, d'appliquer une politique élaborée et formulée par cette dernière. Au lieu de demeurer une institution destinée à contrôler et à limiter le pouvoir, le Parlement était devenu l'inspirateur de celui-ci et presque son principal titulaire.

La souveraineté impuissante : 1918-1958

Cet état de choses a été définitivement aboli par la première guerre mondiale. L'initiative parlementaire et le contrôle des Chambres et de leurs commissions sur l'administration militaire ont eu alors d'excellents effets quant à des problèmes particuliers, comme l'organisation du service de santé et le dépistage des « embusqués ». Mais l'intervention parlementaire dans la conduite générale des opérations, notamment au moment de l'expédition de Salonique et de la nomination de Nivelle au commandement en chef, a été nettement moins heureuse. Il a fallu la « mon-archie » de Clemenceau — selon l'expression de Charles Maurras — pour que la nomination de Foch au commandement suprême et son maintien en fonctions malgré les échecs militaires de juin 1918 eussent finalement pour résultat les offensives victorieuses de l'été et de l'automne 1918.

Jamais, contrairement à l'espérance de la plupart des députés et certainement à celle du pays lui-même, les conditions grâce auxquelles le système politique antérieur à 1914 avait pu s'établir et subsister sans trop d'inconvénients immédiats ne devaient être à nouveau réunies. Rien ne permet de penser qu'elles se reproduiront un jour.

Telle est la raison profonde des difficultés que le régime de souveraineté parlementaire et d'initiative politique réservée à la Chambre des députés a rencontrées pendant l'entre-deux-guerres, puis, sous une forme à peine modifiée, de 1946 à 1958.

Les signes de ces difficultés ont été multiples et variés : accentuation de l'instabilité ministérielle, renversements de majorité indépendants de toute consultation du corps électoral, difficultés chroniques en matière financière et monétaire, stagnation économique (au moins par comparaison avec les autres États), puis prolongation de la grande dépression bien au-delà de l'époque où elle avait pris fin là où le régime politique s'était mieux adapté aux nouvelles circonstances, crise sociale et mécontentement des milieux ouvriers et agricoles, et enfin, facteur peut-être encore plus significatif, multiplication, à partir de 1934, du droit consenti au Gouvernement par les Chambres de légiférer par voie de décrets : une telle renonciation à la prérogative fondamentale du Parlement prouvait que les membres de celui-ci, en s'en remettant au pouvoir du soin de remplir la fonction pour laquelle ils étaient élus, reconnaissaient qu'ils n'étaient plus en mesure de faire les lois eux-mêmes; mais elle ne s'accompagna pas d'un recul de l'instabilité ministérielle; *la Chambre, tout en admettant que le Gouvernement légiférât à sa place, persistait à mettre en cause de façon permanente la responsabilité politique de l'organe auquel elle confiait le soin de remplir sa propre tâche.*

Cette évolution des événements, couronnée par les désastres militaires de mai et juin 1940, devait aboutir à l'effacement complet du Parlement après la formation du gouvernement Pétain, qui se fit déléguer à Vichy tous les pouvoirs, y compris le pouvoir constituant. *La souveraineté et la primauté du Parlement avaient abouti à son abdication,* parce que le mécanisme parlementaire, tel qu'il avait été conçu et mis au point avant 1914, s'était complètement déréglé, lorsqu'on avait tenté de l'appliquer à la solution de problèmes différents, par leur nature et par leur portée, de ceux en vue desquels il avait été mis au point.

Sous la IVe République, après la seconde guerre mondiale, on a vu se reproduire à bien peu de choses près l'expérience de l'entre-deux-guerres. La constitution de 1946, malgré les efforts de ses auteurs pour tenter de renforcer le pouvoir gouvernemental, a consacré et élargi l'intervention de l'Assemblée nationale dans son établissement, en subordonnant la nomination du président du Conseil par le président de la République à un vote d'investiture jusqu'à 1954, puis à l'approbation expresse de son programme et de la composition du Gouvernement qu'il se proposait de constituer. Ainsi le pouvoir procédait-il désormais directement du Parlement devant lequel il allait être responsable. Dans la mesure où l'élaboration de la politique échappait aux assemblées, c'était pour relever des partis politiques, qui n'étaient guère plus capables de la concevoir selon les critères de technicité et d'efficacité devenus indispensables. *Les mêmes causes ont produit les mêmes effets.* Faute de cohérence, faute de continuité, la politique française n'a pas été à la mesure des problèmes qu'elle aurait dû résoudre. La renaissance économique a sans doute été réalisée, mais dans le désordre financier et au prix d'une dégradation monétaire qui a supprimé une partie des effets psycho-sociologiques qu'elle aurait dû produire. Sauf dans le domaine de ses relations avec ses anciennes possessions d'outre-mer, la tendance à un certain effacement international de la France a pris la double forme de recours trop prolongés à l'aide extérieure et de la fuite en avant vers l'acceptation de formules supranationales sans doute prématurées. Le régime s'est écroulé lorsque les secousses de la décolonisation ont montré que l'opinion avait perdu confiance en ses principes, en ses institutions, et souvent en ses hommes; les votes des assemblées, en juin 1958, ont dû consacrer cet écroulement.

Les tâches d'aujourd'hui

La Ve République n'en comporte pas moins un Parlement. Mais, quelle que soit la peine qu'a longtemps éprouvée une partie de ses membres à l'admettre, ce Parlement n'est plus souverain. Ce n'est plus de lui que procède le pouvoir. Sa tâche n'est plus de le faire naître et de le remplacer périodiquement, comme il en avait pris l'habitude sous la IIIe et la IVe République, et comme il a longtemps espéré qu'il lui serait possible de recommencer à le faire, une fois fermée la parenthèse des traumatismes dus aux deux conflits mondiaux. Son rôle peut et doit cependant être important : rien ne serait plus faus que de le tenir pour le vestige d'une époque révolue, appelé par la force des choses à végéter misérablement en attendant de périr par atrophie.

Les assemblées élues, dans le monde d'aujourd'hui, sont *inaptes à définir et à orienter* elles-mêmes *la politique suivie par le pouvoir.* Trop de considérations techniques entrent en jeu, à l'égard desquelles la compétence des membres du Parlement ne peut se comparer, sinon à celle des ministres, du moins à celles de leurs services[1]. La complexité de la société moderne fait qu'il n'est guère possible d'isoler certains domaines dans lesquels l'initiative parlementaire pourrait encore s'exercer pleinement.

Mais *un contrôle de la politique gouvernementale n'en est pas moins indispensable,* dans l'intérêt même de son efficacité. Les techniciens peuvent se tromper, comme les autres hommes, et parfois s'obstiner dans une voie mal choisie; les débats du Parlement, notamment la discussion du budget, présentent un avantage irremplaçable : ils obligent les ministres à répondre à des critiques, ils leur font ainsi connaître les erreurs et mesurer les échecs de l'Administration; ils doivent les aider à exercer véritablement la direction de leurs services. Il est rare qu'au cours d'une discussion parlementaire, une solution pleinement satisfaisante d'un problème soit proposée par les orateurs au ministre. Mais il est fréquent que l'attention de celui-ci soit attirée sur les inconvénients des mesures engagées ou envisagées par les techniciens de son département. Le Parlement, interprète de l'opinion, élu par les usagers des services publics, a son rôle à jouer dans l'impulsion qui doit être donnée à ceux-ci et nul ne peut le remplacer dans ce rôle.

La politique économique pose, quant au rôle du Parlement, des problèmes particuliers, depuis qu'elle a pris en France la forme d'une planification à la fois indicative, incitative et, à l'égard des équipements collectifs réalisés par l'État, en principe obligatoire. Le premier et le troisième Plan ont été approuvés par décret, tous les autres par des lois. Mais, placé en présence d'un document aussi complexe que le Plan, le Parlement se trouve dans une situation délicate : l'amender est difficile, pour ne pas dire impossible, ce qui peut donner l'impression que la discussion du projet d'approbation par les Chambres confère à celles-ci une responsabilité sans commune mesure avec leur prise véritable sur le document qui leur est soumis.

Depuis 1964, c'est cependant à deux reprises que le Parlement est appelé à délibérer sur le Plan. On avait alors décidé de soumettre d'abord aux Chambres un projet de loi portant approbation de directives à donner au commissariat au Plan pour l'élaboration du Plan proprement dit, qui leur serait soumis l'année suivante. Théoriquement, ce rapport devait comporter certaines variantes, entre lesquelles le Parlement aurait pu opérer un choix. Pratiquement, même à ce stade préparatoire, les Chambres n'étaient pas entièrement libres d'opter entre ces variantes, soit que certaines d'entre elles ne fussent guère séduisantes, soit que le Gouvernement, ayant déjà fait son choix, l'imposât en fait à sa majorité. L'acte d'approbation du rapport préalable, comme celui du Plan proprement dit, avait forme législative : ni l'un, ni l'autre, cependant ne constituaient des lois au sens propre du terme, c'est-à-dire un système de prescriptions obligatoires, s'imposant aux citoyens comme à la puissance publique. C'est une des raisons pour lesquelles le Parlement ne pouvait guère leur imprimer véritablement sa marque, pas plus qu'il n'est en mesure de modifier les termes d'un accord international lorsqu'il est saisi d'un projet de loi en autorisant la ratification.

La procédure inaugurée en 1964 a été profondément réformée par une loi du 29 juillet 1982.

---

1. Voir le chapitre 8.

Désormais, *un premier projet de loi de Plan définit pour cinq ans, des « choix stratégiques » et des « objectifs »*, ainsi que les « grandes actions » proposées pour atteindre ceux-ci. Ce projet porte approbation d'un rapport, établi par le Gouvernement « sur la base » des travaux et consultations auxquels a procédé une commission nationale de planification, présidée par le ministre du Plan, et composée de représentants des organisations syndicales de salariés, du patronat, de l'agriculture, du commerce, de l'artisanat, etc. Le commissaire au Plan et le délégué à l'Aménagement du territoire exercent la fonction de rapporteurs de cette commission nationale, qui doit être saisie, par le Gouvernement, d'un document d'orientation établi après consultation des régions[1]. Les conclusions auxquelles est parvenue la commission nationale de planification ne lient pas le Gouvernement; elles constituent seulement « la base » du rapport dont celui-ci demande l'approbation au Parlement. Mais la création par la loi de 1982, dans chaque assemblée, de « délégations parlementaires pour la planification » n'implique aucunement une association de ces organismes aux travaux de la commission nationale de planification : ils ont pour seule mission d'informer les assemblées sur l'élaboration, puis sur l'exécution du Plan.

C'est dire que la première loi de Plan présente encore le caractère d'une simple ratification. Le fait qu'en 1983, ce soit à l'occasion du débat sur cette loi que, devant l'Assemblée nationale, le Gouvernement ait usé, pour la première fois depuis 1981, de la faculté que lui donne l'article 44 de la constitution de recourir, sans cependant engager sa responsabilité, à un « vote bloqué » sur le texte en discussion, en ne retenant que les amendements déposés ou acceptés par lui, en constitue une preuve évidente.

Mais, désormais, *la seconde loi du Plan* présente un caractère assez différent. *C'est une loi de programme* qui, sans aller jusqu'à comporter des ouvertures de crédits pour toute la période d'exécution du Plan (ces crédits doivent être inscrits chaque année dans la loi de finances), comporte l'indication des moyens financiers (ainsi que des mesures juridiques et administratives) nécessaires pour la réalisation des « programmes prioritaires d'exécution » (PPE), retenus par la première loi de Plan; cette seconde loi précise en outre les conditions de l'intervention économique des communes, des départements et des régions, ainsi que l'objet et la portée des contrats de plan à passer entre celles-ci et l'État. L'avenir seul dira si, comme il est concevable, la nature assez nouvelle de cette seconde loi de Plan permettra au Parlement d'en délibérer dans des conditions de liberté et d'efficacité plus grandes que ce n'était le cas antérieurement dans ce domaine.

De façon générale, on doit reconnaître aux Chambres *une fonction d'avertissement*. En dépit de l'esprit d'initiative et d'imagination technique qui existe aujourd'hui dans une partie de l'Administration, celle-ci, dans son exemple, reste caractérisée par une certaine inertie. Sa tendance première est souvent de nier que des problèmes se posent, ou bien, en invoquant les précédents, d'en chercher la solution dans la mise en œuvre de mesures conformes à sa tradition. Les discussions parlementaires, même lorsqu'elles comportent quelque exagération, ont l'avantage capital de donner au pouvoir le moyen de savoir quels problèmes il aura à aborder dans un proche avenir. L'interprétation de ce qui s'y dit exige un certain sens de l'humour, la capacité de ne pas s'offusquer de l'emphase, l'art

---

1. Voir chapitre 2.

d'affecter les propos des élus d'un coefficient de réduction variable selon leur personnalité, selon leur parti, selon les circonstances. Il n'en est pas moins bien rare, surtout lorsqu'ils parlent de problèmes intéressant leurs commettants, que les interventions des parlementaires ne comportent aucun enseignement pour le pouvoir.

Dans plusieurs domaines, le droit de décision que possèdent les Chambres en matière législative est resté de grande utilité. Rien n'est plus difficile, lorsqu'on rédige un texte, que de prévoir toutes les conséquences qu'il est susceptible d'avoir, toutes les difficultés auxquelles pourra se heurter son application, toutes les incertitudes d'interprétation qu'il soulèvera. *La discussion publique constitue* à cet égard, et de loin, *la meilleure méthode,* notamment en matière juridique ou administrative : une loi est presque toujours mieux rédigée qu'un décret-loi.

En matière de politique générale, enfin, le Parlement doit être *une caisse de résonance.* L'utilité essentielle de ses discussions n'est pas d'aboutir à une décision, éventuellement différente de celle prise ou souhaitée par le pouvoir : elle est de placer sous les yeux de l'opinion publique les pièces du dossier, de contraindre opposants et partisans du Gouvernement à creuser les problèmes, à examiner tous les aspects de solutions qu'ils peuvent recevoir et de contribuer ainsi à la fois à l'information et à l'éducation du suffrage universel qui, à plus ou moins brève échéance, sera chargé d'arbitrer entre diverses conceptions qui se seront affrontées devant les Chambres.

Point n'est besoin, pour que cette fonction du Parlement soit remplie correctement, que les discussions auxquelles il procède soient toujours sanctionnées par un vote. Le talent et la compétence avec lesquels l'auteur d'une question orale a exposé son point de vue et avec lesquels le représentant du Gouvernement lui a répondu ont en somme plus d'importance que la question de savoir si l'Assemblée a ou non la faculté d'adopter en conclusion du débat une motion résumant avec plus ou moins de netteté l'opinion de la majorité de ses membres. Lorsque c'était le Parlement qui était souverain, ses votes avaient en soi de l'importance, bien que faute de majorité cohérente, ils fussent souvent équivoques. Si le Parlement n'a plus le monopole de l'exercice de la souveraineté, ce qui compte avant tout dans les débats parlementaires, c'est la contribution qu'ils apportent à l'information des électeurs, c'est la mesure dans laquelle ils contribuent à ce que ceux-ci puissent se faire une opinion sérieuse, qu'ils traduiront ensuite dans les scrutins législatifs, référendaires ou présidentiels.

Tel est, en Grande-Bretagne, le rôle de la Chambre des communes. Il ne tire pas son importance de la portée des amendements apportés aux projets de loi gouvernementaux, mais de *l'information permanente* que l'existence du Parlement continue encore à assurer aux électeurs *quant à la politique de l'équipe au pouvoir et à celle que propose de lui substituer l'opposition.* Ce rôle est complètement différent de celui que le Parlement français possédait avant 1914 et qu'il ne lui a pas été possible de reprendre de 1919 à 1939 et de 1945 à 1958. Il n'en est pas moins fondamental quant à l'existence d'un régime démocratique. Encore faut-il, pour qu'il puisse être exercé efficacement, que les membres des assemblées françaises ne retombent pas dans les habitudes collectives apparues avant 1914; pour reconquérir autorité et prestige sur l'opinion, et par là sur le pouvoir, le *Parlement doit adapter ses méthodes de travail* et la conception qu'il se fait de sa tâche, aux transformations que la société française a subies depuis le début du XXe siècle.

169

ORGANISATION ET PROCÉDURE

Il y a un siècle et demi, le rôle du Parlement était donc de limiter le pouvoir. Pendant la première phase de la IIIe République, il est devenu de constituer le pouvoir. Aujourd'hui, en dehors de sa fonction législative et du droit qu'il conserve de renverser un Gouvernement avec lequel il serait en grave désaccord, il doit être d'avertir le pouvoir et de poser les problèmes devant l'opinion. A cette évolution n'a pas correspondu une modification parallèle des méthodes de travail, des procédures, des structures internes du Parlement.

Avant 1958

A l'origine, *les Chambres ont été reconnues maîtresses de leur règlement.* Rien d'étonnant à ce qu'elles en aient profité pour adopter une procédure propre à leur donner une position aussi bonne que possible, face à un Gouvernement dont l'autorité propre l'emportait largement sur la leur, et à la compétence presque illimitée duquel leur rôle était de créer des limites. D'où les deux règles fondamentales de la procédure parlementaire, qui ont subsisté jusqu'à 1958, et qui n'ont pas peu contribué, à partir de 1876, à la primauté acquise par la Chambre des députés sur le Gouvernement : *la Chambre* est toujours *maîtresse de son ordre du jour; elle discute les projets* qui lui sont *soumis par le Gouvernement,* non pas *dans la rédaction* que celui-ci leur a donnée, mais dans celle *établie par un organe propre à l'Assemblée,* la commission chargée de l'étude du projet préalablement à la discussion publique. Principes rigoureusement contraires à ceux qu'applique la Chambre des communes et dont les conséquences sur l'évolution du parlementaire français ont été considérables.

La Chambre est toujours maîtresse de son ordre du jour : pour qu'elle aborde un débat auquel le Gouvernement attache de l'importance, et que les adversaires de celui-ci chercheront souvent à retarder, il faut qu'elle le décide. Le Gouvernement n'aura pas seulement à obtenir qu'elle adopte les textes qu'il juge nécessaires, il lui faudra d'abord la convaincre de les discuter. Dans les dernières années de la IVe République, c'est sur l'inscription de certains textes à l'ordre du jour que se sont parfois greffés les débats politiques les plus importants; c'est toujours dans cette première phase de la procédure que les Gouvernements ont commencé à s'affaiblir, ou, selon le jargon parlementaire, à « s'user ».

Pendant longtemps, l'application de cet axiome du droit parlementaire a eu un autre effet : celui d'accentuer la précarité de l'existence du Gouvernement et de souligner la possibilité qu'avait la Chambre de mettre en cause à tout moment cette existence. Il suffisait qu'une interpellation inopinée fût déposée pour que la Chambre pût décider de la discuter immédiatement, en interrompant tout autre débat; or toute interpellation pouvait se terminer par le vote d'un ordre du jour de défiance, entraînant la démission du ministère. A vrai dire, l'absurdité de cette règle et le désordre qu'elle introduisait dans les travaux parlementaires la firent abandonner. Le règlement disposa, dès avant 1914, qu'un jour par semaine serait réservé à la discussion des interpellations. Mais il en résulta que ce fut parfois sur *la simple fixation de la date d'une interpellation,* que le Gouvernement fut mis en minorité.

A l'origine, le fait que le texte soumis aux délibérations publiques d'une assemblée fût le contre-projet de la commission et non le projet du Gouvernement, n'avait pas pour effet de soustraire à l'ensemble des députés la discussion initiale de ce dernier. On nommait une commission pour l'examen du projet; à cet effet, celui-ci était renvoyé aux bureaux, sortes de sections de l'assemblée entre lesquelles tous ses membres étaient répartis chaque mois par tirage au sort; c'était après une discussion dans ces bureaux que ceux-ci désignaient, pour faire partie de la commission et y exprimer leur point de vue, un ou plusieurs de leurs membres. Mais cette première discussion dans les bureaux devint très tôt fictive. La multiplication des projets empêcha de nommer une commission particulière pour l'examen de chacun d'eux. On prit l'habitude de renvoyer certains textes à une commission existante, déjà saisie d'un projet analogue. On nomma parfois les commissions au scrutin de liste, le bureau ne jouant en ces cas que le rôle d'une section de vote. Puis, on désigna *des commissions permanentes* qui devaient être chargées de rapporter tous les projets entrant dans leur compétence. Ce système, d'abord exceptionnel, devint la règle en 1902, mais les commissions permanentes étaient encore nommées par les bureaux. En 1910, à la Chambre (en 1920 seulement au Sénat), on renonça à ce procédé de nomination pour *un système de représentation proportionnelle des groupes,* qui eut pour effet, à la fois d'accroître l'autorité des commissions, dès lors politiquement à l'image de l'assemblée, et de figer leur composition, que modifiait automatiquement jusque-là le hasard de la répartition de leurs membres sortants entre les divers bureaux.

Cette évolution, qui s'étendit sur plusieurs décennies, depuis les Chambres de la Restauration et de la monarchie de Juillet jusqu'à celles de la IIIe et de la IVe République, tendit à *faire des commissions parlementaires des intruments particulièrement efficaces de l'affaiblissement de l'autorité gouvernementale.* Il y avait à peu près une commission par département ministériel. Elle combattait le responsable de ce département plus habituellement qu'elle ne collaborait avec lui, et le président de la commission se considérait volontiers comme le futur ministre, ce qui ne le portait pas (non plus que les candidats à sa succession éventuelle) à faire grand cas de la stabilité gouvernementale...

Une fois le rapport de la commission rédigé et distribué et la discussion inscrite à l'ordre du jour d'une séance publique, le débat s'engageait par un discours du rapporteur de la commission; puis intervenaient les orateurs qui avaient demandé à présenter des observations — généralement critiques — dans la discussion générale. Le ministre, auteur du projet initial et à qui incomberait la responsabilité d'appliquer le texte sorti des délibérations du Parlement, n'était presque toujours entendu qu'à la fin de la discussion générale, de même qu'en Cour d'Assises, l'accusé doit toujours avoir la parole le dernier. On passait alors à la discussion des articles, à propos de chacun desquels on appelait les amendements présentés par des membres de l'assemblée, dans un ordre que déterminaient l'endroit du texte où ils se plaçaient, et leur éloignement quant au fond par rapport au texte de la commission. Mais le représentant du Gouvernement n'avait pas le droit d'amendement. S'il était en désaccord avec une proposition de la commission, il lui fallait, soit convaincre le rapporteur de la modifier, soit demander à un membre de l'assemblée de signer l'amendement qu'il jugeait nécessaire.

Les votes avaient lieu, en général, à mains levées ou par assis et levés; lorsqu'un groupe, la commission ou le Gouvernement le demandait, on procédait à un scrutin par bulletins portant les noms des votants, et leur liste était imprimée à la suite du compte rendu officiel de la séance. L'habitude s'instaura vite d'autoriser les présents à déposer dans les urnes les bulletins de collègues absents, si bien qu'il n'y avait aucun rapport entre le nombre des parlementaires participant vraiment à un débat, et celui des votants pour ou contre dans les scrutins publics.

Tout, dans cette procédure, était de nature à affaiblir la position du Gouvernement devant la souveraineté de la Chambre, et à rendre inévitable, dans l'élaboration des textes, certains défauts de cohérence. Aussi des parlementaires clairvoyants n'ont-ils pas attendu l'effondrement de la IVᵉ République pour proposer de la retoucher.

Il a déjà été fait allusion aux précautions prises pour tenter d'éviter qu'une interpellation inopinée pût à tout moment venir mettre en question l'existence du Gouvernement. C'est dans le domaine financier que furent adoptées le plus tôt des dispositions réglementaires destinées à écarter les amendements inconsidérés. Alors que celles du début du XIXᵉ siècle avaient pour préoccupation essentielle d'empêcher le gonflement injustifié du budget, les assemblées du XXᵉ siècle jugeaient le plus souvent insuffisants les crédits demandés par le Gouvernement. Entre les deux guerres, le règlement de la Chambre fut modifié pour interdire les amendements qui tendaient à augmenter les dépenses sans créer en même temps les ressources correspondantes. La Constitution de la IVᵉ République rendit irrecevable, lors des débats budgétaires, tout amendement tendant à majorer un crédit. Le règlement de l'Assemblée nationale étendit pratiquement cette règle à toutes les discussions. Des dispositions législatives établirent annuellement les maxima que ne pourraient dépasser les diverses catégories de dépenses publiques. Mais beaucoup de ces règles pouvaient être tournées : on proposait des mesures qui ne prendraient effet qu'à l'exercice suivant, ou bien l'on votait une motion ajournant la discussion d'un budget jusqu'à ce que le Gouvernement proposât, par lettre rectificative, la majoration des crédits qu'il avait initialement demandés. A dire vrai, le principe de la souveraineté parlementaire ne pouvait guère se concilier avec le désir de protéger les finances publiques contre les initiatives du Parlement.

On essaya, sous la IVᵉ République, de *préserver la stabilité gouvernementale,* en précisant la procédure par laquelle pourrait être mise en cause la responsabilité ministérielle. Aux termes de la constitution de 1946, le Gouvernement n'était tenu de remettre sa démission que si la majorité des députés en exercice lui avaient explicitement refusé la confiance, par un vote intervenu après un délai de réflexion, ou s'ils avaient adopté une motion de censure. *Ces précautions furent inefficaces.* Plusieurs Gouvernements se retirèrent sans avoir posé la question de confiance dans les formes constitutionnelles. D'autres démissionnèrent alors que la confiance ne leur avait pas été refusée (en ce sens que la majorité des députés en exercice ne s'était pas prononcée contre eux) parce qu'une simple majorité des votants avait rejeté une mesure qu'ils jugeaient nécessaire. La plupart des crises ministérielles s'ouvrirent ainsi, entre 1947 et 1958, dans des conditions non prévues par la constitution. Or, la dissolution ne pouvait éventuellement intervenir que si, dix-huit mois après l'ouverture de la législature, l'Assemblée avait, à deux reprises et à moins de dix-huit mois d'intervalle, voté à la majorité absolue de ses membres en exercice pour la censure ou contre la confiance. Les conditions dans lesquelles se produisirent la plupart des crises faisaient donc qu'elles ne correspondaient pas à la réalisation de ces conditions. Inversement, lorsqu'à la fin de 1955 celles-ci se trouvèrent fortuitement réunies, il devait paraître impossible de ne pas prononcer la dissolution.

Par une sorte de détournement de leur but initial, les règles énoncées par la constitution de 1946 à l'égard de *la question de confiance* donnèrent néanmoins lieu sur un point à une application de nature à renforcer la position du Gouvernement. L'usage s'introduisit en effet d'engager dans les formes constitutionnelles la responsabilité du Gouvernement à la fois sur plusieurs questions : adoption d'un ou plusieurs articles, rejet de tout amendement ou complément à ses textes et de toute motion dilatoire, parfois même aussi adoption de l'ensemble du projet de loi. Ainsi pouvait-on, par un seul vote, briser l'obstruction éventuelle de l'opposition et surtout faciliter la position de députés de la majorité, désireux de ne pas renverser le Gouvernement, mais auxquels il aurait été difficile de ne pas se prononcer en faveur de certains amendements si ceux-ci avaient été mis aux voix isolément.

La procédure budgétaire fut également *modifiée à la fin de la IVᵉ République.* Depuis la Restauration, la structure du projet de loi de finances s'était constamment compliquée, et le nombre des chapitres de crédits, faisant chacun l'objet d'un vote particulier des Chambres, s'était extraordinairement multiplié. Publié par délégation des Chambres, un décret de 1956 transforma complètement cette procédure, en admettant l'adoption par un seul vote de toutes les dépenses correspondant à la simple reconduction de mesures antérieurement votées, et en instituant, pour les mesures nouvelles, le vote, non plus par chapitres, mais par titres à l'intérieur de chaque ministère. Des précautions, d'ailleurs souvent inopérantes, furent prises contre toutes les formes que l'ingéniosité des parlementaires pouvait donner à leurs initiatives de dépenses, telles que motions d'ajournement ou amendements indicatifs.

Sans entrer dans plus de détails, on peut résumer les indications qui précèdent en constatant que les règles traditionnelles de la procédure parlementaire française tendaient à rendre très malaisé l'exercice de la fonction gouvernementale, dans la mesure où celle-ci suppose nécessairement des rapports avec les Chambres. La tendance à la souveraineté parlementaire en était considérablement renforcée. Mais les inconvénients de cette situation étaient si manifestes que, bien avant 1958, on avait commencé à y chercher des remèdes.

L'exercice du pouvoir législatif

La constitution de 1958 a accentué et systématisé cette évolution, en énonçant en matière de procédure parlementaire un certain nombre de règles nouvelles et en limitant ainsi à l'application de ces principes le domaine, autrefois presque illimité, de la compétence des règlements votés par les assemblées elles-mêmes : il y a eu là une *innovation fondamentale dans la tradition constitutionnelle française*; cette innovation provenait de la volonté des auteurs de la constitution de 1958 de rendre impossible la réapparition des traditions du parlementarisme français jugées par eux dangereuses pour la survivance même de l'institution parlementaire.

Le rôle du Parlement dans la vie politique de l'État devant être plus limité que sous la IIIe et la IVe République, les auteurs de la constitution de 1958 ont défini plus strictement que par le passé les périodes pendant lesquelles il serait réuni. Il existe deux sessions ordinaires. L'une d'elles, essentiellement consacrée à l'adoption du budget, s'ouvre au début d'octobre et dure quatre-vingts jours. L'autre, qui ne peut durer plus de quatre-vingt-dix jours, commence au début d'avril. Le président de la République peut en outre convoquer des sessions extraordinaires, soit à la demande du Gouvernement, soit sur celle de la majorité des députés. En ce dernier cas, la durée de la session extraordinaire ne peut dépasser douze jours. Contrairement à la pratique antérieure, il a été admis en 1960 que la demande de la majorité des députés ne lie pas le chef de l'État, qui conserve ainsi un pouvoir d'appréciation décisif à l'égard de la convocation de toute session extraordinaire.

Les règles fixées par la constitution en matière de procédure parlementaire concernent l'exercice du pouvoir législatif des Chambres et celui de leur fonction de contrôle politique.

En matière législative, *les dispositions de la constitution* correspondent toutes au désir d'améliorer la position du Gouvernement dans les débats. Leur convergence a en effet *transformé, au point de le renverser, l'ancien équilibre des forces* : le Gouvernement a maintenant le droit de faire inscrire par priorité à l'ordre du jour les projets et propositions de loi dont il juge la discussion nécessaire ; la délibération en séance publique des projets de loi gouvernementaux ne porte plus sur le texte élaboré par la commission, mais sur celui que le Gouvernement a déposé ; les ministres disposent du droit d'amendement dans les mêmes conditions que les membres des assemblées ; enfin, la procédure de vote bloqué, instituée jurisprudentiellement sous la IVe République sous le couvert de la question de confiance, a été maintenue pour tous les débats : il suffit que le Gouvernement le demande pour que l'assemblée doive se prononcer par un seul vote sur tout ou partie d'un texte, compte tenu des seuls amendements acceptés par le ministre compétent.

On a cherché à *réduire l'influence des commissions* parlementaires. A cet effet, on a ressuscité les anciennes commissions spéciales, non permanentes, chargées de l'examen d'un texte déterminé. De telles commissions peuvent être créées sur l'initiative parlementaire, mais doivent l'être lorsque le Gouvernement le demande — en général parce qu'il s'agit d'un projet complexe, sur lequel diverses commissions permanentes auraient compétence pour formuler un avis, complémentaire du rapport de la commission saisie au fond. On a réduit d'autre part à six le nombre maximum des commissions permanentes de chaque assemblée, dans l'intention d'éviter que leurs travaux ne fussent menés dans une optique trop particulière.

Cette dernière réforme n'a pas eu les effets qu'en attendaient ses auteurs : d'effectif pléthorique, parce que les Chambres, maîtresses de la décision sur ce point, ont tenu à ce que chacun de leurs membres pût appartenir à une commission permanente, plusieurs des commissions à compétence générale instituées en 1959 se sont divisées en groupes de travail spécialisés, de sorte que l'ancienne configuration des commissions se retrouve aujourd'hui sous un autre nom.

En matière financière, l'évolution tendant à *la restriction des droits d'initiative* des membres du Parlement et des commissions, largement commencée avant 1958, a été couronnée par l'énonciation d'une règle absolument générale, selon laquelle, ni par proposition de loi, ni par amendement, les députés et les sénateurs n'ont le droit de prendre l'initiative de mesures tendant à accroître les charges ou à réduire les ressources publiques.

Enfin, l'article 34 de la constitution a défini le domaine de la loi, toutes les matières qui n'y figurent pas relevant automatiquement de la compétence réglementaire du Gouvernement. Cette *limitation du domaine de la loi* réserve aux Chambres la détermination des règles concernant les libertés publiques, les sujétions imposées aux personnes et aux biens par la défense nationale, la nationalité, l'état des personnes, les successions et libéralités, la détermination des crimes et délits et des peines qui leur sont applicables, la procédure pénale, l'amnistie, la création de nouveaux ordres de juridiction, le statut des magistrats, la fiscalité, le régime monétaire, les régimes électoraux, la création de catégories d'établissements publics, le statut des fonctionnaires civils et militaires, les nationalisations et dénationalisations d'entreprises.

En d'autres domaines, la loi n'a à déterminer que des principes fondamentaux, et non pas des règles détaillées : organisation de la défense nationale, administration des collectivités locales, enseignement, régime de la propriété, des droits réels et des obligations, droit du travail, droit syndical, sécurité sociale.

Des lois de finances doivent intervenir pour déterminer les ressources et les charges de l'État — c'est-à-dire pour établir le budget annuel — et des lois de programme pour fixer les objectifs de l'action économique et sociale de l'État. La procédure de vote des lois de finances est déterminée par une loi organique, qui a repris, en les précisant, les règles fixées en la matière par le décret de 1956, et leur a ajouté l'institution d'un délai de soixante-dix jours, à l'expiration duquel, si le Parlement n'a pas adopté ou rejeté le projet de loi de finances, celui-ci peut être promulgué par ordonnance.

Pour important, quantitativement et qualitativement, que demeure le domaine de la loi, c'est-à-dire celui de la compétence du Parlement, défini par l'article 34 de la constitution, ce texte n'en a pas moins établi une restriction sensible du pouvoir traditionnel des Chambres. De nombreuses matières ayant fait l'objet de lois avant 1958 relèvent maintenant du pouvoir réglementaire; ces lois peuvent être modifiées par décret, après consultation du Conseil d'État. On a même prévu que, si des lois intervenaient postérieurement à la promulgation de la constitution dans des matières relevant du pouvoir réglementaire, le Gouvernement pourrait les modifier par décret, sur autorisation du *Conseil constitutionnel.*

Ce dernier est une autorité chargée de régler le contentieux résultant de l'application de la constitution (en même temps que de statuer sur la régularité des élections présidentielles ou législatives et des référendums). Composé de neuf membres nommés pour neuf ans — à raison de trois par le président de la République, trois par le président du Sénat et trois par le président de l'Assemblée nationale — et, comme membres de droit, des anciens présidents de la République, il peut être saisi par les autorités qui participent à la nomination de ses membres, par le Premier ministre, ou, depuis 1974, par 60 députés ou

60 sénateurs, de la conformité à la constitution de toute loi adoptée par les Chambres, et il a le droit de s'opposer à la promulgation de tout ou partie de ces textes.

Il intervient en outre pour contrôler l'exercice de l'initiative parlementaire : si celle-ci porte sur une matière réglementaire, l'exception d'irrecevabilité soulevée par le Gouvernement s'applique de plein droit lorsqu'elle est reconnue valable par le président de l'Assemblée intéressée; dans le cas contraire, le Conseil constitutionnel est saisi, et sa décision s'impose aux Chambres.

Lorsque le Gouvernement conteste la recevabilité d'une initiative parlementaire, non parce qu'elle concerne une matière réglementaire mais parce qu'elle aurait pour effet, en cas d'adoption, d'entraîner une majoration des charges ou une réduction des ressources publiques, le Conseil constitutionnel ne peut intervenir immédiatement; c'est à la commission des Finances de chaque Chambre qu'il appartient, en vertu des règlements de l'Assemblée nationale et du Sénat, de statuer sur la recevabilité des amendements, et les bureaux des Chambres doivent se prononcer sur celle des propositions de loi. Mais si la mesure contestée est finalement adoptée, le Conseil constitutionnel peut être saisi, et il a la faculté d'interdire la promulgation de la partie de la loi qui résulte d'une initiative jugée par lui contraire à la constitution.

Enfin, les règlements des assemblées et les modifications que celles-ci veulent leur apporter ne peuvent être appliqués que si le Conseil constitutionnel a reconnu leur conformité à la constitution.

Les précautions prises par les auteurs de la constitution de 1958 pour définir le domaine dans lequel s'exerce le pouvoir législatif des Chambres, pour fixer une procédure de discussion propre à asseoir l'autorité du Gouvernement dans les débats et pour organiser le contentieux de l'application de ces règles, ont eu pour effet de faciliter beaucoup la tâche du Gouvernement, lorsque celui-ci désire faire adopter par le Parlement la législation qu'il estime nécessaire à l'exécution de son programme.

La constitution ne s'est cependant pas bornée à cela. Elle *autorise le Parlement à déléguer temporairement au Gouvernement,* statuant par voie d'ordonnances signées par le président de la République, *le droit de légiférer à sa place* dans certains domaines.

Elle donne d'autre part au président de la République le droit de décider, sur proposition du Gouvernement, au cours des sessions du Parlement, ou sur la suggestion concordante des deux Chambres, qu'un projet de loi, portant sur l'organisation des pouvoirs publics ou concernant la ratification de certains traités, sera soumis à référendum. En octobre 1962, cette procédure a été utilisée pour l'adoption d'un projet modifiant les articles de la constitution sur le mode d'élection du président de la République. Mais en avril 1969, le suffrage universel a rejeté le projet de loi concernant la création des régions et la réforme du Sénat qui lui était soumis par référendum, et qui comportait la modification de nombreux articles de la constitution.

Le pouvoir législatif des Chambres, sur lequel elles s'étaient appuyées au XIXᵉ siècle pour développer leur rôle proprement politique, se trouve donc aujourd'hui à la fois circonscrit et réglementé dans des conditions qui ont beaucoup contribué depuis 1958 à restaurer l'autorité du pouvoir gouvernemental et présidentiel, dont les auteurs de la constitution estimaient qu'il avait été excessivement affaibli par la manière dont avaient été appliqués les textes constitutionnels de 1875 et de 1946.

Jusqu'à 1981, les partis de gauche critiquaient vigoureusement les règles de procédure parlementaire énoncées dans la constitution. Au lendemain de son élection, François Mitterrand s'est déclaré résolu à élargir en ce domaine la liberté d'action des parlementaires, ce qui a pu faire penser que certaines des dispositions adoptées en 1958 risquaient de tomber en désuétude. En définitive, il n'en a rien été. Si certains articles de la constitution, par exemple celui qui permet au Gouvernement d'imposer un vote bloqué, ont été invoqués moins souvent qu'en d'autres périodes, chacune des procédures introduites dans la constitution pour éviter au pouvoir certaines difficultés dans ses rapports avec les Chambres, a été utilisée au cours des trois premières années d'existence du Gouvernement de Pierre Mauroy. On est donc en droit de penser que *le nouvel équilibre introduit en 1958 dans les rapports entre le Gouvernement et le Parlement fait aujourd'hui l'objet d'un consensus général.*

La fonction de contrôle

La constitution n'en a pas moins reconnu au Parlement de la Ve République une fonction politique, en lui donnant les moyens d'exercer sur le Gouvernement certains droits de contrôle. Mais, ici encore, elle a *réglementé avec précision les mécanismes* qui résultaient autrefois soit de la coutume, soit des règlements des Chambres.

Le principe fondamental de cette réglementation a consisté à n'autoriser les Chambres à émettre des votes ayant une portée purement politique que dans les cas où la responsabilité du Gouvernement serait officiellement mise en cause.

Les assemblées parlementaires, par le vote de « résolutions » (c'est-à-dire de vœux sans portée obligatoire) ou de motions, appelées « ordre du jour », qui constituaient la conclusion de la discussion des interpellations, avaient autrefois la faculté d'exprimer à tout moment l'opinion de leur majorité sur la politique du Gouvernement. En droit, cette opinion ne s'imposait pas au pouvoir; mais lorsqu'elle différait de celle qu'avait exposée le Gouvernement, l'autorité de celui-ci n'en était pas moins affaiblie. Le processus classique d'une offensive contre un président du Conseil comportait souvent de tels votes indicatifs, destinés à l'user, avant la mise en cause ouverte de sa responsabilité.

Ces votes sont aujourd'hui interdits aux assemblées par l'interprétation que le Conseil constitutionnel a donnée en 1959 de la constitution, à l'occasion de l'examen des règlements adoptés par l'Assemblée nationale et par le Sénat.

Les membres des deux Chambres n'en ont pas moins le droit d'obtenir du Gouvernement qu'il s'explique sur tous les aspects de sa politique : il leur suffit à cet effet de poser des *questions orales,* comportant éventuellement un débat ouvert à d'autres orateurs que l'auteur de la question. Chaque semaine, pendant les sessions ordinaires, une séance est réservée par priorité, dans chaque assemblée, à ces questions et aux réponses des ministres, et la liste des questions inscrites à l'ordre du jour de cette séance est fixée librement par la Chambre intéressée.

Les questions orales sans débat n'ont jamais comporté de vote. En 1959, les deux Chambres avaient adopté des règlements qui leur auraient permis de terminer par le vote d'une motion la discussion des questions orales avec débat : mais le Conseil constitutionnel a considéré cette faculté comme contraire à la constitution, et les règlements de l'Assemblée nationale et du Sénat ont dû être modifiés en conséquence.

La procédure des questions n'en devrait pas moins constituer un bon moyen pour le Parlement de jouer son rôle vis-à-vis de l'opinion publique en provoquant des débats importants par leur objet. Mais trop souvent, les questions orales se déroulent dans l'indifférence et l'inattention, soit parce que leur objet est trop mince, soit parce que les débats auxquels elles donnent lieu sont interminablement prolongés par nombre d'interventions de peu d'intérêt. *Les membres du Parlement français,* fidèles à une ancienne tradition, *pensent* en somme *qu'un débat qui n'aboutit pas à un vote n'a à peu près aucune raison d'être.* Un effort intéressant a été fait à l'Assemblée nationale depuis 1973 pour rendre son intérêt à la procédure des questions orales : chaque semaine, une heure est consacrée à des *questions d'actualité,* posées pour moitié par l'opposition, pour moitié par la majorité, ce qui donne lieu à des échanges de vues beaucoup plus brefs, plus spontanés et donc plus intéressants que ce n'était le cas avec la procédure traditionnelle. Il en est de même au Sénat depuis 1982.

Des débats analogues à beaucoup d'égards à ceux que les Chambres consacrent à certaines questions orales peuvent avoir lieu, sur l'initiative du Gouvernement, lorsque celui-ci fait une déclaration à une assemblée sans en demander l'approbation par un vote. En ce cas, à l'Assemblée nationale, un débat ne peut suivre la communication que si le Gouvernement l'accepte, alors que cette réserve n'existe pas dans le règlement du Sénat. De toute façon, l'intérêt de la discussion tient exclusivement à la qualité des interventions, aucun scrutin ne pouvant intervenir.

La mise en cause devant le Parlement de la responsabilité du Gouvernement peut être le fait de celui-ci : il peut demander l'approbation de son programme à l'Assemblée nationale, ou celle d'une déclaration de politique générale à l'une ou l'autre des deux assemblées. Le refus d'approbation — résultant d'un vote émis à la simple majorité des suffrages exprimés — oblige le Gouvernement à remettre sa démission, s'il est le fait de l'Assemblée nationale ; la constitution ne précise pas quelles devraient être éventuellement les conséquences d'un tel refus émanant du Sénat.

Le Gouvernement a également la faculté d'engager son existence, mais seulement devant l'Assemblée nationale, sur le vote d'un texte. En ce cas, le texte dont il s'agit est considéré comme adopté si la décision du Gouvernement — qui équivaut à ce qu'on appelait autrefois « poser la question de confiance » — n'est pas suivie, dans les vingt-quatre heures, du dépôt d'une motion de censure. Il l'est également si la motion de censure déposée n'est pas adoptée par l'Assemblée nationale.

Mais une *motion de censure* peut être également proposée, indépendamment de toute prise de position du Gouvernement. Elle doit être signée d'au moins un dixième des membres de l'Assemblée nationale, chacun d'entre eux n'ayant le droit de le faire qu'une seule fois par session (sauf si le Gouvernement a engagé son existence sur le vote d'un texte). Toute motion de censure déposée est obligatoirement discutée, mais elle ne peut être adoptée que si elle recueille les voix de la majorité des membres composant l'Assemblée, les votes favorables à la censure étant seuls émis et recensés. Ce mécanisme, qui avait été proposé sous la IVe République par le MRP, pour remédier aux inconvénients du système alors en vigueur et selon lequel la confiance pouvait n'être pas refusée au Gouvernement lors d'un vote où se formait cependant contre lui une majorité des suffrages exprimés, a en somme pour effet de faire considérer automatiquement comme non favorables à la censure, donc comme partisans du Gouvernement, les députés absents et les abstentionnistes. Il constitue un gros obstacle au renversement du Gouvernement par l'Assemblée nationale, puisque la censure peut être rejetée, même lorsqu'une minorité des députés serait seule disposée à se prononcer explicitement en faveur du cabinet.

La réglementation de l'exercice du droit de contrôle du Parlement sur le Gouvernement est donc organisée de façon à rendre les crises ministérielles, sinon impossibles, au moins difficiles à ouvrir : la combinaison des règles sur la majorité nécessaire pour l'adoption de la censure, avec celles qui concernent la faculté pour le Gouvernement d'engager son existence sur un texte, permet à un ministère contre lequel l'opposition n'atteint pas la moitié des députés en exercice, d'obtenir le vote des projets de loi qu'il juge indispensables, même si ses partisans déclarés ne possèdent pas non plus la majorité.

Il n'en reste pas moins que, malgré ces précautions, il peut advenir qu'un vote de l'Assemblée nationale contraigne le Gouvernement à présenter sa démission au président de la République, comme en octobre 1962. Mais aujourd'hui — sauf si l'on se trouve dans la première année d'existence d'une Assemblée nationale elle-même élue après dissolution de la précédente — *le chef de l'État possède le droit discrétionnaire de dissoudre l'Assemblée,* et d'en appeler ainsi devant le corps électoral du verdict rendu à l'encontre de son Gouvernement par la majorité des députés. Ce principe, à la différence de la réglementation de la question de confiance et de la motion de censure inspirée par l'expérience du parlementarisme à la française sous la IIIe et la IVe République, est conforme à ceux du régime parlementaire tel qu'il fonctionne depuis le xixe siècle dans la plupart des États qui l'ont adopté, sous réserve que, dans ces cas, c'est le chef du Gouvernement qui décide en fait la dissolution, même si ce n'est pas lui qui la prononce.

L'ensemble des précautions prises par les auteurs de la constitution de 1958 contre une réapparition de l'instabilité gouvernementale peut donner *une impression d'excès.* D'aucuns en ont conclu que le Parlement de la Ve République était un Parlement « humilié ». Il y a dans une telle appréciation une part trop grande de subjectivité pour qu'on puisse la confirmer ou la démentir en toute certitude. Il est certain que le Parlement n'est plus souverain, et qu'on a voulu l'empêcher de le redevenir. Mais lorsque, dans les dernières années de la IIIe et de la IVe République, la Chambre des députés et l'Assemblée nationale multipliaient en alternance l'ouverture de crises ministérielles de plus en plus difficiles à résoudre, et le consentement à des délégations presque complètes du pouvoir législatif — sans parler des véritables reniements politiques de la part de la majorité, constitués en 1926 par la confiance accordée à Poincaré, en 1940 par la délégation du pouvoir constituant au maréchal Pétain, en 1954 par l'investiture de Pierre Mendès France comme président du Conseil, en 1958 par celle du général de Gaulle —, n'y avait-il pas là, pour le Parlement, plus sérieux motif d'humiliation que dans les règles adoptées aujourd'hui pour le protéger contre les tentations auxquelles cédaient trop aisément ses prédécesseurs?

Il est un domaine, cependant, dans lequel les constituants de 1958, selon le texte qu'ils avaient rédigé, avaient paru laisser au Parlement plénitude de compétence : c'est celui de *la révision constitutionnelle*. Celle-ci, aux termes de l'article 89 de la constitution, résulte des votes concordants des deux assemblées, ratifiés, soit par leur réunion en congrès (si le président de la République en décide ainsi), soit par référendum.

A la vérité, ce système de révision, par la faculté de *veto* qu'il reconnaissait à chacune des deux assemblées parlementaires, était en contraste étonnant avec l'ensemble des principes et des règles établis par la constitution de 1958 quant à la compétence des Chambres. Le précédent de l'automne 1962, selon lequel il est possible qu'une révision résulte de l'adoption par référendum d'un projet directement soumis au suffrage universel par le président de la République, a mis fin à ce qu'on pouvait donc considérer comme une anomalie.

Les constituants de 1958 n'ont pas seulement fixé au fond, avec beaucoup de précision, les règles applicables à l'exercice du pouvoir législatif et des droits de contrôle politique des Chambres : ils ont aussi voulu intervenir dans la manière dont celles-ci voteraient. La constitution pose *le principe du vote personnel* des membres du Parlement, tout en autorisant exceptionnellement les députés ou sénateurs absents à une séance pour un motif légitime, à déléguer leur droit de vote à un collègue. On aurait ainsi voulu mettre fin au système du vote par les « boîtiers » — c'est-à-dire par les parlementaires auxquels étaient confiées les boîtes de bulletins de leurs collègues —, à la fois générateur d'absentéisme et peu favorable à la prise de conscience de leur responsabilité personnelle par les membres des Chambres. Mais le poids de *la tradition* s'est révélé *plus fort que les textes* et, sous des formes diverses, le vote pour le compte des absents est réapparu, avec l'accord tacite de tous les partis politiques, dans la réalité du fonctionnement du Parlement français, en dépit de la règle constitutionnelle qui le proscrit.

C'est là un signe, peut-être mineur, de la difficulté qu'il y a à modifier des habitudes enracinées. Le redressement du parlementarisme qu'ont voulu réaliser les auteurs de la Constitution de 1958 se heurtait sur presque tous les points aux traditions des Chambres françaises. Beaucoup de membres de l'Assemblée nationale, même parmi ceux qui sont devenus parlementaires après la promulgation de la constitution de 1958, ont eu grand-peine à considérer comme définitives les limitations mises à leurs initiatives et les règles de procédure imposées à leurs travaux par cette constitution. Ils ont longtemps paru croire qu'un jour ou l'autre la parenthèse serait refermée et qu'on reviendrait à un fonctionnement « normal » du parlementarisme, c'est-à-dire à la souveraineté des Assemblées qui avait existé jusqu'à 1958. Beaucoup d'entre eux ne se souvenaient apparemment pas que cette souveraineté avait failli tuer l'institution parlementaire, tant elle avait affaibli l'État.

Un tel état d'esprit était sans doute entretenu et renforcé par la manière dont, jusqu'au printemps 1969, le gouvernement a utilisé les moyens de procédure dont il dispose pour peser sur les décisions parlementaires, qu'il s'agisse des votes bloqués ou de l'inscription prioritaire à l'ordre du jour, qui a pu paraître parfois destinée à empêcher les Chambres de procéder à un examen approfondi des textes qui leur étaient soumis. A cet excès de raideur a succédé, depuis lors, une volonté évidente de manier avec souplesse les armes que la Constitution donne au pouvoir, afin de chercher autant que possible la solution des difficultés dans la voie de la conciliation plutôt que dans celle des mesures coercitives.

Ce climat nouveau des relations entre Parlement et Gouvernement a contribué à faire accepter par les assemblées le changement intervenu dans leur rôle par rapport à la IIIe et à la IVe République, ce qui devrait rendre plus efficace l'utilisation des moyens qui restent à leur disposition pour jouer le rôle qui doit être le leur, et dont on a essayé de montrer plus haut en quoi et pourquoi il demeure irremplaçable.

UNE OU DEUX ASSEMBLÉES?

La structure du Parlement pose un problème : doit-il comporter une ou deux Assemblées? S'il en comporte deux, comment doit être recrutée celle qui n'est pas élue au suffrage universel direct, et quel doit être son rôle? Les données de ce problème ont considérablement évolué depuis un siècle et demi.

A l'origine du système parlementaire, on trouve en général, pour équilibrer le rôle de la Chambre élue, une assemblée aristocratique, composée de pairs héréditaires ou nommés à vie par le monarque. Mais ce système, s'il a pu survivre en Angleterre jusqu'en 1910 (la Chambre des lords ne joue plus depuis lors qu'un rôle politique très effacé), a disparu en France à la fin du xixe siècle, avec le Second Empire.

Du Sénat au Conseil de la République

Les auteurs des lois constitutionnelles de 1875, contraints par des raisons de circonstance d'instituer la République malgré leurs préférences monarchistes, ont conçu *le Sénat* comme devant faire *contrepoids à la Chambre des députés* et voulu en faire une *forteresse conservatrice*. Se méfiant des tendances avancées des habitants des villes, ils ont imaginé de faire élire les membres de la Chambre Haute par un collège départemental comprenant, outre les députés et les élus cantonaux, un délégué de chaque conseil municipal, quelle que fût la population de la commune — ce qui assurait dans ce collège une prépondérance écrasante aux habitants des régions rurales — et de réserver en outre un quart des sièges à des sénateurs inamovibles, désignés à l'origine par l'Assemblée nationale élue en 1871, puis, au fur et à mesure des vacances, cooptés par le Sénat lui-même. Les républicains ne s'étaient résignés à accepter ce système et à reconnaître au Sénat des pouvoirs égaux à ceux de la Chambre, que dans l'intention de modifier profondément le statut de la seconde Chambre aussitôt qu'ils en auraient le pouvoir. Mais la césure apparue entre opportunistes et radicaux et le fait qu'à partir de 1879 le Sénat eut une majorité républicaine, rallièrent les « républicains de gouvernement » à une conception assez proche de celle des constituants de 1875, celle-là même qu'Édouard Herriot devait exprimer en 1946 en demandant que la seconde Chambre fût assez puissante pour être un frein efficace, l'Assemblée issue du suffrage universel devant jouer au contraire le rôle de moteur.

Pour renforcer l'autorité politique du Sénat, Jules Ferry fit adopter, en 1884, une modification des règles de son recrutement. Les sièges des sénateurs inamovibles furent dès lors transférés, au décès de leurs titulaires, aux départements que le recensement de 1881 faisait apparaître comme les plus peuplés. Le nombre des délégués des conseils municipaux, sans être rendu proportionnel à la population des communes, comme Gambetta l'avait proposé en 1881, fut diversifié, de façon à atténuer le privilège consenti à l'origine aux plus petites communes, mais sans que les agglomérations de quelque importance fussent cependant dotées, dans les collèges sénatoriaux, d'un nombre de voix correspondant au chiffre de leur population.

Peu de temps après cette réforme, les républicains eurent à se féliciter d'avoir conservé un Sénat puissant : lors de la crise boulangiste, la Haute Assemblée fut unanime à se montrer réfractaire aux tendances révisionnistes. Elle constitua alors *un point d'appui précieux pour les républicains du centre,* auxquels l'échec final de l'entreprise de Boulanger allait conférer pour plusieurs années la prépondérance politique; cette circonstance ne contribua pas peu à la faire mieux accepter par ceux qui l'avaient autrefois combattue. De même, au moment de la crise de Panama, puis de l'affaire Dreyfus, on put constater que le Sénat, protégé par son régime électoral contre les emballements à court terme de l'opinion publique, était en mesure de contribuer efficacement à maintenir l'équilibre du régime. A partir de 1900, les propositions de réforme de son mode d'élection, réitérées de temps en temps dans les congrès radicaux, prirent de plus en plus clairement le caractère de simples manifestations rituelles, que nul ne songeait à prendre au sérieux. Le Sénat, sans doute, ne mettait parfois pas grande hâte à voter les projets de réforme qui lui venaient de la Chambre. Mais c'est que ni celle-ci, ni le Gouvernement ne lui demandaient de les adopter. Le conservatisme foncier qui dominait la politique française avant 1914 s'accommodait fort bien de la combinaison de votes de principe réformateurs au Palais-Bourbon et d'ajournements prudents au Luxembourg. La responsabilité qu'on impute parfois au Sénat dans le retard apporté à l'adoption de certaines réformes — comme les retraites ouvrières et paysannes et l'impôt sur le revenu — incombe en réalité au même titre aux députés qu'aux sénateurs et aux Gouvernements qu'au Parlement.

C'est *à partir de 1919* que le mécanisme bicamériste institué en 1875 commença à donner des signes de dérèglement. *Le Sénat chercha* pendant vingt ans à faire prévaloir *une politique de concentration, excluant à gauche les socialistes, à droite les catholiques,* qui ne correspondait plus aux données de la vie politique et aux alliances entre partis pratiquées pour l'élection de la Chambre. D'où la multiplication des crises ministérielles provoquées par la Haute Assemblée : de 1875 à 1914, elle n'avait renversé que deux cabinets; de 1919 à 1939, elle en renversa cinq, ce qui était le symptôme évident d'une différence croissante entre l'atmosphère politique qui régnait au Luxembourg et celle du Palais-Bourbon.

Cette différence s'explique sans doute en partie par la longueur du mandat de sénateur, fixé en 1875 à neuf ans, avec renouvellement par tiers tous les trois ans; combinée avec le suffrage indirect, elle eut pour effet de préserver longtemps à la Haute Assemblée un climat politique en somme antérieur à 1914 et dont les facteurs avaient à peu près disparu dans le pays. Sans doute aussi la sclérose due au fait que la répartition des sièges de sénateurs entre départements correspondait à la distribution géographique de la population en 1881 eut-elle des effets fâcheux. *Les départements agricoles* qui s'étaient dépeuplés depuis le dernier quart du XIXe siècle conservaient trop de part dans le recrutement des sénateurs, les départements industriels et urbains qui avaient vu leur population s'accroître en avaient trop peu; progressivement, le Sénat perdait le contact avec les milieux et les régions où se posaient les problèmes les plus graves de la vie nationale. La Haute Assemblée continuait à jouer de façon très satisfaisante son *rôle législatif,* elle perfectionnait de façon indiscutable la rédaction des projets qui lui venaient de la Chambre. Mais, politiquement, elle ne parvenait plus à remplir le rôle stabilisateur qu'on s'accordait à lui reconnaître dans le fonctionnement des institutions. En écartant alors certaines réformes sociales — comme l'institution des congés payés, votée par la Chambre en 1931 — ou en faisant prévaloir en matière économique, financière et monétaire des conceptions d'un classicisme tout à fait dépassé, le Sénat n'a guère contribué à la fin de l'entre-deux-guerres à la solution des problèmes qui se posaient à la France.

C'est cependant moins pour cette raison que pour le punir rétrospectivement d'avoir renversé en 1937 et 1938 deux cabinets à direction socialiste (mais aussi d'avoir maintenu de façon intransigeante une conception nettement anticatholique de la laïcité de l'État) que les partis qui dominèrent la Constituante de 1945 — communistes, socialistes et républicains populaires — voulurent réduire à peu près à néant le rôle de la seconde Chambre. L'opinion publique voyait pourtant dans le bicamérisme une garantie précieuse contre la dictature d'une majorité éventuellement constituée par surprise à l'Assemblée nationale : *c'est au moins en partie parce qu'il était monocamériste que le texte constitutionnel soumis en mai 1946 au suffrage universel fut rejeté.*

Aussi la constitution du 27 octobre 1946 a-t-elle fait place à une seconde Chambre, baptisée Conseil de la République, et dotée de pouvoirs législatifs, politiques et financiers réels, quoique subordonnés à ceux de l'Assemblée nationale. Comme l'ancien Sénat, le Conseil de la République devait assurer la *représentation des collectivités locales*; son incorporation au Parlement lui conféra, malgré la restriction apportée à ses pouvoirs, le moyen de jouer un rôle politique qui fut loin d'être négligeable.

Sénat et Assemblée économique

La Vᵉ République a maintenu la seconde Chambre en lui rendant le nom de Sénat, et sans modifier les règles de son recrutement. Mais elle a institué, pour le vote des lois et du budget, *une procédure conçue de telle façon que l'opposition du Sénat ne fût efficace que lorsqu'il serait d'accord avec le Gouvernement* : si celui-ci n'en décide pas autrement, un texte législatif ou budgétaire ne peut en effet être adopté que par l'accord complet des deux Chambres. Mais lorsque le Gouvernement demande que la navette d'un projet d'une assemblée à l'autre soit interrompue par la constitution d'une commission mixte paritaire chargée de provoquer un accord entre Assemblée nationale et Sénat, et si cet accord ne se réalise pas, il suffit d'une décision du Gouvernement pour que l'Assemblée nationale reçoive le dernier mot et puisse passer outre à l'opposition du Sénat.

Or le régime électoral de la Haute Assemblée, par l'importance qu'il confère aux élus locaux, par le poids qu'il donne aux petites et moyennes communes, et par une répartition des sièges entre départements qui favorise les moins peuplés d'entre eux, a pour effet de renforcer les partis les plus anciens et d'affaiblir corrélativement ceux qui sont apparus le plus récemment.

D'où, *depuis 1959,* et plus encore qu'entre 1919 et 1939, *un contraste profond entre l'orientation politique du Sénat et celle de l'Assemblée* issue du suffrage universel direct. Sans doute ce contraste se trouve-t-il accentué par les changements survenus dans les facteurs qui déterminent la formation de l'opinion publique. Le Sénat exprime en effet le point de vue des conseillers généraux, des maires, des conseillers municipaux, dont l'influence d'autrefois sur le suffrage universel se trouve actuellement éclipsée par les tendances à la personnalisation du pouvoir et par le développement des moyens de communication modernes, radiodiffusion, télévision, mais aussi presse hebdomadaire illustrée et presse professionnelle.

Ainsi s'explique le conflit entre la majorité du Sénat et le pouvoir, latent depuis près de deux ans, qui est apparu en pleine lumière à l'automne 1962, au moment du référendum constitutionnel sur l'élection du président de la République au suffrage universel. Le Sénat ne pouvait pas ne pas être choqué par le recours à une procédure de révision qui lui paraissait contraire au texte de la Constitution, car le mécanisme d'une révision par voie parlementaire lui aurait conféré un rôle bien plus important qu'en matière législative. Le Sénat, où les partis dominants de la IIIe et de la IVe République possédaient la majorité, ne pouvait pas non plus ne pas être hostile à l'évolution qui tendait à éloigner de plus en plus le régime politique de la France de celui dans lequel ces partis s'étaient sentis plus à l'aise qu'aujourd'hui.

De la fin de 1962 au printemps 1969, cette situation a profondément détérioré le climat des relations entre le Sénat et le Gouvernement. Assuré de sa majorité au Palais-Bourbon, celui-ci n'a pas cherché autant qu'il aurait pu le faire à convaincre le Sénat du bien-fondé de ses projets; dans beaucoup de discussions, parfois très importantes, il s'est fait représenter au Palais du Luxembourg, non pas par des ministres, mais par de simples secrétaires d'État. Les relations politiques et protocolaires entre l'Élysée ou l'hôtel Matignon et la présidence du Sénat, dont le titulaire avait véhémentement pris position contre les responsables du référendum constitutionnel du 28 octobre 1962, ont été complètement interrompues. Il est arrivé de plus en plus fréquemment que le Gouvernement dût avoir recours au « dernier mot » de l'Assemblée nationale pour faire adopter des projets que, par la procédure du vote bloqué, il avait empêché le Sénat d'amender, et qui avaient, en conséquence, été repoussés par la Haute Assemblée.

L'importance de la victoire électorale de l'UDR en juin 1968, puis le changement survenu en octobre 1968 quant au titulaire de la présidence du Sénat, à laquelle accéda Alain Poher (Gaston Monnerville, qui l'occupait depuis mars 1947, y ayant renoncé) donnèrent pendant quelques semaines de l'automne 1968 l'impression que les relations entre le Sénat et le pouvoir allaient s'améliorer.

Mais le général de Gaulle, revenant d'ailleurs à cet égard à certaines idées qu'il avait exprimées dans son discours de Bayeux le 16 juin 1946, avait décidé en juillet 1968 de proposer au suffrage universel, par voie de référendum, une profonde réforme du recrutement et des pouvoirs du Sénat.

De son recrutement : selon le projet alors établi, le Sénat, à côté de sénateurs territoriaux, élus à la représentation proportionnelle dans le cadre des régions, par un collège dans lequel la détermination du nombre des délégués des conseils municipaux aurait beaucoup moins favorisé qu'auparavant les petites communes rurales, aurait comporté des sénateurs socio-professionnels, représentant les organisations professionnelles de l'industrie, du commerce, de l'artisanat, les syndicats de salariés, les professions libérales, les associations familiales et les activités culturelles.

De ses pouvoirs : à partir du moment où il n'aurait plus été entièrement élu, le Sénat, tout en continuant à appartenir au Parlement, aurait nécessairement perdu l'essentiel de son rôle politique. Il aurait conservé, en matière législative, une fonction consultative, qui aurait consisté dans la formulation d'avis sur les projets et propositions de loi, avant que ceux-ci ne fussent discutés par l'Assemblée nationale, étant cependant entendu qu'après cette discussion, le Gouvernement aurait eu la faculté de le saisir à nouveau avant la décision définitive de l'Assemblée.

Cette transformation du Sénat aurait eu naturellement pour corollaire la suppression du Conseil économique et social, puisqu'elle aurait abouti en réalité à une fusion entre cette assemblée et l'ancien Sénat, émanation des collectivités locales.

Tenu à l'écart de la préparation d'une réforme qui aurait complètement transformé son rôle et sa nature, le Sénat prit catégoriquement position contre elle. La campagne pour le vote NON au référendum, menée par son président et la très grande majorité de ses membres, a eu certainement une grande part dans le résultat négatif du référendum du 27 avril 1969.

Les choses en sont donc restées où elles en étaient en 1959 : ni le mode de recrutement ni les pouvoirs du Sénat n'ont été modifiés. Mais, de la session de l'automne 1969, à l'été 1981, ses rapports avec le Gouvernement se sont établis sur un registre très différent de celui des années antérieures, et la plupart des projets qui lui ont été soumis ont finalement été adoptés par lui dans les mêmes termes que par l'Assemblée nationale, dont le dernier mot a donc eu rarement à s'exercer.

Depuis juillet 1981, l'existence à l'Assemblée nationale d'une majorité de gauche a donné naissance à une situation à certains égards analogue à celle qui avait existé de 1962 à 1968. En désaccord de principe avec beaucoup d'aspects de la politique du Gouvernement, mais sachant que celui-ci, appuyé par la majorité de l'Assemblée nationale, serait toujours en mesure de faire finalement prévaloir son point de vue, le Sénat a rejeté purement et simplement plusieurs des projets les plus importants qui lui étaient soumis, et qui n'en ont pas moins reçu finalement force de loi grâce au « dernier mot » de l'Assemblée nationale. A aucun moment, cependant, le climat de ses relations avec le pouvoir ne s'est détérioré au même degré que de 1962 à 1969, et son rôle législatif a pu s'exercer dans toute sa plénitude à l'égard de la plupart des textes qui lui ont été soumis, et à propos desquels il n'éprouvait pas de désaccord de principe. Au cours de la session ordinaire du printemps 1983 et de la brève session extraordinaire qui l'a suivie, 54 lois ont été adoptées par l'accord des deux Chambres (7 fois grâce à une commission mixte paritaire), mais 16 l'ont été grâce au dernier mot de l'Assemblée nationale. De ces 70 lois, 5 seulement ont résulté d'une proposition de loi d'initiative parlementaire, ce qui montre bien le rôle essentiel qui ne peut pas ne pas être aujourd'hui dans tous les domaines celui du pouvoir gouvernemental.

Ce qui a été dit précédemment [1] de la différence qu'on peut constater dans les votes des mêmes électeurs selon qu'ils sont consultés dans le cadre d'élections nationales ou

---

1. Voir chapitre 2.

d'élections locales, permet de comprendre pourquoi l'existence d'une assemblée parlementaire qui soit l'émanation des conseils généraux et des conseils municipaux — selon une formule propre à la France, et qui n'a son équivalent nulle part ailleurs — peut être considérée comme de nature à perfectionner la représentation de l'opinion au Parlement : les élections municipales et départementales corrigent ce qu'il y a de massif et de peu nuancé dans les élections législatives, depuis que celles-ci sont caractérisées par un « comportement majoritaire » du suffrage universel. Il reste vrai, comme le général de Gaulle l'avait dit à Bayeux, que « la vie locale, elle aussi, a ses tendances et ses droits »; le rôle du Sénat est de les faire valoir; le peuple français, il l'a montré le 27 avril 1969 comme il l'avait fait le 5 mai 1946, tient à ce qu'il reste à même de remplir ce rôle.

On pourrait sans doute concevoir que le statut actuel du Sénat reçût les retouches propres à atténuer les anomalies actuelles de son recrutement quant à la représentation des villes, des régions industrielles et des départements les plus peuplés. Une telle réforme ne pourrait qu'accroître l'autorité de la seconde Chambre, sans en transformer le caractère, et elle serait donc probablement de nature à conserver à la France tous les avantages qu'un système politique peut et doit tirer du bicamérisme. Mais, après l'échec du référendum du 27 avril — dû sans doute à ce que la réforme proposée aurait totalement transformé le Sénat plus qu'elle n'aurait adapté son recrutement aux réalités de la société française d'aujourd'hui —, il est évidemment exclu que la modification du régime électoral du Sénat puisse être réalisée autrement que par la voie parlementaire, et donc contre son gré.

Quant aux organismes représentatifs de la vie économique et sociale, ils restent valablement utilisés comme base de recrutement d'une assemblée spécialisée, extra-parlementaire et consultative, *le Conseil économique et social*; il n'y aurait qu'avantage à un resserrement de la collaboration de ce dernier avec l'Assemblée nationale et le Sénat, collaboration dont une meilleure utilisation des textes existants permettrait facilement le développement.

LA CRISE DES INSTITUTIONS PARLEMENTAIRES

La crise des institutions parlementaires a des origines complexes. Elle tient pour partie à des facteurs propres au Parlement, mais elle s'explique également par des causes qui lui sont extérieures et qui relèvent, non seulement de l'évolution générale de la société, mais aussi de la législation électorale et de la situation des partis politiques. Les réformes institutionnelles, d'une ampleur impressionnante, par lesquelles on a tenté en 1958 de remédier à cette crise, en définissant avec plus de rigueur qu'autrefois le rôle du Parlement, pour lui permettre de le remplir effectivement, ne pouvaient donc, en tout état de cause y mettre fin rapidement. Quelle que soit leur valeur intrinsèque, il se peut que la rupture complète qu'elles marquaient par rapport à une évolution et à une tradition séculaires ait été excessive, à cause des réactions psychologiques qu'elle ne pouvait manquer de provoquer. Des raisons de conjoncture ont contribué également à les rendre difficiles à accepter par ceux qu'elles intéressaient au premier chef, c'est-à-dire par les membres du

Parlement eux-mêmes. Leur efficacité dépendra en fin de compte non seulement de leur valeur propre, mais également de l'évolution qui se produira *quant à la structure générale des institutions de la République* et *quant au système français des partis.* C'est la raison pour laquelle ces réflexions sur le Parlement en France ne peuvent aboutir à une conclusion définitive, mais seulement à une sorte de point d'interrogation. Il est certain que le Parlement doit continuer à jouer un rôle important dans les institutions françaises, si celles-ci doivent conserver un caractère authentiquement démocratique. Mais les moyens par lesquels il sera possible d'atteindre ce but demeurent en partie au moins sujets à discussion ; ils devront, en tout état de cause, à la fois tenir compte de la psychologie des hommes et aller au-delà d'une simple réforme des procédures internes et de la compétence des assemblées.

LECTURES COMPLÉMENTAIRES

Le recueil de base, à utiliser aussi pour le chap. 8, est :

O *Textes et documents sur la pratique institutionnelle de la Vᵉ République,* rassemblés par Didier MAUS, La Documentation française et le CNRS, 2ᵉ éd. 1982, 715 p.

à compléter par

O BOURDON Jean, *Les Assemblées parlementaires sous la Vᵉ République,* La Documentation française, 1978, 236 p.
O COTTERET Jean-Marie, *Le Pouvoir législatif en France,* LGDJ, 1962, 192 p.
O MARICHY Jean-Pierre, *La Deuxième Chambre dans la vie politique française depuis 1875,* id., 1969, 787 p.
O DELVOVÉ P., LESGUILLONS H., *Le Contrôle parlementaire sur la politique économique et budgétaire,* PUF, 1964, 250 p.
O PARODI Jean-Luc, *Le Rapport entre le législatif et l'exécutif sous la Vᵉ République, 1958-1962,* Colin, 1972, 325 p.
O WILIAMS Philip, *The French Parliament 1958-1967,* Londres, Allen and Unwin, 1968, 136 p.
O CAYROL R., PARODI J.-L., YSMAL C., *Le Député français,* Colin, 1973, 160 p. (enquête sociologique précise).
O GUICHARD-AYOUB E., ROIG Ch., GRANGE J., *Études sur le Parlement de la Vᵉ République,* PUF, 1965, 294 p.
O CHANDERNAGOR André, *Un Parlement, pour quoi faire?,* Gallimard, 183 p.
O AVRIL Pierre, *Les Français et leur Parlement,* Casterman, 1972, 147 p.
O QUERMONNE Jean-Louis, *Le Gouvernement de la France sous la Vᵉ République,* Dalloz, 2ᵉ édition 1983, 700 p.
O CHAPSAL Jacques, *La Vie politique sous la Vᵉ République,* PUF (coll. Thémis), nouvelle édition 1984, 708 p.

Pour une connaissance vivante de la vie parlementaire et de l'activité quotidienne du député à Paris et dans sa circonscription, on pourra encore se reporter à ce que fut la réalité, pas encore complètement dépassée, sous la IVᵉ République et lire les rares témoignages sur la Vᵉ :

O MUSELIER François, *Regards neufs sur le Parlement,* Éd. du Seuil, 1956, 192 p. (éblouissant).
O ISORNI Jacques, *Le Silence est d'or* ou *La parole au Palais-Bourbon,* Flammarion, 1957, 201 p.
O PINEAU Christian, *Mon Cher Député,* roman, Julliard, 1959, 221 p.
O ARAGON Ch. d', *Cas de conscience du parlementaire,* Éd. Fleurus, 1961, 131 p.
O BURON Robert, *Le Plus Beau des Métiers,* Plon, 1963, 252 p. (qui parle aussi de façon vivante de la vie de ministre).

Chapitre 8

LE GOUVERNEMENT

FONCTION PRÉSIDENTIELLE ET POUVOIR PERSONNALISÉ

Ni régime parlementaire, ni régime présidentiel

Que, de la IVe à la Ve République, il y ait eu déclin du Parlement et élargissement de la fonction présidentielle, qui donc en douterait? La présentation des deux constitutions prend valeur de symbole :

1946. Titre premier : « De la souveraineté. » Titre II : « Du Parlement... » Titre V : « Du président de la République. » Titre VI : « Du Conseil des ministres. »

1958. Titre premier : « De la souveraineté. » Titre II : « Le président de la République. » Titre III : « Le Gouvernement. » Titre IV : « Le Parlement. »

Mais ni la prééminence de l'Assemblée nationale sous la IVe, ni celle du général de Gaulle sous la Ve ne doivent faire oublier *l'ambiguïté de chacun des deux régimes.* Le texte de 1946 est né d'un compromis. Le projet constitutionnel du 19 avril 1946, rejeté par le référendum du 5 mai, avait prévu le Gouvernement d'assemblée. Le Titre I avait un énoncé significatif : « De la souveraineté et de l'assemblée nationale. » La constitution du 27 octobre 1946 gardait la trace de cette conception puisque l'article 3 créait pour les

189

députés une sorte de monopole de la représentation populaire : « La souveraineté nationale appartient au peuple français... Le peuple l'exerce, en matière constitutionnelle, par le vote de ses représentants et par le référendum. En toutes autres matières, il l'exerce par ses députés à l'Assemblée nationale... » Mais d'autre part, il était dit que le président du Conseil s'il « assurait l'exécution des lois », définissait aussi « le programme et la politique du Cabinet qu'il se proposait de constituer » : on avait voulu donner au Gouvernement des pouvoirs réels pour diminuer la fragilité des ministères, vice majeur de la IIIᵉ République. Dans la réalité, il devait y avoir, de 1946 à 1958, *à la fois Gouvernement d'assemblée,* en raison de l'intervention permanente du Parlement dans le domaine de l'exécutif[1], *et déclin de la fonction parlementaire,* à cause de l'élargissement constant des tâches gouvernementales[2].

Si on entend par régime parlementaire un système dans lequel le Gouvernement est responsable devant une assemblée et si on entend par régime présidentiel un système dans lequel le chef de l'État est en même temps chef de l'exécutif sans être responsable devant une assemblée, *la Vᵉ République est, selon sa constitution, plus parlementaire que présidentielle.* L'article 20 prévoit que « le Gouvernement détermine et conduit la politique de la Nation » et l'article 21 précise que « le Premier ministre dirige l'action du Gouvernement ». Nommé par le président de la République, c'est cependant par la seule Assemblée nationale que le Gouvernement peut être contraint de démissionner. Mais l'évolution intervenue dans les années suivantes a beaucoup éloigné le régime de son point de départ.

Le premier alinéa de l'article 49 a reçu des interprétations de plus en plus proches de l'idée que le Gouvernement procède uniquement du président de la République. On y lit que « le Premier ministre, après délibération du Conseil des ministres, engage devant l'Assemblée nationale la responsabilité du Gouvernement sur son programme ou éventuellement sur une déclaration de politique générale ». L'idée que le cabinet, une fois nommé par le président de la République, possède la plénitude du pouvoir jusqu'à ce que l'opposition démontre, par le vote d'une motion de censure, qu'elle atteint la majorité absolue, est entrée progressivement dans les mœurs. Nommé Premier ministre le 8 janvier 1959, Michel Debré fait encore approuver son programme, une semaine plus tard, par l'Assemblée nationale convoquée en session extraordinaire. En avril 1966, Georges Pompidou, nommé pour la troisième fois début janvier, explique à l'Assemblée que « la lettre et l'esprit de la constitution de 1958 veulent que le Gouvernement soit entièrement libre de demander ou non un vote de confiance ». Et quand, en avril 1978, un changement d'interprétation semble intervenir après la formation du troisième Gouvernement Barre, un communiqué du Conseil des ministres signale que le président de la République a précisé que « le Gouvernement a été nommé en application de l'article 8 de la constitution et il exerce normalement ses attributions ». Simplement, « il est utile que le Gouvernement sache qu'il peut compter, dans les deux Assemblées, sur le soutien actif de la majorité des élus du pays ». En 1981, le second Gouvernement Mauroy

---

1. Voir le chapitre précédent.
2. Voir ci-dessous.

190

est formé le 23 juin, deux jours après le second tour des élections législatives; le 8 juillet, le Premier ministre fait devant l'Assemblée nationale une simple déclaration de politique générale.

Quand G. Pompidou a démissionné au début du second septennat, puis après les élections de 1967, ce fut en employant la formule suivante :

> Mon général,
> Vous avez bien voulu me faire part de votre intention... de procéder à la nomination d'un nouveau Gouvernement. J'ai l'honneur, en conséquence, et conformément aux dispositions de l'article 8 de la constitution, de vous présenter la démission du Gouvernement.

La même formule a été utilisée par G. Pompidou dans sa lettre de démission du 10 juillet 1968 alors que, cette fois, il ne s'agissait plus d'un geste formel mais bien d'un vrai départ, d'ailleurs souhaité par le partant. Le 5 juillet 1972, J. Chaban-Delmas, qui venait d'obtenir un vote de confiance, démissionna pratiquement dans les mêmes termes. Or l'article 8 dit simplement : « Le président de la République nomme le Premier ministre. Il met fin à ses fonctions sur la présentation par celui-ci de la démission du Gouvernement. » L'expression *en conséquence,* devenue *donc* en 1972, figurant dans les lettres, était destinée à imposer l'idée que le président peut, malgré la lettre de l'article, non seulement nommer, mais révoquer le Premier ministre, la seule véritable démission pendant les deux premières décennies de la Vᵉ République devant être celle de Jacques Chirac, présentée le 26 juillet 1976, définitive et publique le 25 août. On en arrive ainsi au principe de la double responsabilité qui caractérisait notamment la constitution de Weimar : en Allemagne, entre 1919 et 1933, le chef de l'exécutif pouvait non seulement être renversé par l'Assemblée, mais aussi être révoqué par le président. En 1982, une interprétation plus « présidentialiste » est donnée par Pierre Mauroy. En effet, dans la réponse, publiée le 23 mars au *Journal officiel,* donnée à la question écrite d'un député de l'opposition, il précise que

> le Premier ministre est doublement responsable. Devant le président de la République, bien sûr, mais aussi devant le Parlement et, plus particulièrement, devant l'Assemblée nationale qui a le pouvoir de renverser son Gouvernement. Sans le double aval du président de la République et de l'Assemblée nationale, qui tous deux bénéficient de la légitimité conférée par le suffrage universel, le Premier ministre ne s'estimerait pas en situation de continuer à exercer ses fonctions.

Le général de Gaulle a toujours voulu cette *double responsabilité,* comme il a toujours cru nécessaire l'élection du président de la République au suffrage universel. Si on y ajoute le droit de dissolution et la possibilité pour le président d'assumer tous les pouvoirs en temps de crise (art. 16 de la constitution de 1958, art. 14 de la constitution de Weimar), on s'aperçoit que la similitude entre les deux systèmes est très profonde. Ce n'est pas le fait du hasard. Le régime que voulait établir l'un des inspirateurs du texte de 1919, le philosophe et sociologue Max Weber, était un *parlementarisme* régularisé, renforcé, *stabilisé par le poids de la personnalité présidentielle.* La source idéologique n'est pas la même : chez le général de Gaulle, c'est la primauté de la nation. Mais l'inspiration est analogue et aussi la difficulté centrale : ou bien le président est faible en face d'un Premier ministre fort ou d'une assemblée dominatrice et on en revient au régime parlementaire sous une forme britannique ou sous une forme française plus ou moins modifiée; ou bien le président est fort et son irresponsabilité jointe à la menace de dissolution risque de faire basculer tout le pouvoir réel de son côté. La comparaison avec Weimar est fort intéressante à cet égard : pendant dix ans, le régime était parlementaire, le président ne jouant pas un rôle beaucoup plus grand que le président de l'Autriche actuelle, lui aussi élu au suffrage universel; puis la crise économique et politique a fait basculer le rapport de forces, le chef du Gouvernement devenant l'homme du président dont les collaborateurs immédiats exerçaient alors plus de pouvoirs que les ministres. Il n'est pas exclu que la Ve République connaisse un jour l'évolution inverse, et il a même pu sembler qu'une telle évolution pourrait être acceptée par un président ayant dirigé les affaires de l'État pendant quatre années. En effet, à l'approche des élections législatives de 1978, Valéry Giscard d'Estaing déclarait, le 27 janvier, dans son discours de Verdun-sur-le-Doubs : « Vous pouvez choisir l'application du programme commun. C'est votre droit. Mais si vous le choisissez, il sera appliqué. Ne croyez pas que le président de la République ait dans la constitution les moyens de s'y opposer. » C'était dire que, en cas de victoire de la gauche, le pouvoir réel passerait, au moins pour un temps, de l'Élysée à Matignon et à l'Assemblée nationale en attendant que l'impuissance escomptée de la gauche permette une dissolution victorieuse qui rétablirait la majorité antérieure! Et lorsque, en mars 1981, à l'approche de l'élection présidentielle, François Mitterrand déclare : « Je m'appuierai sur la majorité parlementaire que le suffrage universel enverra à l'Assemblée nationale », il va dans le sens du discours de Verdun. Il ajoute alors : « Élu président de la République, je changerai un certain nombre de choses, en particulier dans le cadre des relations du président de la République avec le Gouvernement », quitte à affirmer à la télévision, en décembre, que « le Premier ministre et les ministres doivent exécuter la politique définie par le président de la République ».

Les pouvoirs du président de la République

Les ambiguïtés de la fonction présidentielle ne datent pas de la Ve République. Les lois constitutionnelles de 1875 ne prévoyaient pas de chef de l'exécutif distinct du chef de l'État. Or l'article 6 de la loi du 25 février parlait à la fois de la responsabilité des ministres devant les Chambres et de l'irresponsabilité du président de la République. Dès mars 1876, il y eut cependant un président du Conseil. Mais le chef de l'État n'en continuait pas moins à diriger les travaux du cabinet. Cette situation s'est prolongée jusqu'à maintenant. Alors que *le roi d'Angleterre n'assiste jamais aux réunions du Gouvernement, on a toujours considéré comme normal en France, de 1875 à 1940 et de 1947 à 1958, que le président du Conseil des ministres ne préside pas le Conseil des ministres.* Constitutionnellement, aucune décision importante n'a jamais pu être prise en « Conseil de cabinet », c'est-à-dire en l'absence du président de la République. Sur ce point, la constitution de 1958 ne fait que continuer la tradition. Seule a changé la façon de présider, encore que le président Vincent Auriol, de 1947 à 1953, ne se soit pas contenté, lui non plus, de distribuer les tours de parole.

En matière de politique extérieure, les textes de 1875 donnaient expressément un pouvoir direct au chef de l'État : l'article 8 de la loi du 16 juillet disait : « Le président de la République *négocie* et ratifie les traités... » Si la ratification, c'est-à-dire l'approbation finale donnée à la signature, est la prérogative habituelle des chefs d'État (précédée ou non, selon la nature des traités, d'une autorisation parlementaire), le pouvoir de négociation appartient bien à l'exécutif. Dans les premiers temps de la IIIe République, le président intervenait directement dans le choix du ministre des Affaires étrangères. Au début du siècle encore, lorsque se posait au Conseil des ministres une question de politique étrangère, Émile Combes disait : « Laissons cela, Messieurs, c'est l'affaire de Monsieur le président de la République et de Monsieur le ministre des Affaires étrangères. » *La coutume,* peu à peu, *joua contre la lettre constitutionnelle.* Raymond Poincaré laissa Clemenceau négocier le traité de Versailles : on n'aurait pas compris qu'il se réclamât de la constitution pour être l'interlocuteur de Wilson et de Lloyd George. En 1946, pour réduire cette prérogative présidentielle, on rédigea l'absurde article 31 : « Le président de la République est tenu informé des négociations internationales. Il *signe* et ratifie les traités... » En 1958, l'article 52 résulte d'une combinaison entre les textes de 1875 et de 1946 :

> Le président de la République négocie et ratifie les traités. Il est informé de toute négociation tendant à la conclusion d'un accord international non soumis à ratification.

C'est l'application rigoureuse de dispositions nullement originales qui a fait de M. Couve de Murville l'adjoint du général de Gaulle plutôt qu'un subordonné de M. Debré, puis de G. Pompidou. Quand celui-ci devint à son tour président de la République, la question ne s'est même pas posée : tout le monde considéra comme allant de soi le fait que ce fût le président qui, en décembre 1969, se rendît à La Haye pour y négocier et y décider, avec les chefs de Gouvernement des autres États européens, de l'avenir de l'Europe. En avril 1973, la nomination comme ministre des Affaires étrangères de Michel Jobert, jusque-là secrétaire général de la présidence de la République, marquait encore plus nettement le pouvoir présidentiel, qui s'est à nouveau trouvé confirmé quand, en juin 1974, le président Giscard d'Estaing appela au Quai d'Orsay, comme l'avait fait le général de Gaulle, l'ambassadeur de France à Bonn, en l'occurrence Jean Sauvagnargues, dont le successeur fut un autre ambassadeur, Louis de Guiringaud. Puis, comme en 1973, ce fut encore, le 30 novembre 1978, la nomination comme ministre des Affaires étrangères du secrétaire général de la présidence, la principale différence avec le cas de Michel Jobert étant que Jean François-Poncet était diplomate de carrière, tout en ayant été industriel et homme politique. Et, à partir de mai 1981, Claude Cheysson, jusqu'alors membre de la commission de la Communauté économique européenne, est bien le ministre des Relations extérieures du président de la République, celui-ci gardant de surcroît, comme ses prédécesseurs, le contrôle direct des affaires africaines.

Même le droit de dissolution ne constitue pas une complète innovation. Limité à une situation précise (deux crises ministérielles dans les dix-huit mois) et utilisé en Conseil des ministres sous la IVe République, les présidents de la IIIe République pouvaient en principe y avoir librement recours, mais il leur fallait l'approbation du Sénat, et l'expression « en Conseil des ministres » signifiait qu'un refus de dissoudre était impossible si le Gouvernement proposait la dissolution. Il s'est trouvé que la première dissolution a été prononcée par le maréchal de Mac-Mahon de façon « anti-républicaine » : cette épithète reste accolée à la notion de dissolution. Il fallut attendre 1955 pour voir Edgar Faure dissoudre l'Assemblée nationale. Encore fut-il accusé d'avoir enfreint les règles de la démocratie.

L'originalité de la Ve République en matière de dissolution est double : selon la lettre, le chef de l'État a le droit de dissoudre l'Assemblée en toute liberté, sauf qu'« il ne peut être procédé à une nouvelle dissolution dans l'année qui suit » les élections résultant de la dissolution antérieure. Dans la réalité, la contrainte que constitue la menace de renvoyer les députés devant les électeurs devait beaucoup de son efficacité à la popularité du général de Gaulle. Dès que la menace ne joue pas et que la dissolution est faite, le président court le risque de se trouver dans la situation de Mac-Mahon : il serait, par le retour au Palais-Bourbon de la même majorité, placé devant la fameuse alternative « se soumettre ou se démettre ». Sur la théorie de cette alternative, il y a eu débat chaque fois que l'hypothèse d'un divorce entre majorité présidentielle et majorité législative apparaissait vraisemblable. Il en avait été de même pour les conséquences d'un « non » à un référendum. Comme celui d'avril 1969 avait été assorti d'une véritable question de confiance posée par le chef de l'État à la nation, la démission intervenue le soir même du scrutin apparut comme naturelle, ce qui revenait à compléter l'interprétation de la constitution : le président est sans doute élu pour sept ans, mais il n'est pas irresponsable; bien au contraire, *il peut mettre sa responsabilité nationale en jeu par la dissolution ou par le référendum.*

On voit alors que dissolution et référendum sont au moins aussi importants que la responsabilité gouvernementale devant l'Assemblée pour distinguer le système français du « régime présidentiel » à l'américaine où président et Parlement, impuissants à s'entre-détruire, inamovibles d'une élection à terme fixe à l'autre, sont obligés de composer.

Présidentiel, le régime français l'est cependant devenu dans la mesure où, contrairement aux articles 20 et 21, *le président de la République apparaît comme le vrai chef de l'exécutif.* Le texte essentiel sur ce point est un simple communiqué que tout le monde trouva d'autant plus normal à l'époque qu'on voulait voir le général de Gaulle assumer la responsabilité directe de la politique algérienne. Le 8 janvier 1959, le général de Gaulle prit ses fonctions de président de la République. En fin de journée, un communiqué fut publié qui annonçait la convocation de Michel Debré à l'Élysée et qui disait notamment :

> Au terme de l'entretien, le général de Gaulle a chargé M. Michel Debré de lui faire des propositions au sujet de la composition éventuelle du Gouvernement. A 19 h 30 M. Michel Debré a été à nouveau reçu à l'Élysée. *Il a soumis à l'approbation du général de Gaulle* ses conceptions en ce qui concerne la politique générale et les noms des personnalités qui deviendraient, le cas échéant, ses collaborateurs au Gouvernement. Le président de la République a nommé Premier ministre M. Michel Debré; sur les propositions du Premier ministre, il a nommé les membres du Gouvernement.

La lettre de la constitution est parfaitement respectée, mais la nature du jeu politique est transformée. Un président de la République de style traditionnel, arbitre au-dessus des partis politiques, nomme Premier ministre l'homme qui a le plus de chances d'obtenir la confiance du Parlement. Si le président fait d'abord soumettre à son approbation la politique que cet homme ferait au pouvoir et s'il ne le nomme qu'ensuite, il devient solidaire de la politique qu'il a approuvée. Le Gouvernement n'est pas seulement un gouvernement parlementaire; il est *un Gouvernement garanti par le président.* G. Pompidou a encore renforcé cette interprétation par l'emploi d'une formule particulièrement nette pour la formation, le 20 juin 1969, du premier Gouvernement de son septennat. Le communiqué de l'Élysée disait :

> M. Georges Pompidou, président de la République, a accepté la démission du Gouvernement qui lui a été présentée par M. Maurice Couve de Murville. Il a nommé M. Jacques Chaban-Delmas Premier ministre et lui a demandé de lui présenter des propositions en vue de la formation du Gouvernement.

Autrement dit, le chef de l'État ne se contentait nullement d'entériner une liste comme pouvait encore le laisser supposer la formulation de 1959. Le mouvement s'est encore accentué ensuite, puisque P. Messmer avec G. Pompidou, puis J. Chirac avec V. Giscard d'Estaing ont vu le président et ses collaborateurs leur imposer la plupart de leurs « propositions ».

Devenu ainsi le maître de la politique gouvernementale, le général de Gaulle continuait cependant en même temps à concevoir son rôle selon la définition de l'article 5 : « Il assure par son arbitrage le fonctionnement régulier des pouvoirs publics ainsi que la continuité de l'État. » A ses yeux, il n'y avait nullement incompatibilité entre le rôle de participant et celui d'arbitre. Dès sa première conférence de presse comme président de la République, le 10 juillet 1969, G. Pompidou développe une conception analogue : « A la fois chef suprême de l'exécutif, gardien et gérant de la constitution, il est, à ce double titre, chargé de donner les impulsions fondamentales, de définir les directions essentielles, d'assurer et de contrôler le bon fonctionnement des pouvoirs publics. A la fois arbitre et premier responsable national. »

Mais la double définition ne recelait-elle pas une contradiction? Celle-ci s'est traduite dans ce qu'on pourrait appeler la symbolique présidentielle. Quiconque manifeste sa désapprobation au passage du chef de l'État peut être condamné pour « offense au président de la République ». L'article 26 de la loi de 1881 sur la presse réprime ce même délit et s'est trouvé assez souvent appliqué. Le président de l'Assemblée nationale interrompait tout député qui attaquait le général de Gaulle, puisque les parlementaires ne doivent pas mettre en cause le président de la République, celui-ci n'étant pas responsable devant le Parlement. Le tribunal et le président de l'Assemblée avaient raison, puisque *le général de Gaulle*, incarnant la collectivité, *assurait la continuité de l'État comme la reine d'Angleterre* ou le président de la République en Italie et en Allemagne. La difficulté, c'est que le général de Gaulle était *en même temps* président de la République dans le sens américain, c'est-à-dire *chef de l'exécutif.* Or à ce titre, le président des États-Unis peut être hué par le simple citoyen et attaqué par les parlementaires, tout en étant le président de tous les Américains.

Sous G. Pompidou, la protection de la majesté fut moins strictement assurée, sans que, pour autant, la contradiction fût pleinement levée, puisqu'elle est profondément inscrite dans la constitution, ainsi que le montre notamment la formulation de l'article 5. Alors que, en Italie ou en Allemagne, le président doit jurer qu'il observera la constitution, en France « le président de la République veille au respect de la constitution », veille en quelque sorte à ce qu'elle soit respectée par les autres, lui-même en étant le gardien au moins au même titre que le Conseil constitutionnel, *un gardien* qui est *en même temps un acteur pleinement engagé* dans le jeu difficile de la décision politique.

V. Giscard d'Estaing a montré dans les premiers mois de son septennat le souci de lever cette contradiction-là, d'une part en adoptant *un style sans apparat destiné à détruire la notion de majesté,* d'autre part en montrant, en visant le renforcement du Conseil constitutionnel, qu'il ne voulait pas cumuler la fonction de chef de l'exécutif avec celle de gardien de la constitution. Cependant, par d'autres aspects de son comportement, le troisième président a sans doute fait preuve d'une conception plus monarchique de sa fonction que le premier. Dans *Le Coup d'État permanent*, François Mitterrand avait écrit en 1964 : « Un droit de majesté s'édifie... Toute offense qui vise le général de Gaulle vise donc l'État... L'opposition devient subversion et le chef de l'État monarque. » Devenu lui-même président de la République, il a maintenu la contradiction. Dans l'interview télévisée de décembre 1981, il disait : « Lorsque vous m'interrogez, vous avez le droit de me mettre en cause parce que la politique pratiquée par le Gouvernement m'engage au premier chef. » Mais lors du défilé du 14 juillet 1983 sur les Champs-Élysées, le service d'ordre a arrêté une trentaine de personnes, parce qu'elles manifestaient par des cris et des sifflets leur hostilité au chef de l'État.

En fait, la contradiction n'est guère ressentie comme telle : *le président de la République cumule en quelque sorte les avantages de la direction de l'exécutif avec ceux que confère le statut d'incarnation non partisane de la nation.* C'est la stature, le personnage (et ce mot comprend aussi bien son rôle à partir de 1940 que son tempérament et l'image que les Français se faisaient de l'un et de l'autre) du général de Gaulle qui a infléchi la réalité constitutionnelle de la Ve République. L'élection au suffrage universel instituée en 1962 lui apparaissait comme nécessaire pour ses successeurs : ils tireraient de cette élection la légitimation que lui-même avait tirée du 18 juin 1940 et des circonstances de mai 1958. Le plus étonnant, du moins en apparence, est que les trois successeurs aient exercé beaucoup plus directement le pouvoir quotidien qu'il ne l'avait fait lui-même. C'est qu'il considérait que le président n'était en charge — ou ne devait se charger — que des grandes tâches nationales (politique extérieure, défense, orientations essentielles de la politique économique), alors que Georges Pompidou, Valéry Giscard d'Estaing et François Mitterrand ont constamment élargi le domaine des interventions présidentielles, conférant ainsi du vrai pouvoir à leur entourage, si bien que l'expression « On attend le feu vert de l'Élysée » a pu devenir une espèce de mot clé de la gestion quotidienne des affaires gouvernementales. De façon plus spectaculaire, V. Giscard d'Estaing fixait publiquement au Premier ministre des programmes d'action gouvernementale. Ainsi, en juin 1980, la lettre d'envoi à Raymond Barre disait : « Tel est l'objectif que j'assigne au travail gouvernemental pour les sept mois » à venir et « J'ai arrêté le programme ci-joint », celui-ci comprenant aussi bien l'aménagement du parc de la Villette que l'apprentissage industriel, les retraites militaires que la protection des animaux. Un an et demi plus tard, en janvier 1982, c'était un communiqué officiel sur le Conseil des ministres qui montrait que François Mitterrand exerçait bien à son tour un pouvoir gouvernemental direct :

> Le ministre d'État, ministre de la recherche et de la technologie a rendu compte de la création, à Paris, du Centre mondial pour la micro-informatique. Conformément à la décision du président de la République, il constituera un carrefour des idées et des connaissances en micro-informatique. Il disposera de moyens importants.

Il est un domaine particulier qui, dans d'autres pays, passe pour étranger au pouvoir gouvernemental, dès lors que celui-ci se veut laïc, c'est-à-dire se refusant à être détenteur de vérité : c'est la culture. Interrogé sur ses préférences en matière de littérature, d'art et d'architecture, le chancelier Schmidt refusait de répondre en tant que chef de Gouvernement, ses goûts privés ne devant jamais peser sur la répartition des subventions publiques. En France, les présidents de la République — ici encore, le général de Gaulle moins que ses successeurs — ont estimé de leur compétence de décider de la forme architecturale que devait prendre la tête de la Défense à la sortie ouest de Paris ou d'ordonner la construction d'un centre culturel ou d'un musée.

Pourquoi les Français qu'on disait traditionnellement si opposés à tout pouvoir personnel montrent-ils constamment, dans les sondages et par leur participation électorale, une telle satisfaction de pouvoir élire le président et de le voir exercer un véritable pouvoir? L'une des réponses possibles implique une comparaison avec la Grande-Bretagne. L'électeur britannique ne vote pas pour ou contre un candidat, à peine pour ou contre tel ou tel parti : il décide qui doit exercer le pouvoir gouvernemental. Sous la IIIe et sous la IVe République, l'électeur était frustré, puisqu'il pouvait tout au plus donner mandat à un parti de décider sans lui, pendant quatre ou cinq ans, s'il serait dans l'opposition ou au pouvoir et, dans ce cas, avec qui et contre qui. L'élection du président de la République supprime cette frustration. De plus, les circonstances ont joué en faveur du pouvoir présidentiel à deux reprises. En 1959, la très grande majorité des Français, opposition comprise, souhaitait bel et bien que ce soit le général de Gaulle personnellement et non le gouvernement de Michel Debré qui prenne en charge le problème algérien. En 1981, l'opposition a préféré de beaucoup voir François Mitterrand exercer le pouvoir à partir de l'Élysée plutôt que de laisser à la massive majorité parlementaire le soin de décider du sort de l'école privée ou de l'extension et des modalités des nationalisations.

Mais il est vrai aussi qu'en 1981 un problème nouveau a surgi ou, plus exactement, un problème déjà ancien a pris une dimension nouvelle, celui de la nature des rapports entre le président de la République et le parti dominant. En 1959, la situation française était tout à fait particulière. Franklin Roosevelt, Winston Churchill, Konrad Adenauer, Leonid Brejnev ont imposé le poids de leur personnalité à la fonction qu'ils exerçaient, mais ils ne seraient pas arrivés au pouvoir s'il n'avait pas existé un Parti démocrate, un Parti conservateur, un Parti chrétien-démocrate, un Parti communiste pour les y porter. Le général de Gaulle et sa popularité, eux, étaient antérieurs au Parti gaulliste. L'allégeance de ce parti à son successeur n'impliquait, on l'a vu, qu'un faible contrôle sur lui. Et l'UDF a fait fonction à son tour, sous Valéry Giscard d'Estaing, de « parti du président » — le président s'efforçant de son côté de paraître aussi peu lié que possible à un parti, tout en étant sensible aux désirs de la formation qui le soutenait le plus fidèlement.

A partir de juin 1981, le Parti socialiste s'est trouvé davantage associé à l'exercice du pouvoir, tout en se trouvant réduit à être parti présidentiel. En partie parce que le président de la République lui-même, bien que marquant ses distances par rapport au parti qu'il avait dirigé jusqu'à l'ouverture de la campagne présidentielle, a eu tendance à juxtaposer deux modalités d'expression, celle d'un chef d'État socialiste cherchant à faire rendre justice à la partie de la population qui l'avait élu contre l'autre, supposée globalement privilégiée, et celle d'un président de tous les Français soucieux de changer le sort global de la France. En partie — et bien davantage — parce que le Parti socialiste, son groupe parlementaire et ses militants constituaient une force beaucoup plus articulée, notamment dans le domaine idéologique, que l'UDR ou l'UDF et était beaucoup plus présent, en tant que parti, au Gouvernement et dans les rouages du pouvoir. Il en est résulté des tensions et des conflits, parfois ouverts, parfois larvés, tantôt résolus par un acte d'autorité présidentielle ou par un compromis, tantôt surmontés par le recours à l'article 49 utilisé non pour vaincre l'opposition, mais pour permettre au groupe socialiste de ne pas se déjuger, de ne pas avoir l'air de se soumettre. De toute façon, les réactions du parti dominant sont devenues depuis 1981 un élément plus important de la décision présidentielle et plus encore, dans le champ que le président lui accorde, de la décision gouvernementale.

GOUVERNEMENTS, MINISTRES ET CABINETS

L'exécutif et son chef

L'extension des pouvoirs réels de l'exécutif a déjà été évoquée. Il faut y revenir ici. Primitivement, dans la conception américaine des rapports entre les pouvoirs comme dans la conception française du parlementarisme, le Gouvernement est vraiment l'exécutif, c'est-à-dire qu'il applique les lois votées par les Assemblées. Le créateur de politique, c'est le législatif. Le Gouvernement est un gérant, un mandataire étroitement contrôlé. Mais des changements profonds sont intervenus. *Le domaine de l'État s'est considérablement élargi.* Que ce soit en matière économique, sociale, culturelle, l'État-patron, l'État-propriétaire, l'État gestionnaire, l'État transformateur de la société et de l'économie intervient sans cesse. Le contenu de la politique s'est modifié. Et aussi la nature même de la loi.

Autrefois les lois, peu nombreuses, avaient pour but principal l'organisation de la société politique. Cette organisation était bien considérée comme perfectible, mais le but à atteindre était une sorte de stabilité au sein de laquelle les individus et les groupes agiraient selon des règles immuables, l'État se chargeant de veiller au bon fonctionnement de l'ensemble. Aujourd'hui, l'idée de transformation et de développement domine la vie publique. *Les lois*, de plus en plus nombreuses, ne tendent plus seulement à codifier, à régulariser, mais surtout à créer, à promouvoir. Elles n'étaient qu'un peu, elles *sont devenues essentiellement l'instrument d'une politique.* Or c'est là qu'un conflit surgit de façon presque inévitable : qui sera responsable de la législation? Le Parlement, législateur par nature, ou bien le Gouvernement auquel les constitutions et les mœurs tendent de plus en plus à attribuer la charge de définir et de conduire la politique du pays, sous réserve de l'approbation du Parlement? « Donnez-moi les moyens de ma politique : votez les textes que je propose! » dira l'exécutif. « Vous me dépossédez et me réduisez à l'état de chambre d'enregistrement », répondra le législatif.

Dans ce conflit, le Gouvernement dispose d'un atout décisif : il s'appuie sur une administration compétente qui a étudié les problèmes, face à des parlementaires démunis de moyens d'enquête sinon de compétence. Un peu partout dans le monde, l'initiative législative est exercée par le Gouvernement. Les propositions de lois d'origine parlementaire se font de plus en plus rares et ont souvent valeur de symbole plutôt que de projet précis destiné à aboutir.

Simultanément, *le rôle du chef de l'exécutif* n'a cessé de croître. La complexité croissante des affaires publiques, l'interpénétration des problèmes économiques et des problèmes sociaux, des questions intérieures et des questions internationales, ont rendu impossible la gestion séparée des divers départements ministériels. Presque chaque décision est du ressort de plusieurs ministres et devient question de Gouvernement, relevant donc du président du Conseil ou du Premier ministre. Au début de ce siècle, les affaires étrangères étaient de la compétence du ministre des Affaires étrangères. En 1913, il y avait trois bureaux s'occupant des relations extérieures dans d'autres ministères que le Quai d'Orsay. En 1938, ces trois bureaux étaient devenus quinze. En 1954, on en était déjà à 66 dont 47 dans les seuls ministères économiques. Quand la coordination impose la création d'un Comité interministériel pour les questions de coopération économique européenne, c'est à la présidence du Conseil qu'on rattache son secrétariat général. Quand, en 1981, il est placé sous l'autorité du nouveau ministre délégué aux Affaires européennes, son prestige et son rôle déclinent aussitôt. De plus, la naissance d'organismes, suscitée par l'extension de la fonction gouvernementale ou par les besoins nouveaux, pose dans chaque cas la question : « Faut-il multiplier les portefeuilles et créer un ministère supplémentaire? Ou bien suffit-il de le placer sous l'autorité directe du chef du Gouvernement? » Pour l'information ou pour l'énergie atomique, la réponse a varié d'un cabinet à l'autre, mais la tendance est au renforcement constant du Premier ministre.

Faut-il s'en étonner puisque dès 1946 la conception de la *collégialité des ministres a été éliminée de la constitution*? Déjà à la fin de la IIIᵉ République l'idée d'un président du Conseil simple *primus inter pares* avait décliné. Mais le texte constitutionnel ne connaissait que les ministres et le Parlement votait la confiance à une équipe. La théorie de la IVᵉ République, c'était l'investiture d'un homme auquel la constitution confiait d'ailleurs des tâches très précises, notamment celle d'assurer la direction des forces armées et de coordonner la mise en œuvre de la défense nationale. La réalité fut cependant sensiblement différente puisque l'existence permanente de gouvernements de coalition, composés de représentants des partis et des groupes, faisant du président du Conseil un conciliateur, parfois un arbitre, lui permettait très rarement d'être un chef.

Sous la Vᵉ République, la situation est fort différente, ne serait-ce qu'à cause du pouvoir présidentiel. *Le poids réel du Premier ministre est variable.* Il dépend de sa personnalité, de la façon dont le président de la République conçoit les deux fonctions, de la coopération entre son cabinet et celui du président, de son autorité sur les ministres qui peuvent être tentés de s'y soustraire en faisant appel au chef de l'État. Le problème structurel — celui d'une sorte de double commande — apparaît à la lecture des secteurs officiellement attribués en 1982/83 aux conseillers ou chargés de mission de l'Élysée et de l'hôtel Matignon : dans chacun des deux organigrammes, quelqu'un est en charge de l'industrie, un autre de l'économie et des finances, un autre de l'éducation. Quand une tension existe entre le président et le chef du Gouvernement (ce fut le cas de Georges Pompidou et de Jacques Chaban-Delmas, de Valéry Giscard d'Estaing et de Jacques Chirac), les mécanismes de décision risquent de se gripper. Quand le président laisse clairement la charge de l'exercice quotidien du pouvoir à un Premier ministre doté d'une forte personnalité (général de Gaulle/ Michel Debré) ou quand le Premier ministre à forte personnalité est relativement peu dépendant du président à cause de sa stature « monétaire » internationale (Raymond Barre), apparaît plus clairement ce qui, en cas de Premier ministre faible ou (et) d'interventions constantes de la présidence risque d'être caché, à savoir que la fonction de Premier ministre constitue un rouage essentiel dans le système politique et administratif de la Vᵉ République.

Ne serait-ce qu'à cause de l'existence, auprès de lui et sous son contrôle, de l'organisme clé qu'est *le secrétariat général du Gouvernement*. Pourtant, quel silence autour de services comprenant plus de trois mille fonctionnaires! Quel silence surtout autour des successifs secrétaires généraux du Gouvernement! A travers deux Républiques, sous nombre de présidents et de chefs de Gouvernement, ils ont été peu nombreux. André Ségalat (1946-1958), Roger Belin (1958-1964), Jean Donnedieu de Vabres (1964-1974), Marceau Long (1974-1982), puis Jacques Fournier ont tous à l'origine été au Conseil d'État. Dans la fonction de secrétaire général, ils ont tous pratiqué l'indispensable discrétion sans laquelle ils n'auraient pu remplir leur tâche multiple, qui consiste en gros à être l'instrument du travail collectif du Gouvernement, que ce soit comme coordinateur de la préparation des textes qui doivent venir au Conseil des ministres, comme greffier ou notaire de ce Conseil, comme coordinateur des suites à donner aux décisions prises, ou comme chef de l'ensemble des services du Premier ministre. Il est aussi le conseiller juridique permanent de ce dernier. Il peut également, en cas d'arrivée au pouvoir de nouveaux venus, jouer le rôle d'un instructeur, d'un formateur de ministres et de membres de cabinets ministériels.

Les ministres

A la prééminence du chef de l'exécutif pourrait correspondre une sorte d'égalité entre les ministres. En fait, il y a toujours eu des ministres plus importants que d'autres. Dans le système anglais, dont ont voulu s'inspirer la plupart des réformateurs français depuis près d'un demi-siècle, de Léon Blum à Michel Debré, il existe une hiérarchie ministérielle assez stricte. Un petit nombre de ministres forment le vrai gouvernement politique, puis viennent les ministres dont la compétence est en principe limitée à leur département ministériel. En France, il existe *une hiérarchie théorique et des hiérarchies réelles*. Sous les IIIᵉ et IVᵉ Républiques, les vice-présidents du Conseil et les ministres d'État sans portefeuille étaient le plus souvent des personnalités éminentes dont la présence au

Gouvernement assurait un nombre appréciable de suffrages à l'Assemblée. Protocolairement placés avant les autres ministres, ils avaient ou bien une fonction d'apparat, ou bien la charge de surveiller l'action du président du Conseil au nom de leur parti. C'était également l'appartenance à tel parti et l'influence exercée en son sein qui déterminait la place réelle d'un ministre dans les conseils gouvernementaux. Lorsque Roger Duchet était simultanément ministre des PTT et secrétaire général du Centre national des indépendants, le poids de ses interventions ne provenait pas de l'importance de son administration.

Sous la Ve République, la distinction entre les ministres d'État et les autres ministres a été maintenue et n'est pas sans signification. Ainsi, pour accepter d'entrer dans le gouvernement de Jacques Chaban-Delmas, Michel Debré a demandé et obtenu d'être non pas ministre des Armées comme son prédécesseur rue Saint-Dominique, mais ministre d'État, chargé de la Défense nationale, ce qui représentait non seulement un élargissement de compétence, mais une nouvelle localisation de la fonction dans la hiérarchie ministérielle. En mars 1974, la promotion de Valéry Giscard d'Estaing et Olivier Guichard au rang de ministres d'État dans le second cabinet Messmer se trouva immédiatement mise en rapport avec le problème de la succession présidentielle. En juin, le même titre, décerné au seul Michel Poniatowski, attirait l'attention sur la position très particulière du conseiller intime du président. En mai 1981, le premier cabinet Mauroy comprend cinq ministres d'État dont deux, Michel Rocard et Jean-Pierre Chevènement, incarnent deux « courants » du Parti socialiste différents de celui du Premier ministre, comme s'il s'agissait de montrer que le Gouvernement, presque exclusivement composé de membres du PS, était en même temps un cabinet de coalition. En juin, Nicole Questiaux, jusqu'alors ministre d'État à la fois comme femme et comme seconde représentante du CERES, n'est plus que ministre, l'entrée des communistes au Gouvernement appelant la présence parmi les ministres d'État de celui d'entre eux qui occupe la place la plus élevée dans la hiérarchie du Parti, en l'occurrence Charles Fiterman.

Mais il existe aussi une hiérarchie supplémentaire qui tient à la fonction et qui est aussi réelle sous la Ve République que sous la IVe : entre le chef de l'exécutif et les ministres s'interpose, parfois plus puissant que le président du Conseil ou le Premier ministre, le *ministre des Finances*. Celui-ci surveille, par ses contrôleurs des dépenses engagées, l'activité des autres ministères. Il pèse sur les décisions budgétaires par le redoutable argument : « Si vous arbitrez contre moi, vous aurez plus d'inflation. » Il interdit, au nom de l'intérêt général, au nom de l'État-collectivité nationale, les avantages que tel de ses collègues voudrait accorder aux cheminots ou aux professeurs au nom de l'État-patron. Sa puissance est reconnue et crainte par ses collègues.

Sous les régimes précédents, fonction ministérielle et fonction parlementaire se trouvaient étroitement liées. À peu près tous les ministres étaient soit des députés, soit, plus rarement, des sénateurs, assurés de retrouver leur siège au Palais-Bourbon ou au Luxembourg en cas de crise ministérielle. Quand ils étaient au pouvoir, ils se sentaient encore membres du Parlement. Quand ils n'étaient plus au Gouvernement, ils aspiraient à y revenir, ce qui ne les conduisait pas à vouloir maintenir l'équipe en place, fût-elle officiellement soutenue par leur vote. De plus, même le ministre le plus proche d'être un véritable homme d'État consacrait une partie importante de son temps à sa circonscription, pour assurer sa réélection. Pour remédier à ces inconvénients, la Constitution de 1958 dispose que « les fonctions de membre de Gouvernement sont incompatibles avec l'exercice de tout mandat parlementaire ». Autrement dit, le député devenu ministre cesse d'être député et, s'il cesse ultérieurement d'être ministre, il n'est plus ni ministre ni député.

La réforme a incontestablement contribué à séparer le Gouvernement du Parlement avec les avantages et les inconvénients qu'une telle séparation peut comporter[1]. Mais elle n'a pas sensiblement diminué la jonction entre fonction ministérielle et légitimation électorale. La plupart des ministres — même parmi ceux qui n'étaient pas d'origine parlementaire — se sont présentés aux élections de 1962. En 1967, le chef de l'État semble avoir fait à la plupart d'entre eux une sorte d'obligation morale de se porter candidats. Leur souci de se faire réélire ou élire les a amenés à prendre un soin particulier de leur circonscription. Une note de service fera, par exemple, savoir à tous les fonctionnaires de tel ministère que « M. le ministre envisage de signer lui-même tout courrier, même mineur, relatif au département de... », qualifié plus loin de « département du ministre ». Comme dans le passé, il est intéressant pour un arrondissement ou pour une région d'être « représenté » au Gouvernement. Depuis 1967, l'affaire paraissait tranchée : tout ministre se présentait dans une circonscription. Et un ministre battu perdait son portefeuille. Mais après les élections de mars 1978, le troisième président se montra moins rigoureux. Non seulement le troisième gouvernement Barre comprenait huit personnalités qui ne s'étaient pas présentées aux élections, dont cinq appartenaient au gouvernement précédent, mais il gardait trois candidats malheureux. Après l'alternance, la situation resta en gros inchangée : il était entendu que les ministres devaient plutôt chercher à se faire élire sans que l'échec les écartât nécessairement du pouvoir, les élus remplacés par leur suppléant continuant à considérer largement la circonscription d'élection comme la leur.

En tout cas, l'incompatibilité devait également contribuer, avec les autres dispositions décrites au chapitre précédent, à assurer la stabilité gouvernementale. Certain d'être en place pour longtemps et de pouvoir recueillir lui-même les fruits de son action, chaque ministre serait conduit à agir mieux, à agir davantage. Dans la réalité, la stabilité du chef du Gouvernement s'est trouvée en effet renforcée. Mais *la stabilité ministérielle est-elle à la mesure de la stabilité gouvernementale?* Depuis 1959, les titulaires des portefeuilles de l'Éducation nationale et de l'Information ont été relativement nombreux. Sous le régime précédent, n'avait-on pas connu la « stabilité ministérielle dans l'instabilité gouvernementale »? Georges Bidault et Robert Schuman n'ont-ils pas dirigé le Quai d'Orsay, à deux mois d'interruption près, de novembre 1944 à juin 1954? A quoi on peut répondre que M. Couve de Murville, leur successeur, a été en place pendant dix ans sans interruption. Et Ch. Fouchet est resté cinq ans à l'Éducation nationale, J. Foyer cinq ans à la Justice, P. Messmer neuf ans aux Armées. En réalité, la stabilité ministérielle est moins grande que ne l'espéraient les constituants, plus grande que ne le disent les adversaires des Gouvernements de la Ve République — et surtout, la vraie question n'est pas là. Elle doit s'énoncer ainsi : *la longévité gouvernementale et ministérielle a-t-elle*

---

1. Voir le chapitre précédent.

amélioré l'efficacité du pouvoir, a-t-elle permis l'élaboration et l'application de politiques cohérentes? La réponse paraît devoir être pour le moins nuancée. La consternante affaire des abattoirs de La Villette, la construction du supersonique *Concorde* sans étude préalable sérieuse des débouchés possibles, les décisions contradictoires aboutissant à la mort au moins provisoire de l'« aérotrain » dans la région parisienne ont montré que la longévité n'était pas une panacée pour résoudre le difficile problème des innovations ayant une portée à long terme. Et elle n'est pas non plus à elle seule la garantie d'une politique économique qui dépasse en ampleur les nécessités de la conjoncture.

L'incompatibilité a enfin favorisé une autre tendance particulière à la Vᵉ République : la nomination d'un nombre appréciable de *« ministres-techniciens »*. Le terme désigne d'abord les ministres qui ne sont pas d'origine parlementaire, qui ne sont pas choisis pour leur appartenance politique. Le cas était exceptionnel sous la IIIᵉ République, inconnu sous la IVᵉ. Le mot « technicien » semble cependant impliquer une notion de compétence particulière. Il est de fait que beaucoup de ministres-parlementaires n'avaient aucune lumière spéciale pour diriger le département ministériel qu'ils se voyaient attribuer. Mais d'une part la compétence peut s'acquérir par la pratique : Robert Schuman a été un remarquable ministre des Affaires étrangères, alors que rien ne semblait le prédestiner à ce portefeuille. D'autre part, la compétence inclut le sens politique et l'autorité sur l'Administration : ici l'homme politique n'est pas plus incompétent *a priori* que l'ancien haut fonctionnaire appelé à la responsabilité ministérielle. En outre, le technicien est-il vraiment compétent s'il ne dirige pas le ministère qui correspond à sa spécialité? Les hauts fonctionnaires n'ont pas vu sans déplaisir l'arrivée à la tête de leurs ministères des ministres-techniciens sortis de leurs rangs. Mais ils ont parfois éprouvé ensuite l'inconvénient majeur du système : alors que le ministre parlementaire mettait le poids de son autorité politique au service de son administration, le ministre haut fonctionnaire ne peut que représenter celle-ci. Dans la rivalité permanente qui existe entre les administrations, il est défavorisé si la sienne passe pour relativement mineure aux yeux du chef de l'exécutif.

Les cabinets ministériels

Un ministre est à la fois un membre de l'équipe gouvernementale, le chef politique passager (même s'il reste en place plusieurs années) d'une administration permanente et le porte-parole de cette administration au sein du Gouvernement, face au Parlement et à l'opinion. Pour lui permettre de mener à bien ces tâches multiples, il s'entoure de collaborateurs. Dans la plupart des autres pays, ceux-ci sont assez peu nombreux : le ministre travaille d'abord et surtout avec les fonctionnaires de son ministère. *En France, le cabinet du ministre est depuis longtemps une véritable institution,* imitée à d'autres niveaux de la vie publique : les présidents de l'Assemblée nationale et du Sénat, le président du conseil municipal de Paris, le président et le syndic du conseil général de la Seine, le préfet de police, le secrétaire général de la Préfecture de police ont chacun un cabinet, c'est-à-dire une équipe de quelques personnes choisies ou acceptées par eux et dont la fonction est liée à la leur : le départ du ministre ou du président entraîne en principe le départ des membres du cabinet.

Sous la IIIe République, le recrutement des cabinets était assez hétéroclite. Amis politiques du ministre, journalistes, fonctionnaires détachés de leur administration formaient un milieu particulier dans lequel on restait fort longtemps, sans que l'appartenance à un cabinet constituât par elle-même un tremplin politique de choix. Le *cursus honorum* normal passait par le conseil municipal, le conseil général, la députation. Depuis 1945, *le rôle des hauts fonctionnaires et notamment des membres des « grands corps » est devenu dominant.* La plupart des directeurs de cabinets[1] sont d'anciens élèves de l'École nationale d'administration entrés dans les « grands corps ».

Pourquoi ce type de recrutement? Les ministres choisissent les membres des grands corps et les fonctionnaires des administrations centrales parce que ceux-ci ont une expérience et des connaissances juridiques et administratives qui leur font parfois défaut. Pour ceux-ci, le passage par un ou plusieurs cabinets ministériels présente de *nombreux avantages personnels* : impression justifiée de participer à l'exercice du pouvoir, promotion plus rapide au sein de leur administration d'origine; nomination à la tête d'un organisme ou d'un service du secteur public ou semi-public; entrée dans la carrière politique proprement dite, le cabinet pouvant constituer une étape vers la députation ou même vers le portefeuille ministériel; facilité plus grande enfin d'un « pantouflage » ultérieur, c'est-à-dire du passage à un poste de direction dans l'économie privée.

Les fonctions du cabinet sont multiples : assurer le secrétariat personnel du ministre et l'aider dans ses tâches de représentation, assurer les liaisons avec sa circonscription électorale, avec les milieux politiques, avec la presse, avec les autres ministres et leurs cabinets, informer le ministre et donner des informations à l'extérieur, surveiller et coordonner le travail de l'administration que le ministre dirige. L'activité des cabinets pose au moins deux problèmes graves. Le premier est celui de leur contrôle réel par le ministre. Déjà, de son plein gré, le ministre délègue beaucoup de ses tâches à des membres de son cabinet. Souvent le directeur du cabinet a la délégation de signature pour tout un ensemble de décisions et joue le rôle d'un véritable secrétaire d'État. Le ministre porte certes la responsabilité de l'activité de ses collaborateurs, mais il est parfois loin de la surveiller réellement et même de la connaître. L'existence des cabinets donne naissance à une espèce de vie gouvernementale incontrôlable qui vient sous-tendre l'activité dont le Parlement et l'opinion ont connaissance.

Le second problème est celui de *la place du cabinet entre le ministre et son administration.* Certes, la structure des départements ministériels est telle en France qu'un organisme de coordination est nécessaire : dans quelques rares ministères seulement (notamment les Affaires étrangères et, de 1963 à 1968, l'Éducation nationale) un secrétaire général coordonne l'action parfois divergente des directions. Il est vrai aussi que tel ou tel membre du cabinet est plutôt un délégué de l'administration auprès du ministre qu'un représentant du ministre auprès de l'administration. Mais dans l'ensemble il y a souvent conflit

---

1. Les cabinets ressemblent un peu aux armées sud-américaines : beaucoup de généraux et d'officiers et peu de troupes; un directeur, dans les grands ministères un directeur adjoint, un chef adjoint, des conseillers techniques, des chargés de mission, un chef de secrétariat particulier. Le titre d'« attaché », sans doute trop humble, a disparu.

d'attributions entre le cabinet et les services : qui examine les dossiers importants, qui prépare la décision du ministre, qui étudie les orientations de l'action future? La théorie selon laquelle le cabinet ne prendrait en charge que les questions politiques suppose que la séparation entre domaine politique et domaine technique soit nette. Il n'est même pas certain qu'elle soit possible.

ADMINISTRATION ET POLITIQUE

L'Administration et la vie politique

L'Administration n'est pas, ne peut pas être une sorte de machine dont les rouages auraient pour seule fonction de traduire dans les faits les lois et les décisions gouvernementales, de gérer la vie collective en restant à l'écart de la vie politique proprement dite. Même dans les pays où la confusion entre les notions d'État et de Gouvernement est moins accentuée qu'en France, l'Administration est d'abord *« le visage quotidien du pouvoir »*. En subissant ses décisions, en critiquant son fonctionnement, en cherchant à opposer une situation individuelle à une règle générale, le citoyen français a peu coutume de distinguer l'Administration en tant qu'elle représente l'État, lui-même incarnation de la collectivité, et l'Administration en tant qu'elle exécute la volonté politique du gouvernement majoritaire : traditionnellement, le « ils », expression de la non-participation, exprime l'hostilité méfiante à l'égard de l'appareil étatique sous toutes ses formes[1].

Le rôle même que le député doit jouer crée une interpénétration permanente entre la vie politique et l'administratif : c'est le représentant politique qui est sans cesse invité par ses mandants à intervenir auprès du pouvoir gestionnaire[2], à servir d'intermédiaire entre l'administré et l'Administration. *Être démarcheur,* assurer une correspondance abondante avec les ministères pour régler les cas individuels des électeurs — voilà sinon l'essentiel, du moins un *aspect fondamental du métier parlemenaire* en France. Les changements de régime affectent peu des habitudes solidement établies. Les parlementaires n'interviennent pas seulement pour « faire rendre justice » (ce qui veut dire souvent obtenir un passe-droit) à un simple particulier. Ils se font aussi les porte-parole de collectivités et de groupes. Mais si une petite municipalité fait appel au sénateur pour obtenir le règlement d'une affaire à la préfecture ou au ministère, beaucoup de groupes s'adresseront directement à l'administration elle-même, que ce soit par leur participation à un organisme consultatif ou par des lettres ou visites dans lesquelles la sollicitation se distingue mal de la menace[3].

Les rapports des groupes avec l'Administration posent le problème de la double nature de celle-ci : elle est à la fois chargée d'appliquer dans un secteur la politique générale du

---

1. Voir le chapitre 1.
2. Voir le chapitre 7.
3. Voir le chapitre 5.

Gouvernement et appelée à faire prendre en considération, dans cette politique générale, les intérêts du secteur en question. Dans quelle mesure le ministère de l'Agriculture est-il le porte-parole de l'État face aux agriculteurs, dans quelle mesure est-il le porte-parole des agriculteurs au sein de l'État? Les spécialistes font la distinction entre les rares administrations horizontales (par exemple la direction des prix) qui, chevauchant sur tous les secteurs, seraient vraiment au service de l'intérêt général et les nombreuses administrations verticales qui auraient une vision beaucoup trop étroite des besoins de la collectivité. Dans son rapport final, un comité chargé « d'examiner les situations de fait ou de droit qui constituent d'une manière injustifiée un obstacle à l'expansion de l'économie » (appelé comité Rueff-Armand, du nom de ses vice-présidents) disait en 1960 :

> L'existence de certains groupes de pression, dont l'action méconnaît les exigences de l'intérêt général, n'est certes pas propre à notre seul pays.
> Cependant l'esprit souvent conservateur et malthusien de ces groupes a des racines profondes dans notre histoire économique. On peut y observer une lutte incessante entre, d'une part, les corporations, les corps intermédiaires et les coalitions d'intérêts, à la recherche de monopoles, de privilèges et de protections, et d'autre part l'État et l'Administration qui résistent, limitent, repoussent, mais souvent finissent par succomber. Les figures d'Henri III, de Colbert, de Turgot, du député d'Allarde, de Napoléon III, de Méline et d'autres plus récentes, illustrent les péripéties de cet éternel conflit.
> Le pouvoir est mal armé pour résister efficacement à ces pressions, en raison de la structure de notre Administration. En effet, dans l'organisation actuelle, caractérisée par un découpage de l'Administration en compartiments verticaux et cloisonnés, un grand nombre de fonctionnaires, en dépit de leur intelligence, de leur conscience et de leur dévouement, se sont habitués, en toute bonne foi, à voir dans la défense des intérêts qu'ils ont mission de contrôler un aspect naturel et essentiel de leur fonction, aspect qui tend à éclipser ou à fausser pour eux la vision de l'intérêt général...

L'analyse est certainement exacte et la critique fondée, mais deux difficultés essentielles sont passées sous silence : la place des groupes dans l'élaboration des décisions gouvernementales, autrement dit le problème de la consultation, et les divergences dans la définition de l'intérêt général, autrement dit des oppositions entre diverses branches de l'administration.

Faut-il consulter? Deux réponses excessives peuvent être données. Si la décision du pouvoir doit reposer sur l'avis et sur le consentement des intéressés, elle se fera selon toute vraisemblance dans le sens des situations acquises, du conservatisme. La mauvaise situation de l'enseignement en France ne doit pas seulement être attribuée à l'imprévoyance des gouvernants ou au manque de crédits : les avis trop écoutés des enseignants, insensibles à l'évolution de la société, ont freiné sinon bloqué la transformation d'un système périmé. Les groupes ne sont pas nécessairement les meilleurs juges de leur propre intérêt. Si le gouvernement avait consulté les dirigeants de la sidérurgie en 1950, avant de proposer la création d'une Communauté européenne du charbon et de l'acier, cette Communauté n'aurait sans doute jamais vu le jour, à en juger d'après la violence avec laquelle les industriels ont combattu le plan Schuman depuis sa publication jusqu'à sa ratification. Aujourd'hui, il apparaît rétrospectivement que cette politique européenne a non seulement profité à la collectivité, mais au moins jusqu'à une date récente à la sidérurgie elle-même. En revanche, si le Gouvernement ne consulte pas, il risque à la fois de ne pas apercevoir tous les aspects de la question traitée et de rendre la décision inapplicable parce qu'elle apparaît comme mal fondée aux intéressés. Ce second excès, plus propre à la Ve République qu'à la IVe, amène parfois le pouvoir à reculer, à revenir sur sa décision.

Qu'est-ce que l'intérêt général? A supposer même qu'il s'agisse d'autre chose que d'une approximation commode[1], chacun a tendance à le voir à travers les lunettes déformantes de ses propres préoccupations. Les fonctionnaires sont comme les artisans consultés par le héros de *L'Amour médecin*. « Vous êtes orfèvre, Monsieur Josse » : c'est ce que le chef du Gouvernement dit sans cesse au ministre de l'Agriculture, à celui de l'Éducation nationale, à celui de la Défense quand ceux-ci lui exposent leur conception de la santé du pays, et il en est de même pour le ministre de l'Économie face aux services qui s'occupent des différents secteurs de la vie économique. Doit-on s'étonner alors de voir les ministères, les directions, les bureaux avoir chacun sa politique et ses groupes favoris? Rien n'est plus faux que la conception de l'Administration, corps unique disposant d'une volonté propre. Il existe des *administrations multiples* dont l'action auprès d'autres administrations et même auprès des parlementaires ressemble fort à celle des organismes privés : tel chef de service qui demande à un parlementaire d'intervenir à l'Assemblée nationale ou auprès d'un ministre ou auprès de son parti pour que le secteur dont il s'occupe soit favorisé, tel ministère qui tient un fichier des services rendus aux députés pour pouvoir les leur rappeler discrètement au moment du vote du budget, ne se comportent-ils pas comme de véritables groupes de pression? Il n'est sans doute pas excessif d'inclure les administrations parmi les acteurs de la vie politique.

Fonction publique et « neutralité »

En dehors même de ces comportements des administrés et des administrations, la place de l'Administration dans le mécanisme politique est fort difficile à déterminer avec précision. Il se trouve en effet que l'identification absolue comme la séparation régoureuse entre l'Administration et le pouvoir politique sont l'une et l'autre irréalisables. On définit souvent les démocraties libérales à partir du statut de la Fonction publique. A *l'État partisan*, qui exige de ses serviteurs l'adoption et la pratique de l'idéologie politique dominante, s'oppose *l'État neutre* ou laïc qui distingue clairement entre personnel administratif et personnel politique. Il est de fait que le pluralisme, essence de la démocratie libérale, se conçoit mal sans une Fonction publique jouissant de garanties d'indépendance à l'égard de majorités par définition passagères. Mais même dans les « États partisans », de l'Allemagne hitlérienne à l'Union soviétique en passant par les régimes africains fondés sur le parti unique, il n'y a jamais identification totale entre les deux fonctions, entre les deux personnels. Et dans les démocraties occidentales, la séparation n'est ni très ancienne, ni parfaitement nette.

---

1. Voir le chapitre suivant.

En Grande-Bretagne, c'est à partir de 1853 que la notion du *civil service* se dégage face à l'ancienne conception du *patronage*. Aux États-Unis, il a fallu attendre 1883, plus d'un siècle après l'entrée en vigueur d'une constitution pluraliste, pour voir le personnel administratif jouir de garanties sérieuses, pour voir des limitations importantes apportées au *spoils system,* au « système de dépouilles » qui mettait, qui met encore dans une bonne mesure les charges publiques à la discrétion d'une nouvelle majorité. En France, les réformes de 1850 et de 1881 ont considérablement restreint le « pouvoir discrétionnaire » du Gouvernement, encore que *les postes les plus importants demeurent « politiques »,* c'est-à-dire que leurs titulaires peuvent être librement choisis par le pouvoir politique. Gambetta disait, sans excessive indulgence à l'égard du personnel politique : « On gouverne avec son parti, on administre avec des capacités. » Mais quel est le critère de l'acte de Gouvernement ?

Doit-on vraiment admettre que le fonctionnaire, puisqu'il administre, n'est pas solidaire des actes politiques du Gouvernement auquel il obéit ? La question est particulièrement sérieuse en cas de changement de régime. Après la chute de l'Empire, Gambetta disait encore : « Croyez-vous que la France ait un corps d'administrateurs en réserve ? » En 1945, *l'épuration* fit jouer une conception différente : celle du devoir de désobéissance du fonctionnaire à un régime considéré comme illégitime par le régime suivant. L'obéissance de l'administrateur se trouvait ainsi liée à la notion délicate et fondamentalement politique de légitimité, sans laquelle on ne peut comprendre la notion de loyalisme.

Le fonctionnaire est un homme et non un robot : servira-t-il vraiment de la même façon un Gouvernement dont il approuve les idées et un Gouvernement qui lui déplaît ? La République de Weimar est morte, en partie parce qu'elle a respecté le principe d'une fonction publique neutre, alors que les cadres de l'Administration étaient entraînés par leur origine sociale à se rebeller contre l'orientation même des Gouvernements à direction socialiste. Et la désobéissance — ouverte ou larvée — des hauts fonctionnaires civils et militaires a été l'un des grands obstacles rencontrés par la politique de décolonisation, que ce fût sous la Ve ou sous la IVe République.

Le fonctionnaire est un citoyen. En France beaucoup plus qu'en Grande-Bretagne, on veut lui reconnaître tous les droits : liberté d'opinion, participation à la vie politique, inscription à un parti. Mais doit-il avoir la possibilité d'utiliser contre le Gouvernement les informations ou le prestige que lui donne sa fonction ? Le devoir de discrétion, théoriquement admis par tous, est fort mal respecté en France et le devoir de « réserve hors fonctions » sera toujours difficile à définir avec rigueur. Assurément, selon la formule de Robert Catherine, « on tolérera d'un facteur ce qui serait inacceptable de la part d'un préfet », mais que penser d'un chef de bureau qui, en tant que citoyen, fait campagne contre une loi qu'il est chargé d'appliquer ?

Dans l'ensemble cependant, le statut politique de la fonction publique ne présente *pas de très grandes difficultés* dans la France d'aujourd'hui. La période de l'épuration n'a pas laissé de traces profondes, sauf dans l'armée, au-delà de 1950. La « colonisation » des ministères par les partis, très sensible dans l'immédiat après-guerre, s'est beaucoup atténuée ensuite. Au début, il s'agissait à la fois de favoriser les amis et de mettre en place au sein d'une administration une sorte d'appareil politique. Puis l'accélération de la carrière de tel fonctionnaire lors du passage de tel parti au pouvoir n'a plus guère modifié le comportement politique de ce fonctionnaire. Il agissait comme directeur ou comme chef de service plutôt qu'en sympathisant radical ou MRP. Le système du « testament ministériel » faisait même donner une promotion aux fidèles du ministre précédent. Et la Ve République a fait preuve d'un *libéralisme* comparable dans les nominations, même si des « hommes du président » étaient placés aux postes les plus importants — et parfois à d'autres, moins importants mais enviés — et même si une sorte de disgrâce a pu frapper des hauts fonctionnaires coupables d'avoir soutenu le candidat rival du vainqueur au sein de son camp : les « chabanistes » se sont trouvés traités sans grande bienveillance à l'arrivée de Valéry Giscard d'Estaing, les « rocardiens » à celle de François Mitterrand.

Mais le problème le plus sérieux s'est posé *en 1981. L'alternance devait-elle entraîner une relève du personnel dirigeant?* Et si oui, dans quelles limites et selon quels critères? Les réponses concrètement données ont été suffisamment imprécises et variables pour que la nouvelle opposition pût crier à l'épuration et les « durs » de la majorité se plaindre de l'insuffisance du changement. Le nombre de places disponibles dans la Fonction publique et dans le secteur public (encore accru par les nationalisations) a inévitablement entraîné une certaine quantité de nominations nées du désir humain, trop humain, de récompenser amis et fidèles qui n'entendaient pas avoir contribué à la victoire pour rien. Il s'agissait surtout de bien contrôler l'appareil gouvernemental. Pour ce faire, tels remplacements étaient utiles, tandis que d'autres apparaissent comme des sanctions, tels maintiens respectaient l'esprit de la Fonction publique en régime pluraliste, tels autres récompensaient de soudaines révélations d'une appartenance ancienne à la gauche. Au total, on trouve de quoi étayer deux jugements apparemment contradictoires : il n'y a pas eu « épuration », et il y a eu plus de privilèges accordés à l'appartenance partisane. La question politique la plus importante se trouvait cependant être celle de la présence de communistes dans des fonctions dirigeantes, Jusqu'à quel point les ministres communistes avaient-ils la volonté de « coloniser » les administrations et les organismes dont le contrôle leur incombait? Dans quelle mesure les nominations de membres du Parti dans l'ensemble de l'appareil gouvernemental constituaient-elles un « rattrapage » par rapport à une injuste discrimination antérieure? Les réponses dépendent évidemment de l'idée que chacun peut se faire de la nature, particulière ou non, du PCF.

En régime pluraliste, le recrutement des futurs hauts fonctionnaires n'est en principe fondé que sur les capacités. Certes, le Gouvernement a le droit d'arrêter la liste des candidats au concours d'entrée de *l'École nationale d'administration.* Mais il ne saurait invoquer les opinions politiques du candidat pour lui interdire l'accès de la fonction publique. Par l'arrêt Barel du 28 mai 1954, annulant les refus d'inscription opposés à cinq candidats communistes ou supposés tels, le Conseil d'État a précisé que le Gouvernement « ne saurait écarter... un candidat en se fondant exclusivement sur ses opinions politiques ». Malgré le caractère restrictif et assez vague de l'adverbe, l'entrée simultanée à l'ENA, en 1962, de l'ancien président de l'UNEF, critiqué par le Gouvernement pour avoir pris contact avec les nationalistes algériens, et d'un étudiant qui avait été interné pour activisme d'extrême droite, a symbolisé un libéralisme dont on ne trouve guère d'équivalent dans d'autres pays, même dans ceux qui passent pour les plus démocratiques. Et deux arrêts du Conseil d'État sont venus préciser, en mars et mai 1983, quelle obligation de réserve le Gouvernement pouvait exiger de candidats a l'École nationale de la magistrature : si le Gouvernement peut « tenir compte de faits et manifestations antérieurs à la candidature de l'intéressé, lorsqu'ils établissent son inaptitude à exercer les fonctions dont ils s'agit », cette possibilité ne saurait concerner par exemple la participation à des manifestations d'étudiants « de caractère véhément », mais sans violence, plusieurs années avant le dépôt de la candidature, tandis que la participation à un « comité de soldats » au cours du service national accompli l'année précédant le concours crée un motif légitime de non-admission au concours. Est-ce juste? La question n'est pas très controversée. En revanche, le problème de l'appréciation des capacités s'est trouvé posé bien avant 1981 : les modalités des concours ne privilégiaient-elles pas les privilégiés de la société? Les reçus à l'ENA étaient-ils en grande majorité fils et filles de cadres dirigeants, de membres de professions libérales et de hauts fonctionnaires parce qu'ils étaient les plus aptes ou parce que le concours favorisait une culture et un langage qui étient ceux d'un milieu? Ne fallait-il pas, en tout cas, donner une chance d'accéder à la haute fonction publique à des hommes et à des femmes qui avaient fait la preuve qu'ils savaient diriger et gérer sans avoir pu faire de longues études supérieures? C'est dans cette perspective qu'a fonctionné pour la première fois, en 1983, un concours ouvrant une « troisième voie » d'accès à l'ENA.

Compétence et pouvoir

Née en 1945 sous l'impulsion de Michel Debré, l'École nationale d'administration, malgré les critiques que son programme et son mécanisme de sélection peuvent susciter, a réussi progressivement à créer une sorte d'unité de style dans les hauts postes de la Fonction publique. La polyvalence − parfois plus verbale que réelle − des jeunes hauts fonctionnaires les fait redouter par leurs homologues étrangers dans les négociations économiques, financières, agricoles. Leur goût commun de la gestion étatique, le fait aussi qu'ils peuplent les cabinets des ministres les plus différents sans avoir eux-mêmes la plupart du temps d'orientation politique précise, ont renouvelé de vieilles questions : en France, *n'est-ce pas l'administration qui gouverne?* Bien gouverner, n'est-ce pas choisir les décisions techniquement les meilleures, abstraction faite de toute considération politique?

« Les gouvernements passent; l'administration demeure. C'est l'Administration qui explique la stabilité française au milieu de l'instabilité gouvernementale. » Dans combien d'ouvrages sur la France n'a-t-on pas trouvé développée cette idée qui est devenue un véritable lieu commun! A y regarder de près, on s'aperçoit des nombreuses faiblesses d'une telle interprétation. Il n'est pas vrai, tout d'abord, que les directeurs des administrations centrales restent en place pendant une très longue période. De 1945 à 1950 la stabilité moyenne des directeurs a été de 2,8 ans; de 1951 à 1958 ce chiffre est monté à 3,9 pour retomber à 3,2 ans de 1959 à 1966. C'est peu pour assurer une continuité, pour gouverner à longue échéance. *L'existence même d'une politique de l'Administration,* que seules l'instabilité ministérielle et les incertitudes parlementaires auraient empêché de définir et d'appliquer, *tient du mythe.* La preuve en a été apportée en 1958 : pendant trois mois, entre l'adoption de la nouvelle constitution et la mise en place des institutions, le Gouvernement pouvait légiférer par ordonnances. Les administrations furent invitées à sortir rapidement les projets qu'elles gardaient dans leurs tiroirs. Le résultat fut une législation nombreuse mais désordonnée et portant sur des questions de détail.

La complexité des décisions à prendre, l'information nécessaire pour en délibérer valablement, les connaissances indispensables pour utiliser cette information ne mettent-elles pas les hommes politiques et l'opinion à la merci des experts, notamment des fonctionnaires spécialisés? La tendance n'est-elle pas la même au sein des groupes et des partis, où dirigeants et adhérents suivent bien souvent les avis de leur « technicien »? N'allons-nous pas vers un Gouvernement de technocrates, décidant seuls ou négociant avec les technocrates des forces organisées[1]? Même parmi ceux qui s'en prennent à la « technocratie », la conviction semble se répandre que gouverner est simplement une affaire de compétence.

Or ce mot a deux sens qu'il convient de ne pas confondre. *La compétence peut être un savoir* ou un savoir-faire. *Mais elle peut aussi être un droit* : telle instance est compétente pour prendre telle décision. La façon de lier les deux significations caractérise les attitudes de chacun à l'égard de la démocratie. Du côté des gouvernés, il y a une tendance à s'accorder le droit de trancher de tout — puisque la compétence-droit de regard du citoyen est illimitée —, sans bien comprendre le devoir de s'informer, d'avoir un minimum de compétence-connaissance pour pouvoir exercer ce droit sans trop d'erreur ni d'injustice. Mais il y a aussi, de façon fort répandue, la tendance opposée : se laisser prendre à la confusion établie par les détenteurs du pouvoir et abdiquer le droit de regard parce que, eux, ils auraient la connaissance.

La tentation à laquelle succombent aisément les dirigeants, tout particulièrement sous la Ve République, c'est de contribuer, par le refus de l'information, au rétrécissement de la compétence-savoir pour pouvoir mieux dénier l'existence de la compétence-droit de regard. Or cette attitude n'est pas seulement parfois ridicule (la compétence-savoir conduit à proclamer seule solution possible la construction de La Villette, puis sa destruction) ou tragique (pour les rapports avec l'Allemagne en 1945, pour les problèmes de l'Indochine et de l'Algérie, la « compétence » était du côté de petits groupes de citoyens extérieurs aux dirigeants qui revendiquaient le monopole de la connaissance). Elle est surtout dans la ligne de la tradition pré démocratique selon laquelle chaque corporation, chaque état avait à la fois sa compétence-savoir et sa compétence-droit : les chaussures pour le cordonnier, l'exercice du pouvoir pour le souverain. Le chef de l'État face aux critiques de la politique extérieure, l'« énarque » face au député ou au maire qui connaissent en fait beaucoup mieux que lui l'humble réalité sociale, le fonctionnaire face à l'utilisateur de son service, tous se retranchent volontiers derrière un savoir prétendument incommunicable pour dénier à l'interlocuteur jusqu'au droit au dialogue.

Cette attitude, qui existe dans tous les pays, est particulièrement lourde de conséquences en France, parce que le pouvoir s'y exerce à partir d'un milieu particulièrement restreint, homogène et largement extérieur à la masse du corps social.

---

1. Dans le langage courant, on appelle « technocrate » l'expert qui n'adopte pas vos conclusions. On n'en respecte pas moins les experts. Seulement ils ne sont des « techniciens » que s'ils concluent dans votre sens. La seule possibilité de conclusions opposées devrait affaiblir ce respect.

Ailleurs, il existe en fait trois pouvoirs qui ont certes leurs zones d'interférence, mais qui sont exercés par différents types d'hommes : le pouvoir politique, le pouvoir administratif et le pouvoir économique. *En France, ces trois centres de pouvoir étaient de plus en plus occupés par des hommes de même formation, dans l'ensemble de même milieu, qui passaient aisément d'un secteur à l'autre.* L'évolution au sommet peut servir de symbole. Au général de Gaulle, personnage hors série amené au pouvoir par l'histoire, a succédé Georges Pompidou dont la formation initiale ressemblait à celle des leaders de la IIIᵉ République : le fils d'instituteur entre à l'École normale supérieure où il est entendu que la littérature rend omnicompétent, mais ensuite le passage par le Conseil d'État ne conduit pas, comme dans le cas de Léon Blum, à un parti; l'étape intermédiaire se situe à la direction d'une banque privée. V. Giscard d'Estaing, lui, a reçu la double onction de l'École polytechnique et de l'ENA, et son entrée en politique s'est faite par les cabinets ministériels. Et Jacques Chirac fut le premier chef de Gouvernement de la Vᵉ République à avoir suivi le même parcours, tandis que son ministre de l'Économie et des Finances, Jean-Pierre Fourcade, y avait ajouté le passage par une direction générale au ministère et par la direction générale d'une banque et d'une société d'épargne mobilière. Cet état de choses a des avantages : une sorte de langage commun, des techniques d'analyse communes facilitent la communication et dépassionnent les conflits. Mais il a aussi de redoutables inconvénients, surtout quand il s'agit de définir quelles sont les fins collectives que les décisions du pouvoir doivent chercher à atteindre.

A partir de mai/juin 1981, le pouvoir des dirigeants de l'économie privée issus des mêmes grandes écoles que les directeurs de ministères et les ministres ou directeurs de cabinet s'est-il trouvé remplacé par celui de syndicalistes ayant une formation et une expérience fort différentes? En partie oui. Mais l'interpénétration de l'économique, du politique et de l'administratif ne s'en est pas trouvée nécessairement diminuée, d'autant plus que la plupart des nouveaux dirigeants d'entreprises publiques venaient eux aussi des grandes écoles. D'autant plus surtout que l'interpénétration entre l'État et l'industrie est, en France, par comparaison avec les autres pays, un phénomène national qui n'a pas besoin d'une majorité de gauche pour se manifester, la sidérurgie ayant constitué à cet égard depuis la fin de la guerre le cas le plus significatif.

LECTURES COMPLÉMENTAIRES

Pouvoirs présidentiels

○ QUERMONNE Jean-Louis, *Le Gouvernement de la France sous la V* République, Dalloz, 2ᵉ éd., 1983, 699 p. (dispense de la plupart des autres).
○ *Textes et documents sur la pratique institutionnelle de la V* République, rassemblés par D. MAUS, La Documentation française, 2ᵉ éd., 1982, 715 p.
○ AVRIL Pierre, GICQUEL Jean, *Chroniques constitutionnelles françaises 1976-1982,* PUF, 1983, 490 p. (reprise de la chronique parue dans la revue *Pouvoirs*).

○ LONG Marceau, *Les Services du Premier ministre,* Presses univ. d'Aix, 1981, 280 p.
○ RÉMOND R., COUTROT A., BOUSSARD I., *Quarante ans de cabinets ministériels,* Presses de la FNSP., 1982, 277 p.
○ COHEN Samy, *Les Conseillers du président,* PUF, 1980, 199 p.
○ PILLEUL Gilbert, dir., *« L'entourage » et de Gaulle,* Plon 1979, 389 p.
○ Institut Charles de Gaulle, *De Gaulle et le service de l'État,* Plon, 1977, 384 p.
○ DAGNAUD Monique, MEHL Dominique, *L'Élite rose. Les cabinets ministériels. Conseillers, experts et militants,* Ramsay, 1982, 371 p. (sérieux et utile).

○ DE GAULLE Charles, *Discours et messages 1940-1969,* éd. établie avec le concours de François Goguel, Plon, 1970, 5 vol.
○ DE GAULLE Charles, *Lettres, notes, carnets,* Plon, *1905-1918,* 1980, *1919-1940 et juin 1940-juillet 1941,* 1981.
○ DE GAULLE Charles, *Mémoires de guerre,* Plon, 3 vol., 1954-1959.
○ DE GAULLE Charles, *Mémoires d'espoir,* Plon, 2 vol. (1955/62, 1962/71), 1970/71.
○ Institut Charles de Gaulle, *Bibliographie internationale sur Charles de Gaulle 1940-1981,* Plon, 1981, 155 p.
○ DREYFUS François-Georges, *De Gaulle et le gaullisme,* PUF, 1982, 319 p.
○ CHARLOT Jean, *Les Français et de Gaulle,* Plon, 1971, 368 p. (bilan des sondages IFOP).

○ POMPIDOU Georges, *Le Nœud gordien,* Plon, 1974, 204 p.
○ POMPIDOU Georges, *Entretiens et discours,* Plon, 1975, 2 vol., 390 + 321 p.
○ ROUSSEL Éric, *Georges Pompidou,* Lattès, 1984, 569 p.
○ DECAUMONT Françoise, *La présidence de Georges Pompidou, Essai sur le système présidentialiste français,* Economica, 1979, 302 p.
○ RIALS Stéphane, *Les idées politiques du président Pompidou,* PUF, 1977, 192 p.
○ GISCARD D'ESTAING Valéry, *Démocratie française,* Fayard, 1976 (éd. poche augmentée 1978, 191 p.).
○ GISCARD D'ESTAING Valéry, *L'État de la France,* Fayard, 1981, 295 p. (bilan positif sans restriction).
○ TODD Olivier, *La Marelle de Giscard 1926-1974,* Laffont, 1977, 487 p. (sérieux, sans bienveillance).
○ PETITFILS Jean-Christian, *La Démocratie giscardienne,* PUF, 1981, 235 p. (l'étude la plus complète, y compris pour les soutiens politiques).
○ BOTHOREL Jean, *Le Pharaon. Histoire du septennat giscardien,* Grasset, t. I, 1974/78, 1983, 344 p. (récit nourri).

○ MITTERRAND (voir bibl. du chap. 4).
○ DUHAMEL Alain, *La République de Monsieur Mitterrand,* Grasset, 1982, 257 p.
○ DUVERGER Maurice, *La République des citoyens,* Ramsay, 1982, 308 p.
○ ALEXANDRE Ph., PRIOURET R., *Marianne et le pot au lait,* Grasset, 1983, 263 p. (le meilleur bilan des deux premières années).
○ DUHAMEL Alain, *Les Prétendants,* Gallimard, 1983, 277 p. (portraits).

Le pouvoir administratif

○ BODIGUEL J.-L., QUERMONNE J.-L., *La Haute fonction publique sous la Ve République*, PUF, 1983, 270 p.

○ DARBEL A., SCHNAPPER D., *Morphologie de la haute administration française*, 2 vol., 1969-1972, 163 + 248 p.

○ KESSLER Marie-Christine, *La Politique de la haute fonction publique*, Presses de la FNSP, 1978, 300 p.

○ SULEIMAN Ezra, *Les Hauts Fonctionnaires et la politique*, Seuil, 1976, 238 p.

○ SULEIMAN Ezra, *Les Élites en France. Grands corps et grandes écoles*, Seuil, 1979, 286 p.

○ BIRNBAUM Pierre, *Les Sommets de l'État*, Seuil, 1977, 186 p.

○ BODIGUEL Jean-Luc, *Les Anciens élèves de l'ENA*, Presses de la FNSP, 1978, 271 p.

○ THUILLIER Guy, *L'ENA avant l'ENA*, PUF, 1983, 294 p.

○ DUPUY François, THOENIG Jean-Claude, *Sociologie de l'administration française*, Colin, 1983, 206 p.

Limites de l'État?

○ CERNY Philip, SCHAIN Martin, *French politics and public policy*, Londres, Methuen, 1980, 300 p.

○ PADIOLEAU Jean-G., *Quand la France s'enferre. La politique sidérurgique de la France depuis 1945*, PUF, 1981, 232 p. (particulièrement éclairant).

○ PADIOLEAU Jean-G., *L'État au concret*, PUF, 1982, 222 p.

○ ZYSMAN John, *L'Industrie française entre l'État et le marché*, Bonnel, 1982, 398 p. (éd. originale améric. 1975).

○ GRAVELAINE F. de, O'DY S., *L'État EDF*, A. Moreau, 1978, 348 p.

○ CABANNE Pierre, *Le Pouvoir culturel sous la Ve République*, Orban, 1981, 447 p. (critique avant la venue au pouvoir).

Chapitre 9

LES FINS
DE LA SOCIÉTÉ POLITIQUE

CONSTITUTION ET LÉGITIMITÉ

Règne de la majorité et règne du droit

Le but le plus évident de toute unité politique, si évident que certains auteurs l'ont présenté comme le but unique, est sa propre survie. Ceci est particulièrement vrai pour l'État. *Préserver l'existence de la collectivité nationale* en tant que telle constitue l'objet le moins contesté de l'appareil institutionnel. Parfois cette existence apparaît comme réellement menacée. Le souvenir de la débâcle de 1940 a directement inspiré l'article 16 de la constitution de 1958. Mais le texte de l'article montre bien que c'est normalement aux « pouvoirs publics constitutionnels » qu'il appartient de garantir la survie de l'État. L'application prolongée que le président de la République a faite de l'article 16 lors du putsch d'Alger en 1961 a été pour le moins extensive : une bonne partie des décisions présidentielles ne relevaient de l'inspiration imposée par le troisième alinéa que moyennant beaucoup d'ingéniosité juridique. Le précédent ainsi créé pourrait détourner l'article 16 de sa destination première.

La survie de la collectivité nationale, la survie de l'État n'est menacée que rarement. En temps ordinaire, le système institutionnel aura pour objet d'assurer à cette collectivité *une vie ordonnée.* La constitution donne à cet ordre une armature juridique. Mais les constitutions peuvent se classer en deux catégories fort différentes. Aux États-Unis, dans l'Allemagne d'aujourd'hui, la constitution représente la charte de la vie commune, très exactement la loi fondamentale : l'expression utilisée par les constituants de Bonn pour désigner leur œuvre est fort caractéristique. Le respect de la charte doit si bien être imposé à tous les rouages de l'État que le chef de l'État lui-même en sera le serviteur et non le gardien. Des juges joueront ce dernier rôle. Leur fonction ne sera pas seulement de dire le droit. Quand la Cour suprême américaine se prononce sur la ségrégation, quand le Tribunal constitutionnel fédéral de Karlsruhe se prononce sur les définitions de la liberté en matière d'information, il ne s'agit pas seulement d'une interprétation juridique de la constitution : il s'agit de préciser, d'expliciter l'éthique dont se réclame la communauté nationale.

En France, la constitution est considérée depuis longtemps comme un mécanisme, une règle du jeu. Elle doit servir à faire fonctionner le système politique, non à le fonder, car le vrai fondement n'est pas le droit, mais la volonté de la majorité. Aux États-Unis, en Allemagne, lorsqu'une loi votée par la majorité est en opposition avec la constitution, les juges proclament cette inconstitutionnalité et la loi est annulée *ipso facto.* La IVe République avait bien prévu une incompatibilité de ce genre (cependant non applicable, en principe, à la déclaration des droits figurant dans le préambule). Mais l'article 91 de la constitution de 1946 reposait sur le principe opposé, celui de la supériorité de la volonté majoritaire sur la constitution : « Le Comité constitutionnel examine si les lois votées par l'Assemblée nationale supposent une révision de la constitution. »

La Ve République a institué *un Conseil constitutionnel.* Il comprend neuf membres dont le mandat dure neuf ans et n'est pas renouvelable. Trois d'entre eux sont nommés par le président de la République (qui choisit aussi le président), trois par le président de l'Assemblée nationale et trois par celui du Sénat. Le renouvellement se fait par tiers tous les trois ans. Assez âgés, ayant pour la plupart une longue expérience de ministre, de président d'Assemblée, d'ambassadeur, de haut fonctionnaire, les conseillers sont à l'abri des ambitions fortes, donc de la servilité comme des emportements révolutionnaires.

Le Conseil constitutionnel se prononce de plein droit sur la conformité à la constitution des lois organiques et peut être appelé à se prononcer sur celle des lois ordinaires. « Une disposition déclarée inconstitutionnelle ne peut être promulguée ni mise en application. » Les décisions du président de la République ne sont pas de la compétence du Conseil. Le Président lui-même, selon l'article 5, « veille au respect de la constitution », ce qui affaiblit d'emblée le prestige des membres du Conseil. Ceux-ci ont d'abord pris position en faveur de l'interprétation traditionnelle. Le 6 novembre 1962, le Conseil s'est déclaré incompétent pour les lois « qui, adoptées par le peuple à la suite d'un référendum, constituent l'expression directe de la souveraineté nationale ». Il s'agissait alors de savoir si le référendum d'octobre avait été organisé en conformité avec la constitution. La réponse du Conseil est parfaitement claire : *aucun texte ne peut être supérieur à la volonté majoritaire;* en votant oui, le peuple a entériné l'interprétation constitutionnelle qu'impliquait l'organisation du référendum. Une telle conception se trouvait implicitement formulée dans la constitution elle-même : le Conseil constitutionnel ne pouvait pas être appelé à intervenir par la minorité. En 1962, il se trouvait que la majorité du Sénat était différente de celle de l'Assemblée. Le président du Sénat était donc en quelque sorte le porte-parole de la minorité en saisissant le Conseil. Mais rien n'était prévu pour que la minorité puisse directement en appeler au Conseil d'un abus de pouvoir de la majorité : le rôle du Conseil était seulement d'empêcher les empiétements de l'un des éléments des pouvoirs publics sur le domaine de l'autre.

Une double évolution est cependant intervenue. D'une part, le Conseil a progressivement accru son prestige et son influence, notamment en fondant de plus en plus souvent ses décisions sur les principes généraux contenus dans le préambule de la constitution, c'est-à-dire *en se faisant le gardien de droits fondamentaux.* D'autre part, le troisième président de la République a voulu renforcer le rôle du Conseil. Depuis la révision constitutionnelle d'octobre 1974, soixante députés ou soixante sénateurs peuvent le saisir. De façon assez paradoxale, le premier recours spectaculaire fut dû à des parlementaires de la majorité qui voulaient faire déclarer inconstitutionnelle la loi libéralisant l'interruption de grossesse. La décision du 15 janvier 1975 déclara au contraire que la loi ne contredisait pas « les textes auxquels la constitution du 4 octobre 1958 fait référence dans son préambule non plus qu'aucun article de la constitution ». Beaucoup moins explicites que les attendus de la Cour suprême américaine statuant sur le même sujet (dans un sens très permissif) en 1973 et que le Tribunal constitutionnel allemand déclarant anticonstitutionnelles le 25 février 1975 les dispositions essentielles de la loi prudemment permissive adoptée par la majorité socialiste-libérale, les attendus du Conseil français ne s'en référaient pas moins à des principes fondamentaux en déclarant que la loi n'admettait « qu'il soit porté atteinte au principe du respect de tout être humain dès le commencement de sa vie [...] qu'en cas de nécessité et selon les conditions et limitations qu'elle définit » et qu'elle ne méconnaissait pas « le principe énoncé dans le préambule de la constitution du 27 octobre 1946, selon lequel la nation garantit à l'enfant la protection de la santé... ».

De plus en plus cependant, le Conseil constitutionnel a eu à se prononcer sur *des recours soumis par des parlementaires de l'opposition,* qu'elle a tantôt rejetés, tantôt acceptés en déclarant entièrement ou, plus fréquemment, partiellement inconstitutionnels les textes incriminés. C'est ainsi qu'en octobre 1977 le rejet du recours contre la loi Guermeur élargissant l'aide à l'enseignement privé consacrait le principe de la liberté de l'enseignement, tandis qu'en janvier de la même année, l'annulation de dispositions sur la fouille des véhicules privés par les officiers de police judiciaire apparaissait comme un rappel à l'ordre du Gouvernement au nom des libertés individuelles. Le 25 juillet 1979, ce fut la décision sur un recours contre la loi Vivien adoptée par le Parlement le 27 juin pour limiter les grèves à la radiotélévision et leurs effets. Contre l'opposition — et contre les syndicats —, le Conseil rappelait que, si le droit de grève était bien inscrit parmi les droits constitutionnels, c'était sous la forme « Le droit de grève s'exerce dans le cadre des lois qui le réglementent ». Contre la majorité, il annulait les dispositions qui auraient permis de faire obstacle à l'exercice du droit de grève « dans des cas où son interdiction n'apparaît pas comme justifiée au regard des principes constitutionnels ».

Violemment attaqué par F. Mitterrand en 1978 dans sa capacité de vérificateur de la régularité des institutions, le Conseil n'a cessé d'accroître son prestige comme défenseur des libertés. Il s'est également trouvé mêlé aux débats de politique extérieure, notamment à propos de l'élection de l'Assemblée européenne au suffrage universel. La décision du 29 décembre 1976 n'était pas sans rappeler, par son agencement, la décision de 1973 du Tribunal constitutionnel allemand sur la constitutionnalité du traité conclu avec l'autre État allemand : dans les deux cas, le juge constitutionnel rejette les recours, qui touchent à la substance même de la définition de la nation, mais établit en même temps une sorte de liste d'interdits pour l'action gouvernementale future; si les textes avaient dit ceci ou cela, ils auraient été anticonstitutionnels.

En 1981, une question nouvelle surgit : comment allait se comporter le Conseil après l'alternance, comment la nouvelle majorité allait-elle se comporter face à lui? Il était clair que la nouvelle minorité à l'Assemblée nationale ne rendrait pas les choses plus faciles : face à un Gouvernement désireux de légiférer vite et abondamment, face à un groupe parlementaire socialiste discipliné disposant de la majorité absolue, l'opposition devait inévitablement être tentée de procéder comme l'opposition allemande (socialiste jusqu'en 1966, chrétienne-démocrate de 1969 à 1982), c'est-à-dire d'utiliser le plus possible le juge constitutionnel comme une sorte de dernière instance législative. Les recours se multiplièrent donc. L'un d'eux provoqua un véritable tumulte politique autour du Conseil. Celui-ci en sortit renforcé.

En effet, lorsque, le 17 janvier 1982, le Conseil déclara non conformes à la constitution six articles de la loi sur les nationalisations, trois d'entre eux se trouvant non séparables de l'ensemble de cette loi, ce qui entraînait un nouveau passage devant le parlement, bien des dirigeants socialistes critiquèrent le Conseil au point de mettre en cause l'existence même de l'institution. Ils ne voulaient pas voir que le Conseil, tout en attribuant valeur constitutionnelle au passage de la Déclaration de 1789 plaçant le droit de propriété au même niveau que la liberté, avait rendu possible de façon presque illimitée la nationalisation en laissant au Parlement, donc à la majorité, le soin de constater la « nécessité publique », ce pouvoir n'étant limité que s'il y avait « erreur manifeste ». Le premier secrétaire du PS déclara : « Le Conseil constitutionnel ne me paraît pas appartenir à la tradition française. » La constatation était exacte. Mais le Conseil a précisément transformé cette tradition, ne serait-ce qu'en introduisant des principes de 1789 et de 1946 dans le domaine constitutionnel, Et cette transformation se trouve acceptée de façon beaucoup plus unanime qu'on aurait pu le croire au lendemain de la décision de janvier 1982. En effet, le président de la République et le Gouvernement se soumirent pleinement à la décision contestée. Pas plus pour elle que pour une autre, le pouvoir ne laissa le moins du monde entendre qu'il pourrait ne pas respecter la place que le Conseil avait prise. En 1983, la nomination par François Mitterrand, comme membre et président du Conseil constitutionnel, de Daniel Mayer, prit valeur de symbole. Son prédécesseur Roger Frey, président depuis 1973, ancien secrétaire général du RPF, longtemps ministre de l'Intérieur, avait déjà montré qu'une vigoureuse action politique antérieure n'empêchait pas pour autant la sérénité et l'indépendance ultérieures. Daniel Mayer, au moment de sa nomination, était depuis longtemps en retraite et en retrait de la politique active. L'ancien secrétaire général de la SFIO était devenu président de la Fédération internationale des Droits de l'Homme : le président de la République ne choisissait donc pas une personnalité engagée de la nouvelle majorité tout en montrant clairement que, pour lui, le Conseil avait bel et bien à s'occuper d'éthique et pas seulement de technique juridique.

Déjà avant la création du Conseil constitutionnel, *le Conseil d'État* incarnait la supériorité du droit sur la volonté majoritaire incarnée dans le Gouvernement. Non comme conseiller de celui-ci, mais comme juge administratif suprême, comme défenseur des individus et des groupes contre les abus du pouvoir. Et aussi, à côté du Conseil constitutionnel, juge de la régularité des élections législatives et présidentielles, comme garant de la loyauté de compétitions électorales. C'est ainsi qu'en 1983, les élections municipales donnèrent lieu à des fraudes, sanctionnées par les tribunaux administratifs, puis, en appel, par le Conseil d'État. La plupart des municipalités sortantes condamnées étant de gauche, l'opposition trouva dans la fraude un beau thème de combat. Mais la majorité aurait pu souligner plus fortement que l'indépendance du juge administratif se trouvait confirmée de façon plus éclatante que jamais.

Les tribunaux administratifs et le Conseil d'État ne peuvent cependant défendre le citoyen face aux abus et incompréhensions quotidiens de l'Administration. Aussi la loi du 3 janvier 1973 a-t-elle institué *un médiateur,* un peu à l'image de l'*ombudsman* scandinave. Nommé par le Gouvernement (et non élu, comme ailleurs, par le Parlement), le médiateur intervient sur réclamation individuelle transitant nécessairement par un parlementaire. Les efforts persistants d'Antoine Pinay, d'Aimé Paquet (de 1974 à 1980) et de Robert Fabre ont permis la mise en place d'une instance bien structurée, avec une quarantaine de collaborateurs, qui, pour l'année 1982, par exemple, a pu déclarer recevables 3 034 dossiers dont 553 ont pu être traités de façon à donner satisfaction au demandeur : dans ces cas, le médiateur « a constaté qu'il y avait eu mauvais fonctionnement du service public et a fait modifier la décision contestée ».

Une dernière confusion traditionnelle est celle entre le Gouvernement et le régime : la minorité attribuera facilement au système institutionnel les défauts qu'elle croit déceler dans les attitudes ou dans les actions de la majorité. Sous la IVe République le général de Gaulle s'en prenait au « système ». Sous la Ve, les opposants s'en prennent au « régime ». Si la constitution n'est qu'un mécanisme, pourquoi en effet établir une distinction claire entre les institutions et la majorité qui assure leur fonctionnement? D'autant plus que cette assimilation permet d'échapper à la règle dont on se réclame soi-même : on est favorable au règne de la majorité, mais la dénonciation du « système » ou du « régime » permet de contester la légitimité de la majorité à laquelle on s'oppose.

Contestation de la légitimité majoritaire

On ne parle de la légitimité que dans les pays et dans les périodes où elle est contestée. En Suisse, aux États-Unis depuis la guerre de Sécession, en Grande-Bretagne depuis plus longtemps encore, il suffit au pouvoir de respecter la légalité. Tant qu'il ne la transgresse pas, sa légitimité n'est pas en cause : l'obéissance des citoyens est fondée sur la croyance commune que leur devoir est de consentir à l'exercice de l'autorité gouvernementale. Il en est tout autrement en France. Sans remonter à la Révolution et au remplacement de la légitimité royale par la légitimité populaire, on se rappellera que la IIIe République a été longtemps contestée[1].

En 1940, ce fut le drame. Le régime de Vichy était-il légitime? Si la légitimité se fonde sur l'adhésion d'une large majorité des citoyens, renforcée par le caractère légal de la passation des pouvoirs et par la reconnaissance accordée par les États étrangers, la réponse doit être affirmative. Mais cette légitimité était d'emblée contestée de deux façons distinctes bien que liées. L'appel du 18 juin 1940 opposait la *légitimité nationale* à la légitimité majoritaire. Avant même que la IIIe République ne se fût suicidée, le général de Gaulle proclamait : « Quoi qu'il arrive, la flamme de la résistance française ne doit pas s'éteindre et ne s'éteindra pas. » Ce que, dans ses *Mémoires de guerre,* il reprochera le plus aux Gouvernements qui ont succédé à celui de Paul Reynaud, c'est de ne pas avoir quitté le territoire, « emportant le trésor de la souveraineté française ». La légitimité, selon lui, ne leur appartenait plus dès lors qu'ils cessaient de défendre ce trésor. Que l'adversaire se soit appelé Hitler et que le Gouvernement français fût exposé à être contaminé par le national-socialisme importait peu au début. Pour d'autres résistants en revanche, *la contestation* était surtout *morale* : l'arbitraire, puis l'empreinte du nazisme disqualifiaient Vichy bien davantage que la signature de l'armistice.

La IVe République a connu une multiplicité de contestations. La longue querelle du réarmement allemand a vu une partie de la gauche contester d'avance la légitimité d'un régime qui accepterait la CED considérée comme immorale : la décision majoritaire, disait-on, n'engagerait pas les citoyens. Du côté gaulliste, la même conclusion était fondée sur l'abandon de souveraineté que le traité entraînait. Une contestation morale a joué *pour les guerres d'Indochine et d'Algérie* : un régime qui tolérait les exécutions sommaires et les tortures, un régime qui violait ses propres principes en s'opposant à la liberté d'autres peuples perdait pour certains sa légitimité et n'avait plus droit à l'obéissance, même si les gouvernements étaient issus de la majorité de la représentation populaire. A propos de l'Algérie est intervenue surtout une contestation nationale : aucun Gouvernement, affirmait-on, aucune majorité n'a le droit d'abandonner fût-ce une parcelle du patrimoine de la nation, n'a le droit d'expulser de la communauté nationale des hommes qui veulent y demeurer. La IVe République a été renversée, en partie, au nom de cette contestation-là. La « semaine des barricades » de janvier 1960, le « putsch des généraux » d'avril 1961, l'action terroriste de l'OAS en 1962 ont invoqué le même principe pour tenter d'abattre la Ve République.

Il y a d'autres façons d'écarter la légitimité majoritaire. Si tout le monde admet celle-ci en théorie[2], la distinction entre le « *pays légal* » (la majorité qui s'exprime par le jeu électoral et institutionnel) et *le « pays réel »* (une majorité véritable, mais invisible) est fort ancienne. Formulée dans ces termes à l'extrême droite par l'Action française, elle a été souvent utilisée par d'autres. Occasionnellement par la « gauche laïque » contre les lois scolaires Barangé et Debré; doctrinalement par le Parti communiste qui se disait minoritaire seulement parce que le peuple n'avait pas encore été libéré des mensonges de la

---

1. Voir le chapitre premier.
2. Voir le début du chapitre 3.

classe dominante; de façon toute personnelle enfin par le général de Gaulle. Dans son allocution radiotélévisée du 29 janvier 1960, qui a constitué le point tournant de la révolte d'Alger, il a déclaré : « En vertu du mandat que le peuple m'a donné et de la légitimité nationale que j'incarne depuis vingt ans... » Il est souvent revenu ensuite sur cette idée simple : la majorité n'exprime le pays réel que si elle lui est fidèle. A son tour, il a failli voir le régime qu'il avait instauré en 1958 emporté dix ans plus tard par une contestation radicale de la légitimité majoritaire : les révolutionnaires de mai 1968 ont été beaucoup plus loin que le Parti communiste dans les conséquences qu'ils voulaient tirer de « l'aliénation » de la masse des électeurs.

La contestation du régime et la contestation de la société se sont toutes deux apaisées. Dès 1965, la candidature de François Mitterrand à l'élection présidentielle éteignait, on l'a vu, la protestation fondée à la fois sur l'origine insurrectionnelle de la chute de la IVᵉ République et sur le caractère présidentiel du pouvoir dans la Vᵉ. 1981 a marqué une double légitimation supplémentaire. De la part des vainqueurs, puisqu'ils ont accepté sans modification le système institutionnel si longtemps combattu. De la part des vaincus, puisqu'ils ont accepté l'alternance comme faisant normalement partie de ce système, même si elle aboutissait à la présence du Parti communiste dans la majorité et au Gouvernement. Le 10 mai 1982, Jacques Chirac, président du RPR, rendait publique une déclaration dans laquelle il disait, certes : « Qu'un pouvoir soit légalement en place ne signifie pas qu'il soit sans frein ni sans limite », mais où il affirmait aussi : « Sauf circonstances exceptionnelles telle qu'un drame national au cours duquel les autorités légales failliraient à leur mission, il n'y a pas, il ne doit pas y avoir, de distinction entre légalité et légitimité. Dans un pays démocratique, une autorité légalement désignée est légitime, et aucune légitimité ne peut se réclamer d'une autre origine que du choix de la majorité du peuple. »

Et l'arrivée de la gauche a encore affaibli un courant dont la puissance, notamment dans les jeunes générations, s'est maintenue et développée en Allemagne depuis les années soixante, à savoir le rejet de la légitimité globale de la répartition du pouvoir social au sein d'une société considérée comme radicalement injuste. Mais il n'est pas dit qu'une aggravation de la crise ne le ferait pas renaître.

INTÉRÊT NATIONAL ET CHOIX DES SOLIDARITÉS

La conception du général de Gaulle

Peu d'hommes ont eu une conception aussi claire, aussi tranchée des fins de la société politique que le général de Gaulle. *La valeur suprême,* on pourrait presque dire la valeur unique, *est la nation.* La nation s'organise, se structure grâce à l'État, qui est porté par le peuple tout en modelant l'existence collective de celui-ci et qui seul peut assurer au citoyen l'exercice des libertés. L'État n'est pas « une juxtaposition d'intérêts particuliers dont ne peuvent sortir jamais que de faibles compromis, mais une institution de décision, d'action, d'ambition, n'exprimant et ne servant que l'intérêt national »[1]. Ce qui compte, c'est le rôle de la nation, considérée comme une personne, dans la vie internationale, celle-ci étant uniquement conçue comme un affrontement entre États-nations. Les conflits idéologiques sont ou bien transitoires ou bien des trompe-l'œil. Et les organismes qui prétendent déposséder les États-nations d'une partie de leur souveraineté méconnaissent la nature des choses.

Dans cette perspective, la politique extérieure domine la politique intérieure ou, plus exactement, elle est l'unique politique véritable. La politique intérieure a pour seul objet d'assurer la stabilité et de renforcer la puissance, toutes deux moyens de la politique extérieure. Les trois grands ministères sont ceux des Affaires étrangères, de la Défense nationale et de l'Intérieur, car il s'agit des « trois leviers qui commandent la politique étrangère, savoir : la diplomatie qui l'exprime, l'armée qui la soutient, la police qui la couvre ». Le général de Gaulle était fier des transformations économiques et sociales (nationalisations, Sécurité sociale, statut du fermage, comités d'entreprise) qui sont intervenues sous sa direction au lendemain de la Libération. Mais pas pour les mêmes motifs que les partis de sa majorité : « Une fois de plus, je constate que si, pour eux et pour moi, le but peut être le même, les raisons qui les poussent ne sont pas identiques aux miennes. Alors qu'ils règlent leur attitude d'après les préjugés de leurs tendances respectives, ces considérations me touchent peu. Par contre, je les vois médiocrement sensibles au mobile dont je m'inspire et qui est la puissance de la France. »

Les préoccupations quotidiennes des Français sont, certes, respectables, et le général de Gaulle se montrait constamment soucieux de l'amélioration de leurs conditions de vie et des exigences de la justice sociale, mais ce n'était pas là pour lui des problèmes du même ordre que ceux de la nation. Que l'Allemagne lui paraît pitoyable lorsqu'il la visite en 1945! « Niveau de vie et reconstruction, voilà quelles seraient forcément, pendant de nombreuses années, les ambitions de la nation allemande et les visées de sa politique. » *Chaque Français a* en quelque sorte *une double nature : comme individu, il a des intérêts propres,* il appartient à de multiples groupes qui s'affrontent; *comme Français, il est une partie de la nation* qui ne saurait avoir qu'un intérêt commun.

C'est cette conception qui dominait la constitution et une partie de la réalité politique de la Ve République, du moins jusqu'à la crise de mai-juin 1968 : ensuite le général de Gaulle lui-même n'a plus mis l'accent sur la priorité de l'action extérieure, et l'appel envoyé aux électeurs en avril 1969 pour le « oui » ne contenait aucun passage sur la vie internationale ni sur le rôle de la France dans le monde. La vue d'ensemble a cependant été maintenue jusqu'au bout : le chef de l'État incarne l'intérêt national, représente les Français comme membres de la collectivité nationale et prend les décisions nécessaires dans les domaines majeurs. Le Premier ministre, assistant du président en ces matières, devient chef de l'exécutif dès qu'il s'agit d'arbitrer entre les groupes d'intérêts, d'orienter la vie économique et sociale du pays. Son interlocuteur est alors le Parlement qui « réunit les délégations des intérêts particuliers[2] ».

---

1. Toutes les citations de ce paragraphe sont tirées du tome III des *Mémoires de guerre*. On aurait pu en prendre d'analogues dans les discours prononcés après 1958.
2. Voir les chapitres précédents.

Mais *qui définira l'intérêt supérieur?* Pour le général de Gaulle, la réponse était double : d'une part, la définition appartenait au chef de l'État, émanation du peuple non différencié; d'autre part, il était à peine besoin d'une définition puisque l'intérêt national est à chaque instant clairement reconnaissable, puisqu'il a un caractère d'évidence. Cette conception peut paraître contestable et même dangereuse. Sauf à de très rares moments, l'intérêt national ne s'impose pas avec une telle évidence. *Il existe des intérêts divergents* de la collectivité nationale. La démocratie libérale a précisément pour fonction première de choisir, par décision majoritaire, entre ces intérêts, de dire, après un libre débat, quelle doit être la considération qui l'emporte sur les autres, quels sacrifices seront acceptés en échange de quels avantages collectifs. L'intérêt national était-il de faire la guerre en 1936, en 1938 ou en 1939? De garder l'Algérie en 1954, en 1958, en 1962 ou ne pas la garder? D'avoir la « force de frappe » ou de ne pas l'avoir? D'aider un peu, beaucoup, ou pas du tout les pays africains? Il n'y a jamais de réponse certaine. Selon les « opinions » et les « tendances », le choix sera effectué dans tel ou tel sens.

Dimensions de la société politique

Il est vrai que l'État-nation constitue l'ordonnateur central de la société politique. A l'intérieur, surtout dans un pays aussi réfractaire au fédéralisme que la France, c'est autour de l'État que tourne la vie politique, qu'il s'agisse de subir ses structures ou de chercher à les transformer, de se soumettre à ses décisions ou de peser sur elles. A l'extérieur, l'État se trouve face aux autres États. L'expression si souvent employée de « société internationale » ne doit pas cacher la réalité : il existe *une différence radicale entre la société étatique et la société internationale*. La première repose sur un principe essentiel : l'État a le monopole de la contrainte. Entre les citoyens et lui, par le jeu du libre consentement ou de l'obéissance forcée, s'est établi un rapport d'autorité qui constitue le véritable fondement de la société politique organisée. Au niveau international, ce rapport n'existe pas. Les États-nations, seuls participants vraiment reconnus de la société internationale, peuvent agir avec une liberté à peu près sans limites. Malgré les tentatives d'organiser, de régulariser les relations interétatiques, la situation est demeurée telle que, comparée aux sociétés étatiques, la société politique internationale constitue sans doute un ensemble, mais un ensemble anarchique.

L'autorité politique est donc entre les mains des dirigeants des États. Il est normal qu'ils cherchent à faire prévaloir dans la société internationale les aspirations ou les intérêts de leur collectivité nationale. Ne trahiraient-ils pas le devoir de leur charge en agissant autrement? L'idée est aujourd'hui si communément admise que la référence à l'intérêt national est nécessaire pour entraîner l'adhésion à une politique qui se réclame d'une idéologie transnationale ou supranationale. Les communistes expliquaient que la fidélité aux positions de l'Union soviétique correspondait à l'intérêt véritable de la France. Les partisans de l'intégration européenne tendaient à montrer que la supranationalité correspondait à l'intérêt bien compris de la collectivité nationale.

Pourtant l'État-nation est fort loin de constituer la dimension unique de la société politique. Il existe tout d'abord des *dimensions infranationales*. L'attachement à la région, à la commune constitue une réalité politique. L'intérêt de la collectivité nationale exige sans doute qu'on ne tienne pas un compte excessif de l'« âme » de telle petite commune [1] ou de la volonté des Bretons de ne pas laisser dépérir la Bretagne ou encore de celle de nombre de Corses d'obtenir une large autonomie pour ce qui leur semble être un peuple. Mais le pouvoir, expression et représentant de la collectivité, ne peut guère imposer la destruction d'une solidarité géographiquement limitée au nom de la solidarité nationale parfois violemment contestée.

En second lieu, l'existence d'*une société politique transnationale* est si certaine, si contraignante que l'autonomie de l'État-nation n'est pas supérieure à celle de l'individu dans la société tout court. Les forces transnationales organisées sont nombreuses : internationales de partis et de syndicats, Églises, groupes économiques, etc. Elles exercent une action sur la vie politique des États-nations tout en étant elles-mêmes influencées par l'évolution des politiques intérieures. Ces forces sont cependant d'importance secondaire par rapport à d'autres facteurs transnationaux plus difficiles à cerner et à décrire : événements de la vie internationale ou de la vie d'un pays particulier, transformations sociales; développement des techniques; diffusion des idéologies. Pourquoi la France a-t-elle voté à gauche en 1945? La réponse n'est complète que si on a préalablement répondu à cette autre question : pourquoi tous les pays européens ont-ils voté à gauche en 1945? L'explication de la situation française doit tenir compte de l'évolution d'une société politique transnationale. Il a fallu plusieurs années pour que les dirigeants français, pour que la majorité des Français comprennent que l'avenir de l'Algérie n'était pas un problème purement français ou même franco-algérien, parce qu'il était inclus dans le phénomène de décolonisation qui affectait la société transnationale.

Enfin, dans les esprits comme dans la réalité, la société politique a *des dimensions supranationales*. Dimension idéologique : le monde communiste n'est pas seulement une alliance d'États; même peu structuré, le « monde occidental » existe. Dimension économique : la distinction entre possédants et déshérités tend à diviser le monde d'aujourd'hui comme l'étaient hier (ou comme le sont encore) les sociétés politiques nationales. Dimension institutionnelle : l'action des organisations internationales est en train de se distinguer nettement de l'action collective des États-membres. Le secrétaire général de l'Organisation des nations unies, le président de la Banque internationale pour la reconstruction et le développement, les juges de la Cour internationale de justice ne sont pas en droit, moins encore en fait, de simples exécutants de volontés nationales. Au niveau de l'Europe des Six, puis des Neuf, la notion d'un pouvoir supérieur à celui des États a été acceptée par ceux-ci pour la Communauté européenne du charbon et de l'acier d'abord, pour la Communauté européenne de l'énergie atomique et la Communauté économique européenne ensuite. Dimension morale : quand, le 10 décembre 1948, l'Assemblée générale des nations unies a proclamé la Déclaration universelle des droits de l'homme « comme l'idéal commun à atteindre pour tous les peuples et toutes les nations », elle n'a pas adopté un texte purement abstrait sans aucune obligation ou sanction; si la conscience universelle, trop souvent invoquée, demeure un mythe, des représentations collectives

---

1. Voir le chapitre 2.

assez précises contraignent les États à se réclamer, du moins en paroles, des valeurs définies dans la Déclaration.

La société politique a donc des dimensions multiples. De cette multiplicité naît la plus grande difficulté que rencontre chaque individu, chaque groupe pour prendre une décision, pour définir sa position : *comment effectuer un choix entre plusieurs solidarités concurrentes,* qu'elles soient des solidarités d'intérêt ou des solidarités morales? En 1914, contrairement à l'attente de beaucoup de dirigeants, les ouvriers français et allemands n'ont pas hésité à placer la solidarité nationale avant la solidarité prolétarienne. Depuis 1947, des millions de Français se sont demandé plus ou moins consciemment avant de voter au second tour des élections cantonales ou législatives : dois-je faire passer la solidarité anticommuniste avant la solidarité sociale? Les Allemands d'après guerre ont nettement choisi la solidarité idéologique contre la solidarité nationale : pas de réunification plutôt qu'une unité qui donnerait une chance d'influence au communisme. Face à la Chine, l'Union soviétique a abandonné la solidarité économique des pays communistes pour ne pas compromettre l'amélioration du niveau de vie en URSS. Dirigeants politiques et chefs syndicalistes américains et français sont sans cesse tiraillés entre deux désirs contraires : reconnaître d'une part que leurs nations sont privilégiées collectivement et qu'il faut consentir des sacrifices pour aider les peuples déshérités; proclamer d'autre part que la prospérité et l'égalité n'ont pas encore atteint un degré suffisant dans leur propre pays.

On pourrait multiplier les exemples parce que, précisément, chaque individu et chaque groupe se débattent au milieu d'un véritable réseau de solidarités multiples. Sauf à de très rares moments, la plupart d'entre eux ne veulent pas, ne peuvent pas sacrifier toutes les solidarités à l'une d'entre elles. Ils préfèrent s'imaginer qu'il y a compatibilité là où, en fait, existe un conflit. Le mineur qui voit fermer la mine non rentable veut croire que l'intérêt général exige qu'il ne perde pas son travail. Le chrétien sud-africain ségrégationniste veut croire qu'il y a compatibilité entre l'« apartheid » et les valeurs évangéliques. Le syndicaliste américain qui milite à côté de collègues africains et asiatiques veut croire que les pays sous-développés peuvent recevoir une assistance massive sans que le style de vie de l'ouvrier américain en soit affecté. Le général de Gaulle a voulu qu'on pût à la fois laisser la France totalement maîtresse de ses décisions et promouvoir une solidarité européenne organisée qui s'affirmerait face à l'URSS et aux États-Unis.

En réalité, chaque individu, chaque groupe, chaque collectivité nationale poursuit *des fins multiples.* Quand les individus au sein du groupe, quand les groupes au sein de la collectivité nationale s'accordent pour considérer telle ou telle fin commune (ou tel ensemble de fins) comme prioritaire, l'unité du groupe est assurée, la société politique est « consensuelle »[1]. Dans le cas inverse, la légitimité du pouvoir sera contestée et on parlera de « société conflictuelle ». La politique en France passe pour avoir été toujours dominée par des conflits graves sur le choix des solidarités, sur la détermination des fins.

---

1. Les sociologues ont baptisé « consensus » cet accord fondamental.

225

LA POLITIQUE EN FRANCE

Les grandes querelles entre Français ont été nombreuses. Les contestations de légitimité énumérées plus haut étaient sérieuses, souvent tragiques, rarement dépourvues de noblesse. Certains conflits étaient et demeurent sans solution possible, dans les principes sinon dans la réalité. Ainsi, à la question : « Qu'est-ce que respecter la liberté de l'enfant ? », les héritiers du XVIIIe siècle répondent toujours : « Lui donner un enseignement neutre, ne pas peser dès aujourd'hui sur ses choix d'adulte », tandis que l'Église catholique dénonce l'absence d'interprétation religieuse comme une prédisposition donnée à l'enfant de nier la religion. Le mauvais fonctionnement des institutions, les faiblesses des hommes ne suffisent pas pour expliquer les déchirements français de l'après-guerre : la France a été le seul pays au monde à connaître comme déchirements intérieurs les deux grands conflits qui divisent le monde au milieu du XXe siècle, à savoir l'opposition entre le communisme et l'anticommunisme et l'affrontement de vieux États et de jeunes nations. L'Italie est divisée depuis que les deux blocs se sont formés en 1947, mais elle n'avait plus de colonies. La Grande-Bretagne, les Pays-Bas, la Belgique ont eu à surmonter les difficultés de la décolonisation, mais dans aucun de ces trois pays le communisme n'était une force appréciable. *Seule la France a vécu la double interpénétration du conflit intérieur et du conflit mondial.*

Mais il ne faut pas exagérer l'importance des conflits réels dans la société politique française. L'ignorance des données et l'exagération verbale contribuent souvent à faire naître des batailles autour d'un enjeu inexistant. Et surtout à les prolonger, alors que l'objet du conflit a disparu. Il se trouve que bien des divisions anciennes auraient dû perdre à peu près toute signification. Comment une division entre Français peut-elle disparaître ? Par mort naturelle, assurément. S'il n'y a plus de colonies, on ne se battra plus pour savoir s'il faut décoloniser. Mais ce genre de disparition est rare, d'abord parce que l'objet de la division s'évanouit rarement tout à fait, ensuite et surtout parce que le conflit peut survivre même s'il n'a plus d'objet. Les Français ont en effet *une sorte de génie pour maintenir en vie des conflits périmés.* Non que la mémoire doive s'éteindre. Au contraire : le passé devrait être pleinement pris en compte par une connaissance de plus en plus précise pour que la politique du présent soit de moins en moins fondée sur des visions mythiques de l'histoire. La connaissance empêcherait les outrances opposées et successives : la colonisation bienfait pour les colonisés, la colonisation simple accumulation de crimes ; les Français sous l'Occupation : tous héroïques sauf quelques traîtres, puis tous veules sauf quelques héros ; l'armée en Algérie de 1954 à 1962 : des combattants héroïques au service de la population ou un ensemble de tortionnaires face à un peuple uni menant un combat pur... La compréhension du passé pourrait même atténuer les appréhensions du présent. Ainsi pour le découpage du passé récent : de 1939 à 1962 la France a connu la guerre, à deux brèves périodes près (de septembre 1945, fin de la guerre contre le Japon, à novembre 1946, début de la guerre d'Indochine, et du 20 juillet au 1er novembre 1954, de la fin de la guerre d'Indochine au début de la guerre d'Algérie) ; depuis 1962, la France vit sans tragédie extérieure : le comprendre, c'est peut-être affronter avec plus de sérénité les drames économiques et sociaux du présent.

Les conflits périmés relèvent pour la plupart davantage du langage que de la mémoire. Ailleurs aussi, les affrontements idéologiques sont, pour une bonne part, de l'ordre de l'héritage plus que d'interprétations antagonistes de réalités présentes soigneusement analysées. Mais il est sans doute peu d'autres pays où la tendance soit aussi forte de remplacer la connaissance par l'incantation. Il est vrai que le recours à des formules éprouvées a un caractère rassurant, à une époque dont la principale caractéristique est l'insécurité née de la permanence du changement. Le désir légitime de voir demain ressembler à aujourd'hui, ne serait-ce que pour pouvoir planifier sa propre vie, pour pouvoir jouir tranquillement de la rente de situation que donne le diplôme, le produit à débouché assuré, le métier appris une fois pour toutes, bref le désir d'être le moins concerné possible par les bouleversements du temps présent n'a plus guère de chance d'être réalisé. Aucun des problèmes de fond qui se posent aujourd'hui n'est soluble par une formule simple, qui laisserait de surcroît nos habitudes intactes. Ni le ralentissement de la croissance, ni l'impact de la révolution technologique qui met en danger les industries hier performantes, ni l'intégration des fils et filles de travailleurs étrangers désireux de conserver une culture distincte de celle que leur apporterait la simple assimilation. Ni la présence même de ces travailleurs, liée notamment au déclin démographique des pays européens, dont la France, déclin qui pose de toute façon des questions dramatiques pour un avenir pas tellement lointain.

Si les affrontements politiques sont en partie artificiels, la politique est-elle pour autant un faire-semblant? En aucune façon. Elle constitue même la plus indispensable, la plus noble des activités humaines, dès lors qu'on la définit comme la façon dont une communauté cherche à maîtriser son avenir collectif. Cette recherche s'effectue évidemment dans ce qu'on pourrait appeler le domaine politique de la réalité sociale globale, à savoir les institutions, les élections, la vie des partis. Mais toute réalité sociale a un attribut, une coloration politique qui le relie à ce domaine où le politique s'étale visiblement.

L'évolution des institutions, les changements d'hommes et de majorités n'ont guère de valeur en soi, sauf si la vie politique n'a de justification que par rapport à elle-même. Ils n'ont de sens que par référence aux problèmes qui se posent à la société. Il est certes intéressant de savoir si un nombre appréciable de Français se sentent citoyens et se veulent militants. Mais il est plus fondamental de comprendre et faire comprendre toute *l'étendue de la dimension politique des phénomènes sociaux*. Pour reprendre une formule d'Emmanuel Mounier : « La politique n'est pas un but dernier, absorbant tous les autres. Néanmoins, si la politique n'est pas tout, elle est en tout. » On peut montrer comment les attitudes, les préoccupations, les activités apparemment les plus éloignées de l'exercice du pouvoir dans et sur la société globale ont des conséquences ou des présupposés proprement politiques, depuis l'occupation professionnelle jusqu'à la vie familiale, depuis le choix des loisirs jusqu'au contenu de l'enseignement à tous les degrés.

Réduire la politique au jeu institutionnel et électoral, c'est risquer de voir les inquiétudes profondes nées de déséquilibres individuels et collectifs s'exprimer par d'autres canaux que par ceux de la vie politique organisée. En même temps, il faut comprendre et faire comprendre que la lutte contre les déséquilibres et les crises doit passer par une vie politique organisée, c'est-à-dire soumise à des règles acceptées comme

LECTURES COMPLÉMENTAIRES

Les gardiens des libertés

○ FAVOREU Louis, sous la dir. de, *Cours constitutionnelles européennes et droits fondamentaux*, Economica, 1982, 540 p.
○ FAVOREU L., PHILIP Loïc, *Les Grandes Décisions du Conseil constitutionnel*, Sirey (3ᵉ éd. remarquablement comparative), 1984, 679 p.
○ LUCHAIRE François, *Le Conseil constitutionnel*, Economica, 1980, 435 p.
○ KESSLER Marie-Christine, *Le Conseil d'État*, Colin, 1969, 390 p.
○ LONG M., WEIL P., BRAIBANT G., *Les Grands Arrêts de la jurisprudence administrative*, Sirey.
○ MALIGNIER Bernard, *Les Fonctions du médiateur*, PUF, 1979, 231 p.
○ *Rapport du médiateur au président de la République et au Parlement*, Imprimerie des *JO* (annuel).

Querelles de légitimité

○ AMOUROUX Henri, *La Grande Histoire des Français sous l'Occupation 1939-1945*, Laffont (six des huit volumes prévus parus de 1979 à 1983. Une œuvre exceptionnelle de richesse, de souci de vérité et de sérénité).
○ THEOLLEYRE Jean-Marc, *Ces procès qui ébranlèrent la France*, Grasset, 1966, 344 p.
○ JAFFRÉ Yves-Frédéric, *Les Tribunaux d'exception 1940-1962*, Nouvelles éd. latines, 1969, 365 p.
○ HEYMANN Arlette, *Les Libertés publiques et la guerre d'Algérie*, LGDJ, 1972, 315 p. (tristement éclairant dans sa froideur juridique).
○ GIRARDET Raoul, *La Crise militaire française 1945-1962*, Colin, 1964, 240 p.
○ HAMON H., ROTMAN P., *Les Porteurs de valises*, A. Michel, 1979, 434 p.
○ GEISMAR Alain, *L'Engrenage terroriste*, Fayard, 1981, 179 p.
○ MITTERRAND François, *Le Coup d'État permanent*, Plon, 1964, 285 p.
○ GRIMAUD Maurice, « *En mai, fais ce qu'il te plaît* », Stock, 1977, 343 p.
○ COHN-BENDIT Daniel, *Le Grand Bazar*, Belfond, 1975, 190 p. (le témoignage lucide du préfet de police et le témoignage décontracté du « détonateur »).

Pour les problèmes de société, voir l'Orientation bibliographique finale. Pour l'ensemble des questions évoquées dans ce chapitre, nous nous permettons de renvoyer à :

○ GROSSER Alfred, *Au nom de quoi?* Fondements d'une morale politique, Seuil, 1969, 333 p. dont les développements sont synthétisés et complétés dans :

○ GROSSER A., *Le Sel de la Terre. Pour l'engagement moral*, Seuil, 1981, 144 p.

Pour la façon d'analyser, on pourra se reporter à :

○ GROSSER A., *L'Explication politique*, Colin, 1972, 144 p.

GÉOGRAPHIE DES ÉLECTIONS FRANÇAISES

La pratique religieuse dans la France rurale

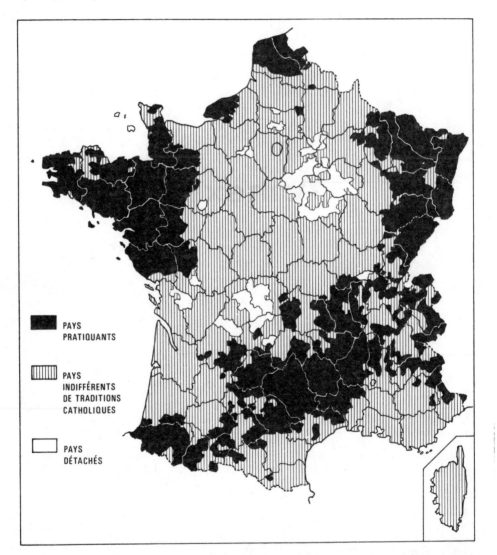

PAYS
PRATIQUANTS

PAYS
INDIFFÉRENTS
DE TRADITIONS
CATHOLIQUES

PAYS
DÉTACHÉS

L'analogie d'ensemble avec les positions habituelles de la droite depuis 1900 ne doit pas empêcher de voir que, dans la moitié nord de la France, le conservatisme politique déborde les limites de la fidélité religieuse, alors que l'inverse se produit dans la moitié sud. La diminution rapide de la population rurale ne laissera bientôt à la comparaison de cette carte avec des cartes politiques qu'un intérêt rétrospectif.

L'extrême gauche en 1936

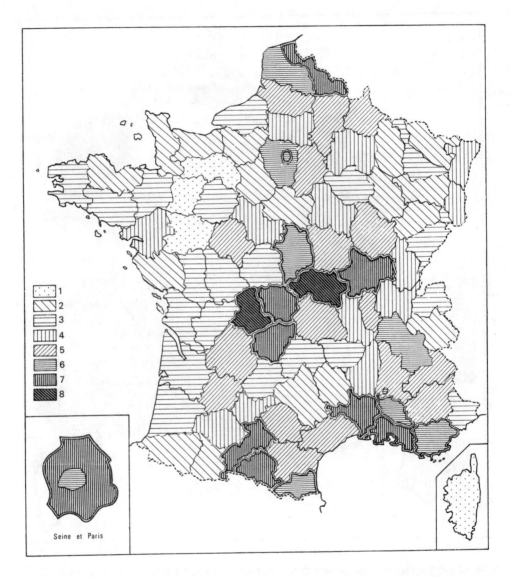

Seine et Paris

1. Moins de 7,5 % des électeurs inscrits. — 2. De 7,5 à 15 %. — 3. De 15 à 22,5 %. —´4. De 22,5 à 30 %. — 5. De 30 à 37,5 %. — 6. De 37,5 à 45 %. — 7. De 45 à 52,5 %. — 8. De 52,5 à 60 %.
Les départements entourés d'un trait noir renforcé ont donné la majorité absolue des votants à l'extrême gauche.

Cette carte représente les suffrages socialistes et communistes : ce n'est donc pas du Front populaire qu'il s'agit, mais seulement de l'extrême gauche « marxiste ». On remarquera que cette carte constitue en gros le négatif de la carte des positions de la droite en 1946, *après* la deuxième guerre mondiale.

La Droite en 1928

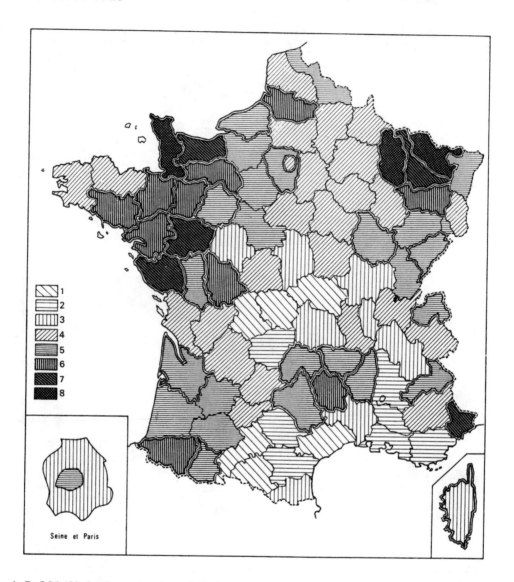

Seine et Paris

1. De 7,5 à 15 % des électeurs inscrits. — 2. De 15 à 22,5 %. — 3. De 22,5 à 30 %. — 4. De 30 à 37,5 %. — 5. De 37,5 à 45 %. — 6. De 45 à 52,5 %. — 7. De 52,5 à 60 %. — 8. Plus de 60 %.

Il s'agit d'une droite ralliée au régime républicain : elle se définit non seulement par son hostilité au collectivisme marxiste, mais aussi par son antagonisme à l'égard du parti radical et, au minimum, par le refus de toute conception intransigeante de la laïcité.

La répartition géographique des bastions de cette droite est celle habituelle depuis le début du siècle : Ouest, Est, cœur du Massif Central et des positions plus isolées à l'extrême S.-O. et à l'extrême S.-E.

La Droite en 1946

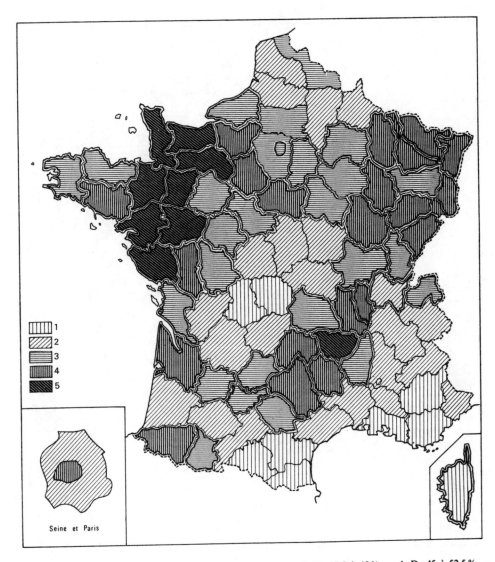

1. De 22,5 à 30 % des électeurs inscrits. — 2. De 30 à 37,5 %. — 3. De 37,5 à 45 %. — 4. De 45 à 52,5 %. — 5. De 52,5 à 60 %.
Les départements entourés d'un trait noir renforcé ont donné la majorité absolue des votants au Non.

C'est d'une droite exclusivement définie par la volonté de résister à l'emprise « marxiste » qu'il s'agit ici : celle qui a voté Non au référendum du 5 mai 1946, portant sur l'approbation du projet de Constitution adopté par une majorité d'extrême gauche (communistes, para-communistes, socialistes). Géographiquement, on retrouve la répartition de 1928, sous réserve d'un élargissement substantiel, grâce auquel sont reliés les uns aux autres les bastions de l'Ouest, de l'Est et du cœur du Massif Central.

235

Le Gaullisme en 1951

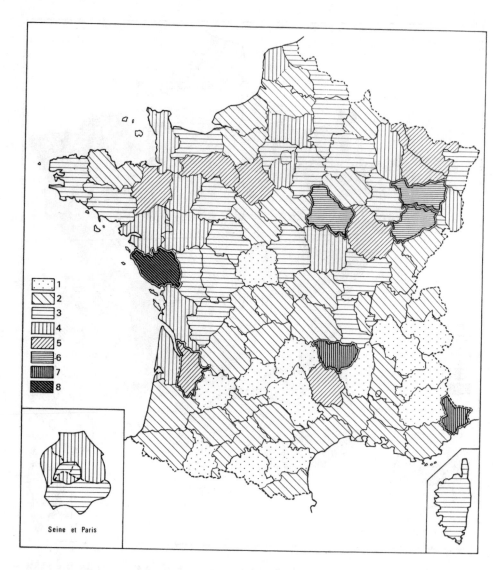

1. Moins de 7,5 % des électeurs inscrits. — 2. De 7,5 à 15 %. — 3. De 15 à 22,5 %. — 4. De 22,5 à 30 %. — 5. De 30 à 37,5 %. — 6. De 37,5 à 45 %. — 7. De 45 à 52,5 %. — 8. De 52,5 à 60 %.
Les apparentements incluant le R.P.F. ont eu la majorité absolue dans les départements entourés d'un trait noir renforcé.

La carte des suffrages R.P.F. en 1951 dessine, avec une intensité presque partout assez faible, des positions assez proches de celles qui sont habituellement celles depuis le début du siècle, sous réserve d'une implantation plus forte dans la banlieue de Paris et très faible dans la plus grande partie du Massif Central.

236

Le Gaullisme en 1962

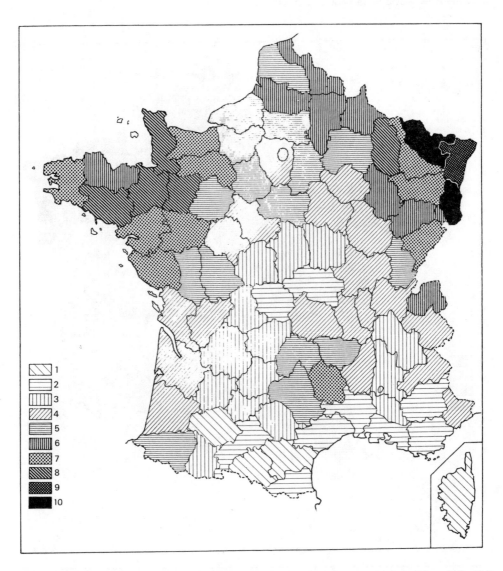

1. De 25 à 30 % des électeurs inscrits. — 2. De 30 à 35 %. — 3. De 35 à 40 %. — 4. De 40 à 45 %. — 5. De 45 à 50 %. — 6. De 50 à 55 %. — 7. De 55 à 60 %. — 8. De 60 à 65 %. — 9. De 65 à 70 %. — 10. Plus de 70 %.

Il s'agit de la carte du vote Oui au référendum du 28 octobre 1962. La répartition géographique de ces votes diffère de ce qu'est habituellement celle des voix de droite par l'existence d'un bastion de la France du Nord qui relie l'un à l'autre les bastions de l'Ouest et de l'Est. Aucun des départements situés au nord de la ligne La Rochelle-Genève n'a donné la majorité au vote Non. 13 départements l'ont fait au sud de cette ligne.

L'élection présidentielle de 1965

LES VOTES POUR LE GÉNÉRAL DE GAULLE AU 2ᵉ TOUR

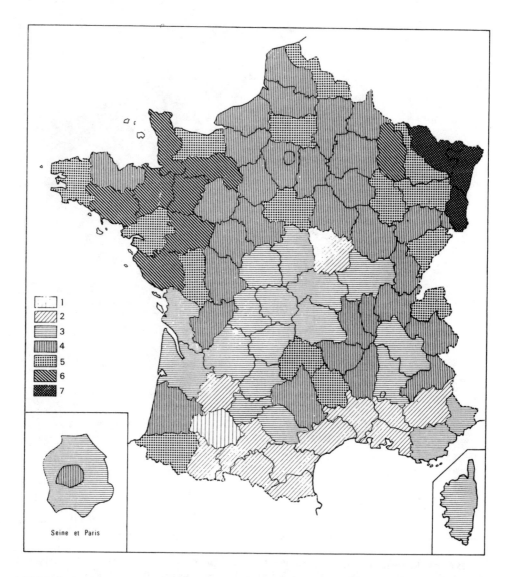

1. 28,2 % des inscrits. — 2. 30 à 35,9 % des inscrits. — 3. 36 à 41,9 % des inscrits. — 4. 42 à 47,9 % des inscrits. — 5. 48 à 53,9 % des inscrits. — 6. 54 à 59,9 % des inscrits. — 7. plus de 60 % des inscrits.

La répartition géographique des votes pour le général de Gaulle au 2ᵉ tour de l'élection présidentielle reproduit les caractéristiques de la carte précédente.

L'élection présidentielle de 1965

LES VOTES POUR FRANÇOIS MITTERRAND AU 2ᵉ TOUR

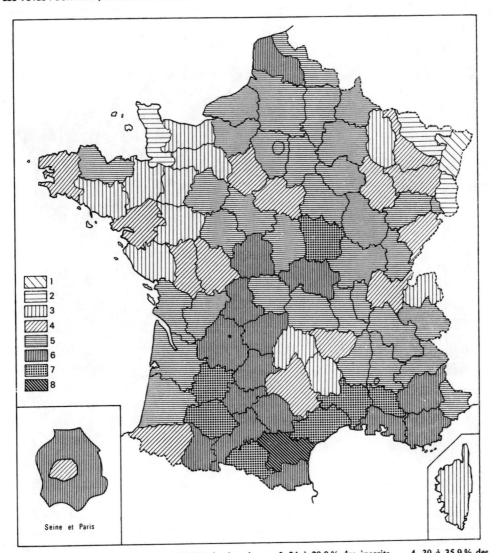

Seine et Paris

1. 12 à 17,9 % des inscrits. — 2. 18 à 23,9 % des inscrits. — 3. 24 à 29,9 % des inscrits. — 4. 30 à 35,9 % des inscrits. — 5. 36 à 41,9 % des inscrits. — 6. 42 à 47,9 % des inscrits. — 7. 48 à 53,9 % des inscrits. — 8. 55,4 des inscrits.

La répartition des votes donnés au second tour au candidat de gauche diffère, par un niveau sensiblement moins élevé dans la France du Nord, de celle constatée habituellement avant 1958 pour l'ensemble des partis de gauche et d'extrême gauche. C'est sur la côte méditerranéenne, ainsi qu'au nord et à l'ouest du Massif Central et en Languedoc que s'affirme la prépondérance de la gauche.

239

Le Gaullisme en 1968

LES VOTES POUR LES CANDIDATS U.D.R., RÉPUBLICAINS INDÉPENDANTS ET GAULLISTES DISSIDENTS AU 1er TOUR DES ÉLECTIONS LÉGISLATIVES

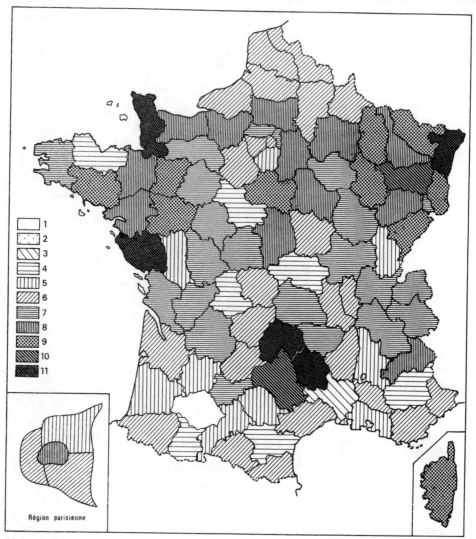

Région parisienne

1. Moins de 20 % des S.E. — 2. De 20 à 24,9 %. — 3. De 25 à 29,9 %. — 4. De 30 à 34,9 %. — 5. De 35 à 39,9 %. — 6. De 40 à 44,9 %. — 7. De 45 à 49,9 %. — 8. De 50 à 54,9 %. — 9. De 55 à 59,9 %. — 10. De 60 à 64,9 %. — 11. Plus de 65 %.

Cette carte, comme les suivantes, et à la différence des précédentes, est établie en pourcentage des suffrages exprimés et non des électeurs inscrits.

Il s'agit d'un niveau maximum pour une élection législative, dû à la réaction contre les troubles de mai-juin 1968. La pénétration du gaullisme vers le sud de la Loire apparaît nettement. Elle compense l'infériorité du gaullisme « législatif » sur le gaullisme référendaire ou présidentiel dans la France du Nord.

Les votes OUI le 27 avril 1969

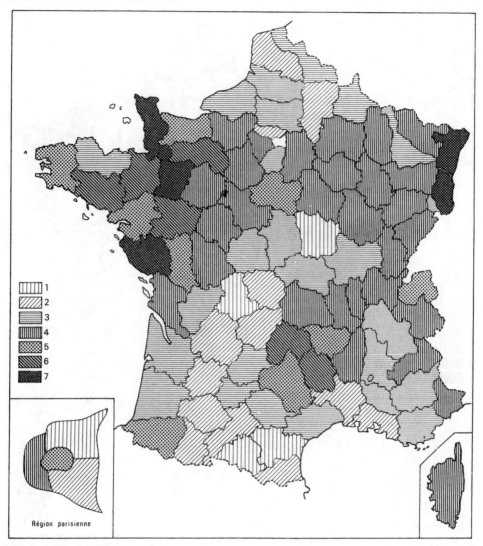

1. De 35 à 40 % des suffrages exprimés. — 2. De 40 à 45 %. — 3. De 45 à 50 %. — 4. De 50 à 55 %. — 5. De 55 à 60 %. — 6. De 60 à 65 %. — 7. De 65 à 70 %.

Sans que la structure géographique d'ensemble du vote OUI au référendum du 27 avril diffère notablement de celle du gaullisme de 1962, de 1965 et de 1968, on remarquera que la France du Nord, dans plusieurs de ses départements (Nord, Ardennes, Pas-de-Calais, Somme), a donné au vote OUI d'avril 1969 une plus forte proportion de ses suffrages qu'elle ne l'avait fait le 23 juin 1968 à l'égard des candidats U.D.R. On constate par contre un tassement du gaullisme dans certains départements de l'Est (Meurthe-et-Moselle, Meuse, Haute-Saône, Vosges). En Bretagne (Côtes-du-Nord, Finistère, Morbihan, Ille-et-Vilaine), dans une partie de la Normandie (Orne, à la différence de l'Eure), le OUI recueille le 27 avril 1969, comme dans la France du Nord, une proportion de suffrages supérieure à celle des candidats U.D.R. en 1968.

241

Les votes Pompidou le 1er juin 1969

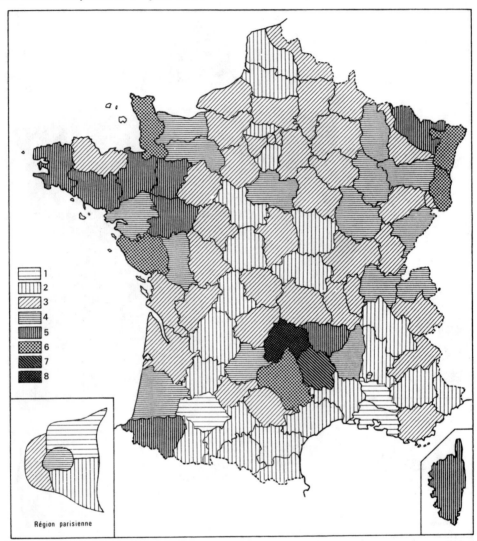

1. De 30 à 35 % des suffrages exprimés. — 2. De 35 à 40 %. — 3. De 40 à 45 %. — 4. De 45 à 50 %. — 5. De 50 à 55 %. — 6. De 55 à 60 %. — 7. De 60 à 65 %. — 8. De 65 à 70 %.

Par rapport à la carte antérieure, celle des votes obtenus par G. Pompidou au 1er tour de l'élection présidentielle de 1969 se caractérise par un sensible recul dans la France du Nord, mais aussi par certains progrès à Paris et dans le cœur du Massif Central. On a l'impression qu'on se rapproche de la distribution traditionnelle des votes modérés, et que l'originalité du vote gaulliste, telle qu'elle s'était manifestée du 28 septembre 1958 au 27 avril 1969, tend à s'estomper. En réalité, compte tenu de la forte proportion de votes de droite qui ont été le 1er juin 1969 à M. Alain Poher, le vote Pompidou reste cependant différent d'un pur et simple vote de droite : mais il comprend probablement moins de suffrages d'électeurs appartenant à des milieux géographiques et sociaux traditionnellement de gauche que le vote proprement gaulliste des scrutins antérieurs.

U.R.P. et divers majorité en mars 1973

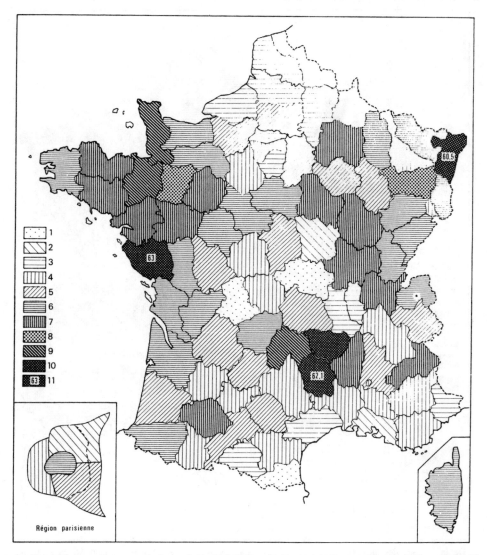

1. De 20 à 24 % des suffrages exprimés. — 2. De 24 à 28 %. — 3. De 28 à 32 %. — 4. De 32 à 36 %. — 5. De 36 à 40 %. — 6. De 40 à 44 %. — 7. De 44 à 48 %. — 8. De 48 à 52 %. — 9. De 52 à 56 %. — 10. De 56 à 60 %. — 11. Plus de 60 %.

Comparée aux cartes du gaullisme en 1962 et aux votes pour le général de Gaulle au 2ᵉ tour de 1965, cette carte montre clairement un recul dans la France du Nord, dans la région parisienne et dans une partie de la France de l'Est. Ce recul correspond à la disparition à peu près complète d'une pénétration dans l'électorat traditionnel de la gauche qu'avait provoquée la personne du général de Gaulle. L'Union des Républicains de Progrès (U.R.P.) rassemble les candidats des diverses formations de la majorité : U.D.R., R.I. et centristes.

L'élection présidentielle de 1974

LES VOTES POUR VALÉRY GISCARD D'ESTAING AU 2ᵉ TOUR

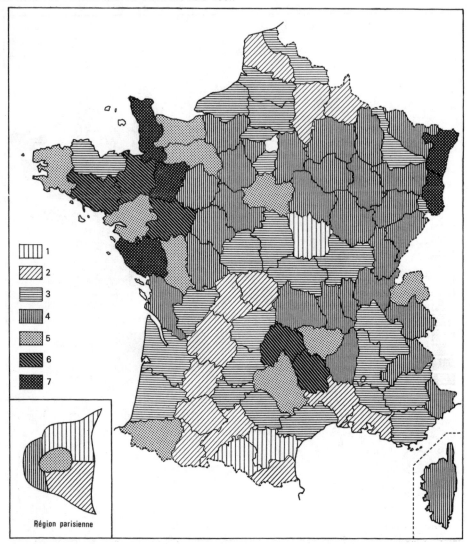

1. De 35 à 39,9 % des suffrages exprimés. — 2. De 40 à 44,9 %. — 3. De 45 à 49,9 %. — 4. De 50 à 54,9 %. — 5. De 55 à 59,9 %. — 6. De 60 à 64,9 %. — 7. De 65 à 69,9 %.

Cette carte doit être comparée à celle de la Droite en 1946 (votes NON au référendum du 5 mai) : elle montre la permanence de la répartition géographique des positions de la Droite. Les différences essentielles concernent un certain nombre de départements du Sud-Ouest (Lot-et-Garonne, Tarn-et-Garonne, Hautes-Pyrénées, Gironde) et de Bourgogne (Saône-et-Loire) où le radicalisme est assez influent pour les avoir fait voter en majorité à droite en 1946 et à gauche en 1974. La permanence des cultures politiques locales qui ressort de cette carte et qu'on constate dans une société à laquelle le dernier quart de siècle a apporté de si profondes transformations de structure, constitue un phénomène remarquable mais difficile à expliquer de façon pleinement satisfaisante.

Suffrages de la majorité sortante au tour décisif des élections de mars 1978

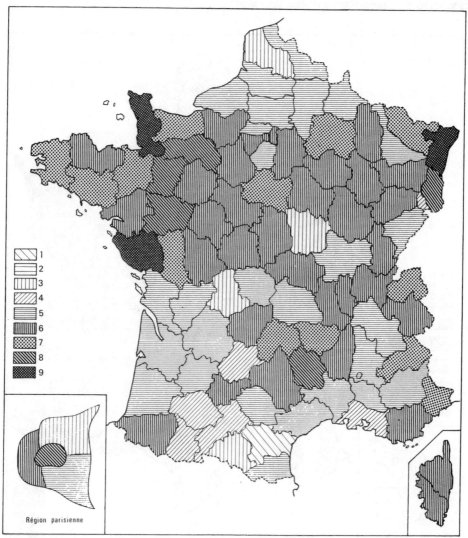

Il s'agit des suffrages au *tour décisif* : le premier là où il n'y a pas eu ballottage, le second là où il y a eu ballottage. Cela explique que, pour certains départements, le total des suffrages représentés sur cette carte et sur la suivante soit intérieur à 100; c'est que les candidats « divers » (Parti socialiste démocrate, Mouvement des Démocrates, Écologistes, Extrême-Droite) avaient obtenu un nombre appréciable de suffrages dans des circonscriptions où il n'y a pas eu de second tour. Il faut également noter que, dans une circonscription des Hauts-de-Seine (la 6e) et de la Manche (la 2e), ainsi que dans cinq circonscriptions de Paris (les 4e, 6e, 20e, 21e, 22e et 23e) il n'y a plus pu y avoir de candidat de Gauche au second tour, en sorte que la majorité apparaît sur cette carte un peu plus forte qu'elle ne l'est en réalité.

Remarquer que dans certains départements qui avaient voté pour François Mitterrand en 1974 et qui ont voté pour les candidats de la majorité en 1978, la Gauche était représentée cette fois, au tour décisif, en quasi-totalité par des candidats communistes (Allier, Cher, Corrèze, Indre, notamment).

L'élection présidentielle de 1981

LES VOTES POUR VALÉRY GISCARD D'ESTAING AU 2ᵉ TOUR

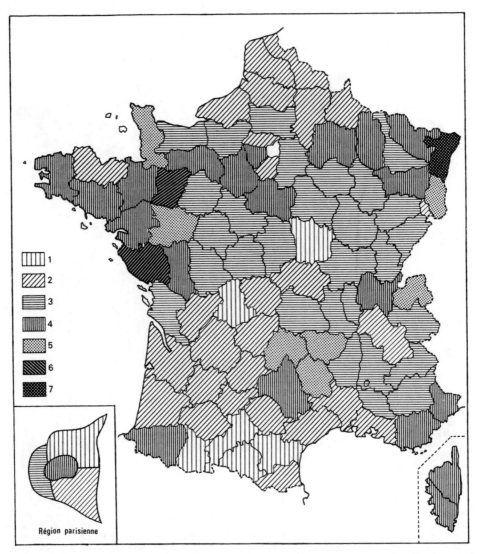

Région parisienne

1. De 35 à 40 % des suffrages exprimés. — 2. De 40 à 45 %. — 3. De 45 à 50 %. — 4. De 50 à 55 %. — 5. De 55 à 60 %. — 6. De 60 à 65 %. — 7. De 65 à 70 %.

Cette carte fait ressortir à la fois la permanence des structures géographiques de l'électorat de droite et l'affaiblissement général de leur niveau. France de l'Ouest, France de l'Est, cœur du Massif Central, ouest des Pyrénées, sud des Alpes : telles sont les terres les plus favorables à la droite. Mais les bastions anciens — auxquels s'ajoutent par rapport à la IIIᵉ République des positions nouvelles au nord des Alpes — se trouvent aujourd'hui séparés les uns des autres. La marée des votes de gauche a submergé les zones les moins élevées.

L'élection présidentielle de 1981
LES VOTES POUR FRANÇOIS MITTERRAND AU 2ᵉ TOUR

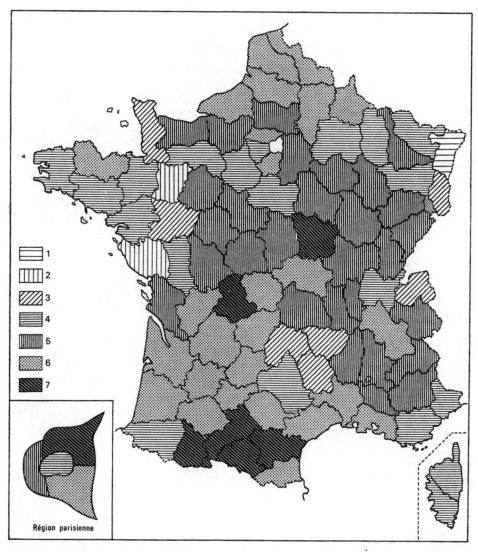

Région parisienne

1. De 30 à 35 % des suffrages exprimés. — 2. De 35 à 40 %. — 3. De 40 à 45 %. — 4. De 45 à 50 %. — 5. De 50 à 55 %. — 6. De 55 à 60 %. — 7. De 60 à 65 %.

Quart sud-ouest du pays, France du Nord, Languedoc et partie de la France méditerranéenne : telles sont en 1981, comme auparavant, les régions les plus favorables à la gauche. Mais elle a gagné la majorité dans une partie des pays de Loire, en Bourgogne, en Franche-Comté, dans une partie de la Lorraine et dans les départements du Sud-Est qui jadis lui demeuraient parfois réfractaires. Sa victoire présente évidemment un caractère national.

247

Suffrages de l'ancienne majorité au tour décisif des élections législatives de juin 1981

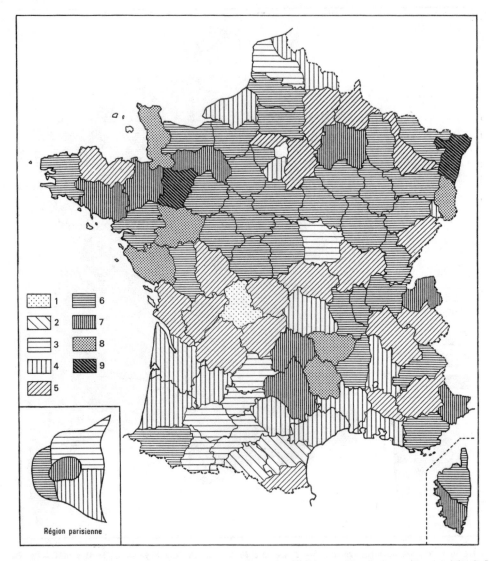

1. 14,08 % des suffrages exprimés. — 2. De 25 à 30 %. — 3. De 30 à 35 %. — 4. De 35 à 40 %. — 5. De 40 à 45 %. — 6. De 45 à 50 %. — 7. De 50 à 55 %. — 8. De 55 à 60 %. — 9. De 60 à 65 %.

Après l'élection présidentielle de mai 1981, l'ancienne majorité connaît un nouveau recul, dû en grande partie à l'abstention d'une appréciable proportion des électeurs qui, le 10 mai, avaient voté pour Valéry Giscard d'Estaing. Les positions de la France de l'Ouest et surtout de la France de l'Est, sauf en Alsace, sont largement entamées. Mais, à un niveau inférieur, sa structure géographique traditionnelle se retrouve à peu près inchangée.

Suffrages de la gauche au tour décisif des élections législatives de 1981

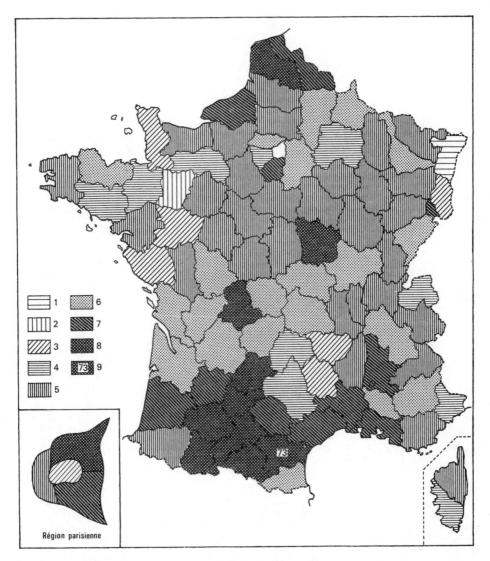

1. De 35 à 35 % des suffrages exprimés. — 2. De 35 à 40 %. — 3. De 40 à 45 %. — 4. De 45 à 50 %. — 5. De 50 à 55 %. — 6. De 55 à 60 %. — 7. De 60 à 65 %. — 8. De 65 à 70 %. — 9. Au-dessus de 70 %.

L'analogie saisissante entre la carte des votes pour François Mitterrand le 10 mai 1981 et celle des votes obtenus par les candidats de gauche au tour décisif des élections législatives de juin démontre de la façon la plus nette le caractère pilote de l'élection présidentielle sous la Ve République. Mais l'abstention de beaucoup d'électeurs habituels de la droite accentue encore l'avance de la gauche en suffrages exprimés.

RÉSULTATS GLOBAUX DES RÉFÉRENDUMS ET DES ÉLECTIONS PRÉSIDENTIELLES, LÉGISLATIVES ET EUROPÉENNES DE 1945 à 1984

(France métropolitaine)

		% des inscrits	% des exprimés

I. *Référendum du 21 octobre 1945*

Électeurs inscrits	24 622 862	100	
Votants	19 654 284		
Abstentions	4 968 578	20,1	

1re question : Voulez-vous que l'Assemblée élue ce jour soit constituante?

Blancs et nuls	1 025 744	4,1	
Votes oui...............................	17 957 868	72,9	96,4
Votes non	670 672	2,7	3,9

2e question : Approuvez-vous que les pouvoirs publics soient, jusqu'à la mise en vigueur de la nouvelle Constitution, organisés conformément aux dispositions du projet de loi dont le texte figure au verso de ce bulletin?

Blancs et nuls	1 064 890	4,3	
Votes oui...............................	12 317 882	50	66,3
Votes non	6 271 512	25,4	33,7

II. *Élections du 21 octobre 1945*

Électeurs inscrits	24 622 862	100	
Votants	19 657 603		
Abstentions	4 965 259	20,1	
Blancs et nuls	504 887	2	
Parti communiste et apparentés	5 024 174	20,4	26,2
S.F.I.O.	4 491 152	18,2	23,4
Radicalisme et U.D.S.R.	2 018 665	8,1	10,5
M.R.P.	4 580 222	18,6	23,9
Modérés	3 001 063	12,1	15,6
Divers	37 440	0,1	0,1

III. *Référendum du 5 mai 1946*

(Approbation de la Constitution adoptée par l'Assemblée élue le 21 octobre 1945.)

Électeurs inscrits	24 657 128	100	
Votants	19 895 411		
Abstentions	4 761 717	19,3	
Blancs et nuls	513 054	2	
Votes oui...............................	9 109 771	36,9	47
Votes non	10 272 586	41,6	53

IV. *Élections du 2 juin 1946*

Électeurs inscrits	24 696 949	100	
Votants	20 215 200		
Abstentions	4 481 749	18,1	
Blancs et nuls	409 870	1,6	
Parti communiste et apparentés	5 145 325	20,8	25,9
S.F.I.O.	4 187 747	16,9	21,1
R.G.R. [1]	2 299 963	9,3	11,6
M.R.P.	5 589 213	22,6	28,2
Modérés	2 538 167	10,2	12,8
Divers	44 915	0,1	0,1

V. *Référendum du 13 octobre 1946*

(Approbation de la Constitution adoptée par l'Assemblée élue le 2 juin 1946)

Électeurs inscrits	24 905 538	100	
Votants	17 129 645		
Abstentions	7 775 893	31,2	
Blancs et nuls	336 502	1,3	
Votes oui	9 002 287	36	53,5
Votes non	7 790 856	31,2	46,5

VI. *Élections du 10 novembre 1946*

Électeurs inscrits	25 083 039	100	
Votants	19 578 126		
Abstentions	5 504 913	21,9	
Blancs et nuls	361 751	1,4	
Parti communiste et apparentés	5 430 593	21,6	28,2
S.F.I.O.	3 433 901	13,7	17,8
R.G.R.	2 136 152	8,5	11,1
M.R.P.	4 988 609	19,9	25,9
Union gaulliste	585 430	2,3	3
Modérés	2 487 313	9,9	12,9
Divers	154 377	0,6	0,8

VII. *Élections du 17 juin 1951* [2]

		% des inscrits	% du total des moyennes des listes
Électeurs inscrits	24 530 523	100	
Votants	19 670 655		
Abstentions	4 859 869	19,8	
Blancs et nuls	541 231	2,2	
Parti communiste et apparentés	5 056 605	20,6	26,9
S.F.I.O.	2 744 842	11,1	14,6
R.G.R.	1 887 583	7,6	10
M.R.P.	2 369 778	9,8	12,6
R.P.F.	4 058 336	16,5	21,6
Modérés	2 656 995	10,8	14,1

---

1. Le rassemblement des Gauches regroupe à partir de juin 1946 radicalisme et U.D.S.R.
2. Pour ces élections et celles de 1956, les bulletins incomplets étaient valables, de sorte que le total des moyennes des listes est inférieur à celui des suffrages exprimés.

VIII. *Élections du 2 janvier 1956*

Électeurs inscrits	26 774 899	100	
Votants	22 171 957		
Abstentions	4 602 942	17,2	
Blancs et nuls	671 167	2,5	
Parti communiste et apparentés	5 514 403	20,6	25,9
S.F.I.O.	3 247 431	12,1	15,2
Radicaux et U.D.S.R. « Front républicain » ...	2 389 163	9,3	11,3
Républicains Sociaux (ex-R.P.F.) « Front républicain »	256 587	0,9	1,2
Radicaux, R.G.R. et U.D.S.R. hors « Front républicain »	838 321	3,1	3,9
Républicains Sociaux (ex-R.P.F.) hors « Front républicain »	585 764	2,1	2,7
M.R.P.	2 366 321	8,8	11,1
Modérés	3 259 782	12,1	15,3
Poujadistes	2 483 813	9,2	11,6
Extrême-droite	260 749	0,9	1,2
Divers	98 600	0,3	0,4
		% *des inscrits*	% *des exprimés*

IX. *Référendum du 28 septembre 1958*

(Adoption de la Constitution proposée par le Gouvernement présidé par le Général de Gaulle.)

Électeurs inscrits	26 603 464	100	
Votants	22 596 850		
Abstentions	4 006 614	15,06	
Blancs et nuls	303 559	1,1	
Votes oui	17 668 790	66,4	79,2
Votes non	4 624 511	17,3	20,7

X. *Élections des 23 et 30 novembre 1958* (1er tour)

Électeurs inscrits	27 736 491	100	
Votants	20 994 797		
Abstentions	6 241 694	22,9	
Blancs et nuls	652 889	2,3	
Parti communiste et apparentés	3 907 763	14,3	19,2
Union des Forces démocratiques	261 738	0,9	1,2
S.F.I.O.	3 193 786	11,7	15,7
Radicalisme	1 503 787	5,5	7,3
M.R.P.	2 273 281	8,3	11,1
Gaullistes (U.N.R., C.R.R. et divers)	4 165 453	15,2	20,4
Modérés	4 502 449	16,5	22,1
Extrême-droite	533 651	1,9	2,6

XI. *Référendum du 8 janvier 1961*

(Approbation de la politique d'autodétermination de l'Algérie.)

Électeurs inscrits	27 184 408	100	
Votants	20 791 246		
Abstentions.............................	6 393 162	23,5	
Blancs et nuls	594 699	2,1	
Votes oui................................	15 200 073	55,9	75,2
Votes non	4 996 474	18,3	24,7

XII. *Référendum du 8 avril 1962*

(Approbation des accords d'Évian et délégation de pouvoirs pour leur application.)

Électeurs inscrits	26 991 743	100	
Votants	20 401 906		
Abstentions.............................	6 589 837	24,4	
Blancs et nuls	1 098 238	4	
Votes oui................................	17 508 607	64,8	90,6
Votes non	1 795 061	6,6	9,3

XIII. *Référendum du 28 octobre 1962*

(Adoption d'un projet de loi disposant que le Président de la République sera élu à l'avenir au suffrage universel.)

Électeurs inscrits	27 582 113	100	
Votants	21 301 816		
Abstentions.............................	6 280 297	22,7	
Blancs et nuls	559 758	2	
Votes oui................................	12 809 363	46,4	61,7
Votes non	7 932 695	28,7	38,2

XIV. *Élections des 18 et 25 novembre 1962* (1er tour)

Électeurs inscrits	27 535 019	100	
Votants	18 931 733		
Abstentions.............................	8 603 286	31,3	
Blancs et nuls	601 747	2,1	
Parti communiste et apparentés	3 992 431	14,4	21,7
Extrême-gauche	449 743	1,6	2,4
S.F.I.O.	2 319 662	8,4	12,6
Radicalisme	1 384 498	5	7,5
M.R.P.	1 635 452	5,9	8,9
U.N.R.-U.D.T.............................	5 847 403	21,2	31,9
Républicains indépendants (Gaullistes)	798 092	2,8	4,4
Modérés	1 742 523	6,3	9,6
Extrême-droite	159 682	0,5	0,9

XV. *Élection présidentielle des 5 et 19 décembre 1965*

1er tour :

Électeurs inscrits	28 233 167	100
Votants	24 001 961	
Abstentions.............................	4 231 206	14,9

Blancs et nuls	244 292	0,8	
Général de Gaulle	10 386 734	36,7	43,7
F. Mitterrand	7 658 792	27,1	32,2
J. Lecanuet	3 767 404	13,3	15,8
J.-L. Tixier-Vignancour	1 253 958	4,4	5,2
P. Marcilhacy	413 129	1,4	1,7
M. Barbu	277 652	0,9	1,1

2e tour :

Électeurs inscrits	28 223 198	100	
Votants	23 862 653		
Abstentions.............................	4 360 545	15,4	
Blancs et nuls	665 141	2,3	
Général de Gaulle	12 643 527	44,7	54,5
F. Mitterrand	10 553 985	37,3	45,4

XVI. *Élections législatives des 5 et 12 mars 1967* (1er tour)

Électeurs inscrits	28 291 838	100	
Votants	22 887 151		
Abstentions.............................	5 404 687	19,1	
Blancs et nuls	494 834	1,7	
Parti communiste et apparentés	5 029 808	17,7	22,4
Extrême-gauche (dont P.S.U.)...............	506 592	1,7	2,2
Fédération de la gauche...................	4 207 166	14,8	18,7
Comité d'action pour la Ve République	8 453 512	29,8	37,7
Gaullistes dissidents	104 544	0,3	0,4
Centre démocrate	3 017 447	10,6	13,4
Divers	878 472	3,1	3,9
Extrême-droite	194 776	0,6	0,8

XVII. *Élections législatives des 23 et 30 juin 1968* (1er tour)

Électeurs inscrits	28 171 635	100	
Votants	22 539 743		
Abstentions.............................	5 631 892	19,9	
Blancs et nuls	401 086	1,4	
Parti communiste et apparentés	4 435 357	15,7	20
P.S.U.	874 212	3,1	3,9
Fédération de la gauche...................	3 654 003	12,9	16,5
Divers gauche...........................	133 100	0,4	0,6
U.D.R., R.I. et gaullistes dissidents	10 201 024	36,3	46
Centre P.D.M.	2 290 165	8,1	10,3
Divers Modérés	410 699	1,4	1,8
Divers (Mouvement pour la Réforme, Technique et Démocratie, Extrême-Droite)	140 097	0,5	0,6

XVIII. *Référendum du 27 avril 1969*

(Approbation du projet de création des régions et de réforme du Sénat.)

Électeurs inscrits	28 655 692	100	
Votants	23 093 296		
Abstentions.............................	5 562 396	19,4	
Blancs et nuls	635 678	2,2	
Votes oui...............................	10 512 469	36,7	46,7
Votes non	11 945 149	41,6	53,2

XIX. *Élection présidentielle des 1er et 15 juin 1969*

1er tour :

Électeurs inscrits	28 774 041	100	
Votants	22 492 059		
Abstentions	6 281 982	21,8	
Blancs et nuls	287 372	0,9	
Georges Pompidou	9 761 297	34	43,9
Alain Poher	5 201 133	18,1	23,4
Jacques Duclos	4 779 539	16,6	21,5
Gaston Defferre	1 127 733	3,9	5
Michel Rocard	814 051	2,8	3,6
Louis Ducatel	284 697	0,9	1,2
Alain Krivine	236 237	0,8	1,1

2e tour :

Électeurs inscrits	28 761 494	100	
Votants	19 854 087		
Abstentions	8 907 407	31	
Blancs et nuls	1 295 216	4,5	
Georges Pompidou	10 688 183	37	57,5
Alain Poher	7 870 688	27,4	42,4

XX. *Référendum du 23 avril 1972*

(Approbation du traité sur l'entrée de la Grande-Bretagne dans le Marché commun.)

Électeurs inscrits	29 071 070	100	
Votants	17 581 840		
Abstentions	11 489 230	39,5	
Blancs et nuls	2 070 615	7,1	
Votes oui	10 502 756	36,1	67,7
Votes non	5 008 469	17,2	32,2

XXI. *Élections législatives des 4 et 11 mars 1973 (1er tour)*

Électeurs inscrits	29 883 748	100	
Votants	24 288 585		
Abstentions	5 595 163	18,72	
Blancs et nuls	537 161	1,79	
Suffrages exprimés	23 751 424	79,47	100
Parti communiste	5 084 824	17,01	21,40
P.S.U. et extrême-gauche	778 183	2,60	3,27
U.G.S.D. (1)	4 919 426	16,46	20,71
Divers gauche	241 388	0,80	1,01
Centre gauche et réformateurs	3 048 520	10,20	12,88
Union des Républicains de Progrès	8 224 447	27,52	34,02
Divers Majorité	784 985	2,62	3,30
Divers droite et inclassables	669 651	2,24	2,81

N. B. : Compte tenu du tour décisif (c'est-à-dire en retenant les résultats du scrutin au premier tour dans les circonscriptions où il n'y a pas eu de ballottage, et au second tour dans le cas contraire), la répartition des suffrages exprimés les 4 et 11 mars 1973 est la suivante :

_____

(1). Dont : P.S. 4 524 049 (15,13 % des inscrits, 19,04 % des exprimés); M.R.G. 395 377 (1,32 % des inscrits, 1,60 % des exprimés).

Suffrages exprimés	23 538 537	
Gauche Unie.............................	10 729 386	45,58
Majorité	11 060 290	46,98
Divers Gauche et Réformateurs soutenus au 2ᵉ tour par la majorité	577 438	2,45
Divers Gauche, Divers Droite et Réformateurs non soutenus au 2ᵉ tour par la majorité	1 171 423	4,98

XXII. *Élection présidentielle des 5 et 19 mai 1974*

1ᵉʳ tour :

Électeurs inscrits	29 778 550	100	
Votants	25 285 835		
Abstentions.............................	4 492 715	15,1	
Blancs et nuls	228 264	0,8	
François Mitterrand	10 863 402	36,5	43,3
Valéry Giscard d'Estaing.................	8 253 856	27,7	32,9
Jacques Chaban-Delmas	3 646 209	12,2	14,6
Jean Royer	808 885	2,7	3,2
Arlette Laguiller........................	591 339	1,9	2,3
René Dumont	336 016	1,1	1,3
Jean-Marie Le Pen	189 304	0,6	0,7
Émile Muller	175 142	0,6	0,7
Alain Krivine	92 701	0,3	0,4
Bertrand Renouvin.......................	42 719	0,1	0,2
Jean-Claude Sebag	39 658	0,1	0,1
Guy Héraud	18 340	0,06	0,07

2ᵉ tour :

Électeurs inscrits	29 774 211	100	
Votants	26 168 442		
Abstentions.............................	3 605 769	12,1	
Blancs et nuls	348 629	1,2	
Valéry Giscard d'Estaing.................	13 082 006	43,9	50,6
François Mitterrand	12 737 607	42,7	49,3

XXIII. *Élections législatives des 12 et 19 mars 1978 (1ᵉʳ tour)*

Électeurs inscrits	34 402 883	100	
Votants	28 673 133		
Abstentions.............................	5 729 750	16,6	
Blancs ou nuls	567 894	1,6	
Extrême-gauche	919 126	2,7	3,3
Parti communiste	5 793 139	16,8	20,6
Parti socialiste	6 412 819	18,6	22,8
M.R.G.	603 932	1,7	2,1
Écologistes	612 100	1,8	2,2
U.D.F.	6 007 383	17,4	21,4
R.P.R.	6 329 918	18,4	22,5
Majorité présidentielle	657 962	1,9	2,3
Divers	788 860	2,3	2,7

N. B. : Compte tenu du tour décisif, c'est-à-dire en retenant les résultats du scrutin au premier tour dans les circonscriptions où il n'y a pas eu de ballottage, et au second tour dans le cas contraire, la répartition des suffrages exprimés les 12 et 19 mars 1978 est la suivante :

Suffrages exprimés	28 366 135	
Gauche (y compris extrême Gauche)	13 778 792	48,6
Majorité sortante	14 483 954	51,0
Divers	103 389	0,4

XXIV. *Élections du 10 juin 1979 pour la désignation des 81 membres français de l'Assemblée des Communautés européennes*

Électeurs inscrits	34 347 872	100	
Votants	21 026 230		
Abstentions	13 321 642	38,8	
Blancs et nuls	1 116 999	3,2	
Extrême-Gauche trotskiste (liste Laguiller).....	622 558	1,8	3,1
P. C. (liste Marchais)	4 101 052	11,9	20,6
P.S. et M.R.G. (liste Mitterrand)	4 726 346	13,8	23,7
Écologistes (liste Fernex)	886 902	2,6	4,4
U.D.F. (liste Veil)........................	5 453 457	15,9	27,4
R.P.R. (liste Chirac)......................	3 203 761	9,3	16,1
Emploi Égalité Europe (liste Servan-Schreiber) .	372 665	1,1	1,9
Défense interprofessionnelle (liste Malaud)	276 465	0,8	1,4
Eurodroite (liste Tixier-Vignancour)	265 106	0,8	1,3
Divers (Régions Europe, liste Hallier et P.S.U., liste Bouchardeau)	919	—	—

N. B. : Les listes Hallier et Bouchardeau n'avaient pas fait déposer de bulletins dans les bureaux de vote.

La Commission centrale de recensement des votes avait décidé de compter comme valablement exprimés les suffrages résultant de l'insertion dans les enveloppes d'une profession de foi au lieu d'un bulletin de vote. Cette manière de procéder avait conduit à majorer sensiblement le nombre de suffrages recueillis par la liste Veil. Mais le Conseil d'État a réformé la décision de la Commission de recensement.

Les chiffres ci-dessus sont ceux communiqués par le Ministère de l'Intérieur au lendemain du scrutin; ils correspondent à la totalisation des résultats proclamés par les commissions départementales de recensement des votes et, à peu de choses près, à ceux retenus par le Conseil d'État.

XXV. *Élection présidentielle des 26 avril et 10 mai 1981*

1er tour :

Électeurs inscrits	35 517 816	100	
Votants	28 998 497		
Abstentions	6 519 319	18,35	
Blancs et nuls	480 837	1,35	
Suffrages exprimés	28 517 660		100
Valéry Giscard d'Estaing	7 933 963	22,33	27,82
François Mitterrand	7 439 577	20,94	26,08
Jacques Chirac	5 141 063	14,47	18,02
Georges Marchais	4 415 028	12,43	15,48
Brice Lalonde	1 118 885	3,15	3,92
Arlette Laguiller	661 523	1,86	2,31
Michel Crépeau	639 238	1,79	2,24
Michel Debré	469 249	1,32	1,64
Marie-France Garaud	380 815	1,07	1,33
Huguette Bouchardeau.....................	318 319	0,89	1,11

2e tour :

Électeurs inscrits	35 459 328	100	
Votants	30 648 932		
Abstentions...............................	4 810 396	13,56	
Blancs et nuls	887 976	2,50	
Suffrages exprimés	29 760 956		100
François Mitterrand.......................	15 541 965	43,83	52,22
Valéry Giscard d'Estaing	14 219 051	40,09	47,77

XXVI. *Élections législatives des 14 et 21 juin 1981 (1er tour)*

Électeurs inscrits	35 536 041	100	
Votants	25 182 262		
Abstentions...............................	10 353 779	29,13	
Blancs et nuls	359 197	1,01	
Suffrages exprimés	24 823 065		100
Extrême-gauche	330 344	0,92	1,33
Parti communiste	4 003 025	11,26	16,12
Parti socialiste et M.R.G.	9 376 853	26,38	37,77
Divers gauche.............................	141 638	0,39	0,57
Écologistes	270 792	0,76	1,09
R.P.R....................................	5 192 894	14,61	20,91
U.D.F....................................	4 756 503	13,38	19,16
Divers droite..............................	660 990	1,86	2,66
Extrême-droite	90 026	0,25	0,36

N.B. : Compte tenu du tour décisif, la répartition des suffrages exprimés les 14 et 21 juin 1981 est la suivante :

Suffrages exprimés	25 696 305	100
Gauche (y compris extrême-gauche)	14 211 560	55,30
Ancienne majorité	11 412 183	44,41
Divers	72 562	0,28

XXVII. *Élections du 17 juin 1984 pour la désignation des 81 membres français de l'Assemblée des Communautés européennes.*

Électeurs inscrits :...........................	35 897 895	100	
Votants :	20 537 469		
Abstentions :	15 360 426	42,78	
Blancs et nuls :	724 934	2,01	
Suffrages exprimés :	19 812 535		100
P.C.L. (liste Gauguelin) :	182 320	0,50	0,92
L.O. (liste Laguiller).......................	417 332	1,16	2,10
Parti ouvrier européen (liste Cheminade)	17 501	0,04	0,08
P.C.F. (liste Marchais)......................	2 211 305	6,15	11,16
P.S.U.C.D.U. (liste Depaquit)	143 368	0,39	0,72
P.S. (liste Jospin)	4 129 202	11,50	20,84
E.R.E. (liste Stirn)	654 444	1,82	3,30
Verts (liste Anger)	678 826	1,89	3,42
U.D.F.-R.P.R. (liste Veil)	8 470 687	23,59	42,75
Réussir l'Europe (liste Gomez)	375 616	1,04	1,89
Initiative 84 (liste Touati)	122 883	0,34	0,62
Utile (liste Nicoud)........................	137 152	0,38	0,69
États-Unis d'Europe (liste Cartan)	78 127	0,21	0,39
Front National (liste Le Pen)	2 193 777	6,11	11,07

EFFECTIFS DES GROUPES POLITIQUES
DE L'ASSEMBLÉE NATIONALE
DEPUIS 1945[1]

I. *Assemblée constituante élue le 21 octobre 1945*

Groupe communiste	151	159
Groupe des républicains et résistants (apparenté au groupe communiste)	8	
Groupe socialiste	139	146
Groupe musulman algérien (apparenté au groupe socialiste)	7	
Groupe radical et radical-socialiste	24	29
Apparentés	5	
Groupe de la Résistance démocratique et socialiste (U.D.S.R.)	27	
Apparentés	4	
Groupe paysan (apparenté au groupe de la Résistance démocratique et socialiste).	6	42
Apparentés	5	
Groupe du Mouvement républicain populaire	150	150
Groupe des Républicains indépendants	14	14
Groupe d'Unité républicaine	37	39
Apparentés	2	
Non inscrits	7	7

II. *Assemblée constituante élue le 2 juin 1946*

Groupe communiste	145	153
Apparenté	1	
Groupe d'Union républicaine et résistante (apparenté au groupe communiste)....	7	
Groupe socialiste	127	128
Apparenté	1	
Groupe radical et radical-socialiste	32	32
Groupe de l'Union démocratique et socialiste de la Résistance	20	20
Groupe du Mouvement républicain populaire	164	166
Apparentés	2	
Groupe des Républicains indépendants	21	
Apparentés	2	
Groupe républicain d'Action paysanne et sociale (apparenté au groupe des Républicains Indépendants)	7	32
Apparentés	2	
Groupe du Parti républicain de la Liberté	32	35
Apparentés	3	
Groupe de l'Union démocratique du manifeste algérien	11	11
Non inscrits	9	9

---

1. On a retenu chaque fois l'effectif des groupes tel qu'il a été établi immédiatement après l'élection, sauf pour l'Assemblée nationale élue en novembre 1958, dont les groupes n'ont pris leur physionomie précise qu'à la fin de juillet 1959 et sauf pour celle élue en 1973, dont les groupes se sont modifiés après l'élection présidentielle de 1974.

III. *Assemblée nationale élue le 10 novembre 1946*

Groupe communiste	169	
Apparenté	1	182
Groupe d'Union républicaine et résistante (apparenté au groupe communiste)	12	
Groupe socialiste	102	102
Groupe républicain radical et radical-socialiste	43	43
Groupe de l'Union démocratique et socialiste de la Résistance	23	
Apparentés	3	26
Groupe du Mouvement républicain populaire	163	
Apparentés	3	
Groupe républicain d'Action paysanne et sociale (apparenté au groupe du M.R.P)	6	173
Apparenté	1	
Groupe des Républicains indépendants	27	
Apparentés	2	29
Groupe du Parti républicain de la Liberté	35	
Apparentés	3	38
Groupe pour le Triomphe des Libertés démocratiques en Algérie	5	5
Groupe musulman indépendant pour la défense du Fédéralisme algérien	8	8
Non inscrits	21	21

IV. *Assemblée nationale élue le 17 juin 1951*

Groupe communiste	99	
Groupe des Républicains progressistes (apparenté au groupe communiste)	4	103
Groupe socialiste	105	
Apparentés	2	107
Groupe Républicain radical et radical-socialiste	67	
Apparentés	7	74
Groupe de l'U.D.S.R.	14	
Apparentés	2	16
Groupe du Mouvement républicain populaire	83	
Apparentés	3	95
Groupe des Indépendants d'outre-mer (apparentés au M.R.P.)	9	
Groupe du R.P.F.	118	
Apparentés	3	121
Groupe du C.R.A.P.S.[1] et des Démocrates indépendants	35	
Apparentés	5	43
Groupe des Français indépendants (apparenté au groupe du C.R.A.P.S.)	3	
Groupe des Républicains indépendants	45	
Apparentés	8	53
Groupe du Rassemblement démocratique africain	3	3
Non inscrits	10	10
Sièges non pourvus à la date des élections générales (Territoires d'outre-mer)	2	2

V. *Assemblée nationale élue le 2 janvier 1956*

Groupe communiste	144	
Groupe des Républicains progressistes (apparenté au groupe communiste)	5	150
Apparenté	1	

1. Centre Républicain d'Action Paysanne et Sociale.

Groupe socialiste	94	94
Groupe Républicain radical et radical-socialiste	54	58
Apparentés	4	
Groupe de l'Union démocratique et socialiste de la Résistance et du Rassemblement démocratique africain	18	19
Apparenté	1	
Groupe du Mouvement républicain populaire	70	83
Apparentés	3	
Groupe des Indépendants d'outre-mer (apparenté au Groupe du M.R.P.)	10	
Groupes des Républicains sociaux	20	21
Apparenté	1	
Groupe du Rassemblement des Gauches républicaines et du Centre républicain	10	14
Apparentés	4	
Groupe des Indépendants et Paysans d'Action sociale	80	95
Apparentés	3	
Groupe Paysan (apparenté au groupe des Indépendants et Paysans d'Action sociale)	12	
Groupe d'Union et Fraternité française	51	52
Apparenté	1	
Députés non inscrits à un groupe politique	7	7
Députés non autorisés à siéger (non proclamés par la Commission départementale de recensement des votes)	2	2
Sièges non pourvus (départements d'Algérie)	32	

VI. *Assemblée nationale élue les 23 et 30 novembre 1958*

Groupe socialiste	41	44
Apparentés	3	
Groupe de l'Entente démocratique	33	33
Groupe des Républicains populaires et du Centre démocratique	50	56
Apparentés	6	
Groupe de l'Union pour la Nouvelle République	202	212
Apparentés	10	
Groupes des Indépendants et Paysans d'Action sociale	108	118
Apparentés	10	
Groupe de l'Unité de la République	48	48
Députés n'appartenant à aucun groupe politique	41	41

VII. *Assemblée nationale élue les 18 et 25 novembre 1962*

Groupe communiste	41	41
Groupe socialiste	64	66
Apparentés	2	
Groupe du Rassemblement démocratique	35	39
Apparentés	4	
Groupe du Centre démocratique	51	55
Apparentés	4	
Groupe d'Union pour la Nouvelle République — Union démocratique du Travail	216	233
Apparentés	17	
Groupe des Républicains indépendants	32	35
Apparentés	3	
Députés n'appartenant à aucun groupe	13	13

VIII. *Assemblée nationale élue les 5 et 12 mars 1967*

Groupe communiste .... 71 ⎤ 73
Apparentés 2 ⎦
Groupe de la Fédération de la Gauche démocrate et socialiste .... 116 ⎤ 121
Apparentés [1] 5 ⎦
Groupe Progrès et Démocratie Moderne .... 38 ⎤ 41
Apparentés .... 3 ⎦
Groupe d'Union Démocratique pour la Cinquième République .... 179 ⎤ 200
Apparentés .... 21 ⎦
Groupe des Républicains Indépendants .... 41 ⎤ 44
Apparentés .... 3 ⎦
Députés n'appartenant à aucun groupe [2] 8

IX. *Assemblée nationale élue les 23 et 30 juin 1968*

Groupe communiste .... 33 ⎤ 34
Apparenté .... 1 ⎦
Groupe de la Fédération de la Gauche Démocrate et Socialiste 57 57
Groupe Progrès et Démocratie Moderne .... 30 ⎤ 33
Apparentés .... 3 ⎦
Groupe d'Union des Démocrates pour la République .... 270 ⎤ 293
Apparentés .... 23 ⎦
Groupe des Républicains Indépendants .... 57 ⎤ 61
Apparentés .... 4 ⎦
Députés n'appartenant à aucun groupe 9 9

X. *Assemblée nationale élue les 4 et 11 mars 1973*

a) Au lendemain de l'élection :

Groupe communiste 73 73
Groupe du Parti socialiste et des Radicaux de Gauche .... 100 ⎤ 102
Apparentés .... 2 ⎦
Groupe des Réformateurs Démocrates Sociaux .... 30 ⎤ 34
Apparentés .... 4 ⎦
Groupe Union Centriste.. 30 30
Groupe d'Union des Démocrates pour la République .... 162 ⎤ 183
Apparentés .... 21 ⎦
Groupe des Républicains Indépendants .... 51 ⎤ 55
Apparentés .... 4 ⎦
Députés n'appartenant à aucun groupe 13 13

b) En juillet 1974, après l'élection de V. Giscard d'Estaing à la Présidence de la République :

Groupe communiste .... 73 ⎤ 74
Apparenté .... 1 ⎦
Groupe du Parti Socialiste et des Radicaux de Gauche .... 101 ⎤ 105
Apparentés .... 4 ⎦
Groupe des Réformateurs, des Centristes et des Démocrates Sociaux .... 51 ⎤ 52
Apparenté .... 1 ⎦

---

1. Dont quatre députés qui avaient été candidats du P.S.U.
2. Dont deux députés qui avaient été soutenus par le Comité d'action pour la Ve République et un qui s'était présenté comme gaulliste dissident.

Groupe d'Union des Démocrates pour la République .... 151 ⎱ 173
Apparentés .... 22 ⎰

Groupe des Républicains Indépendants .... 55 ⎱ 63
Apparentés .... 8 ⎰

Députés n'appartenant à aucun groupe 18   18

(Sièges vacants : 5, dont 4 de députés U.D.R. et 1 d'un député Union Centriste.)

XI. *Assemblée nationale élue les 12 et 19 mars 1978*

Groupe communiste 86   86
Groupe socialiste .... 102 ⎱ 113
Apparentés M.R.G. .... 11 ⎰
Groupe U.D.F. .... 108 ⎱ 124
Apparentés .... 16 ⎰
Groupe R.P.R. .... 141 ⎱ 154
Apparentés .... 13 ⎰
Non inscrits 14   14

XII. *Assemblée nationale élue les 14 et 21 juin 1981*

Groupe communiste .... 43 ⎱ 44
Apparentés .... 1 ⎰
Groupe socialiste .... 266 ⎱ 286
Apparentés .... 20 ⎰
Groupe U.D.F .... 51 ⎱ 62
Apparentés .... 11 ⎰
Groupe R.P.R. .... 79 ⎱ 88
Apparentés .... 9 ⎰
Non inscrits 11   11

CONSTITUTION DU 4 OCTOBRE 1958 [1]

Préambule

Le peuple français proclame solennellement son attachement aux Droits de l'homme et aux principes de la souveraineté nationale tels qu'ils ont été définis par la Déclaration de 1789, confirmée et complétée par le préambule de la Constitution de 1946.

En vertu de ces principes et de celui de la libre détermination des peuples, la République offre aux territoires d'Outre-Mer qui manifestent la volonté d'y adhérer, des institutions nouvelles fondées sur l'idéal commun de liberté, d'égalité et de fraternité et conçues en vue de leur évolution démocratique.

Article premier. — La République et les peuples des territoires d'Outre-Mer qui, par un acte de libre détermination, adoptent la présente Constitution, instituent une Communauté.

La Communauté est fondée sur l'égalité et la solidarité des peuples qui la composent.

Titre premier

DE LA SOUVERAINETÉ

Art. 2. — La France est une République indivisible, laïque, démocratique et sociale. Elle assure l'égalité devant la loi de tous les citoyens sans distinction d'origine, de race ou de religion. Elle respecte toutes les croyances.

L'emblème national est le drapeau tricolore, bleu, blanc, rouge.

L'hymne national est la « Marseillaise ».

La devise de la République est « Liberté, Égalité, Fraternité ».

Son principe est : gouvernement du peuple, par le peuple et pour le peuple.

Art. 3. — La souveraineté nationale appartient au peuple qui l'exerce par ses représentants et par la voie du référendum.

Aucune section du peuple ni aucun individu ne peut s'en attribuer l'exercice.

Le suffrage peut être direct ou indirect dans les conditions prévues par la Constitution. Il est toujours universel, égal et secret.

Sont électeurs, dans les conditions déterminées par la loi, tous les nationaux français majeurs des deux sexes, jouissant de leurs droits civils et politiques.

Art. 4. — Les partis et groupements politiques concourent à l'expression du suffrage. Ils se forment et exercent leur activité librement. Ils doivent respecter les principes de la souveraineté nationale et de la démocratie.

---

1. Le texte de l'article 6 est celui qui a été adopté par le référendum du 28 octobre 1962, celui de l'article 28 celui qui a été ratifié par le Congrès le 20 décembre 1963. Celui de l'article 7 résulte de la loi référendaire du 6 novembre 1962 et de la loi constitutionnelle, ratifiée par le Congrès, du 18 juin 1976. Celui de l'article 61, celui qui a été ratifié par ce Congrès le 21 octobre 1974. On n'a pas reproduit les titres VIII (« De l'autorité judiciaire »), IX (« La Haute Cour de Justice »), XI (« Des collectivités territoriales »), XII (« De la Communauté »), XIII (« Des accords d'association ») et XV (« Dispositions transitoires »).

Titre II

Le Président de la République

Art. 5. — Le Président de la République veille au respect de la Constitution. Il assure, par son arbitrage, le fonctionnement régulier des pouvoirs publics ainsi que la continuité de l'État.

Il est le garant de l'indépendance nationale, de l'intégrité du territoire, du respect des accords de Communauté et des traités.

Art. 6. — Le Président de la République est élu pour sept ans au suffrage universel direct.

Les modalités d'application du présent article sont fixées par une loi organique.

Art. 7. — Le Président de la République est élu à la majorité absolue des suffrages exprimés. Si celle-ci n'est pas obtenue au premier tour de scrutin, il est procédé, le deuxième dimanche suivant, à un second tour. Seuls peuvent s'y présenter les deux candidats qui, le cas échéant, après retrait de candidats plus favorisés, se trouvent avoir recueilli le plus grand nombre de suffrages au premier tour.

Le scrutin est ouvert sur convocation du Gouvernement.

L'élection du nouveau président a lieu vingt jours au moins et trente-cinq jours au plus avant l'expiration des pouvoirs du président en exercice.

En cas de vacance de la Présidence de la République pour quelque cause que ce soit, ou d'empêchement constaté par le Conseil constitutionnel saisi par le Gouvernement et statuant à la majorité absolue de ses membres, les fonctions du Président de la République, à l'exception de celles prévues aux articles 11 et 12 ci-dessous, sont provisoirement exercées par le Président du Sénat et, si celui-ci est à son tour empêché d'exercer ces fonctions, par le Gouvernement.

En cas de vacance ou lorsque l'empêchement est déclaré définitif par le Conseil constitutionnel, le scrutin pour l'élection du nouveau président a lieu, sauf cas de force majeure constaté par le Conseil constitutionnel, vingt jours au moins et trente-cinq jours au plus après l'ouverture de la vacance ou la déclaration du caractère définitif de l'empêchement.

Si, dans les sept jours précédant la date limite du dépôt des présentations de candidatures, une des personnes ayant, moins de trente jours avant cette date, annoncé publiquement sa décision d'être candidate décède ou se trouve empêchée, le Conseil constitutionnel peut décider de reporter l'élection.

Si, avant le premier tour, un des candidats décède ou se trouve empêché, le Conseil constitutionnel prononce le report de l'élection.

En cas de décès ou d'empêchement de l'un des deux candidats les plus favorisés au premier tour avant les retraits éventuels, le Conseil constitutionnel déclare qu'il doit être procédé de nouveau à l'ensemble des opérations électorales; il en est de même en cas de décès ou d'empêchement de l'un des deux candidats restés en présence en vue du second tour.

Dans tous les cas, le Conseil constitutionnel est saisi dans les conditions fixées au deuxième alinéa de l'article 61 ci-dessous ou dans celles déterminées pour la présentation d'un candidat par la loi organique prévue à l'article 6 ci-dessus.

Le Conseil constitutionnel peut proroger les délais prévus aux troisième et cinquième alinéas sans que le scrutin puisse avoir lieu plus de trente-cinq jours après la date de la décision du Conseil constitutionnel. Si l'application des dispositions du présent alinéa a eu pour effet de reporter l'élection à une date postérieure à l'expiration des pouvoirs du président en exercice, celui-ci demeure en fonctions jusqu'à la proclamation de son successeur.

Il ne peut être fait application ni des articles 49 et 50 ni de l'article 89 de la Constitution durant la vacance de la Présidence de la République ou durant la période qui s'écoule entre la déclaration du caractère définitif de l'empêchement du Président de la République et l'élection de son successeur.

Art. 8. — Le Président de la République nomme le Premier ministre. Il met fin à ses fonctions sur la présentation par celui-ci de la démission du Gouvernement.

Sur la proposition du Premier ministre, il nomme les autres membres du Gouvernement et met fin à leurs fonctions.

Art. 9. — Le Président de la République préside le Conseil des ministres.

Art. 10. — Le Président de la République promulgue les lois dans les quinze jours qui suivent la transmission au Gouvernement de la loi définitivement adoptée.

Il peut, avant l'expiration de ce délai, demander au Parlement une nouvelle délibération de la loi ou de certains de ses articles. Cette nouvelle délibération ne peut être refusée.

Art. 11. — Le Président de la République, sur proposition du Gouvernement, pendant la durée des sessions ou sur la proposition conjointe des deux Assemblées, publiées au *Journal Officiel,* peut soumettre au référendum tout projet de loi portant sur l'organisation des pouvoirs publics, comportant approbation d'un accord de Communauté ou tendant à autoriser la ratification d'un traité qui, sans être contraire à la Constitution, aurait des incidences sur le fonctionnement des institutions.

Lorsque le référendum a conclu à l'adoption du projet, le Président de la République le promulgue dans le délai prévu à l'article précédent.

Art. 12. — Le Président de la République peut, après consultation du Premier ministre et des présidents des Assemblées, prononcer la dissolution de l'Assemblée nationale.

Lès élections générales ont lieu vingt jours au moins et quarante jours au plus après la dissolution.

L'Assemblée nationale se réunit de plein droit le deuxième jeudi qui suit son élection. Si cette réunion a lieu en dehors des périodes prévues pour les sessions ordinaires, une session est ouverte de droit pour une durée de quinze jours.

Il ne peut être procédé à une nouvelle dissolution dans l'année qui suit ces élections.

Art. 13. — Le Président de la République signe les ordonnances et les décrets délibérés en Conseil des ministres.

Il nomme aux emplois civils et militaires de l'État.

Les conseillers d'État, le grand chancelier de la Légion d'honneur, les ambassadeurs et envoyés extraordinaires, les conseillers maîtres à la Cour des Comptes, les préfets, les représentants du Gouverment dans les territoires d'Outre-Mer, les officiers généraux, les recteurs des académies, les directeurs des administrations centrales sont nommés en Conseil des ministres.

Une loi organique détermine les autres emplois auxquels il est pourvu en Conseil des ministres, ainsi que les conditions dans lesquelles le pouvoir de nomination du Président de la République peut être par lui délégué pour être exercé en son nom.

Art. 14. — Le Président de la République accrédite les ambassadeurs et les envoyés extraordinaires auprès des puissances étrangères; les ambassadeurs et les envoyés extraordinaires étrangers sont accrédités auprès de lui.

Art. 15. — Le Président de la République est le chef des armées. Il préside les conseils et comités supérieurs de la Défense nationale.

Art. 16. — Lorsque les institutions de la République, l'indépendance de la Nation, l'intégrité de son territoire ou l'exécution de ses engagements internationaux sont menacées d'une manière grave et immédiate et que le fonctionnement régulier des pouvoirs publics constitutionnels est interrompu, le Président de la République prend les mesures exigées par ces circonstances, après consultation officielle du Premier ministre, des présidents des Assemblées ainsi que du Conseil constitutionnel.

Il en informe la Nation par un message.

Ces mesures doivent être inspirées par la volonté d'assurer aux pouvoirs publics constitutionnels, dans les moindres délais, les moyens d'accomplir leur mission. Le Conseil constitutionnel est consulté à leur sujet.

Le Parlement se réunit de plein droit.

L'Assemblée nationale ne peut être dissoute pendant l'exercice des pouvoirs exceptionnels.

Art. 17. — Le Président de la République a le droit de faire grâce.

Art. 18. — Le Président de la République communique avec les deux assemblées du Parlement par des messages qu'il fait lire et qui ne donnent lieu à aucun débat.

Hors session, le Parlement est réuni spécialement à cet effet.

Art. 19. — Les actes du Président de la République autres que ceux prévus aux articles 8 (1er alinéa), 11, 12, 16, 18, 54, 56 et 61 sont contresignés par le Premier ministre et, le cas échéant, par les ministres responsables.

Titre III

LE GOUVERNEMENT

Art. 20. — Le Gouvernement détermine et conduit la politique de la Nation.

Il dispose de l'administration et de la force armée.

Il est responsable devant le Parlement dans les conditions et suivant les procédures prévues aux articles 49 et 50.

Art. 21. — Le Premier ministre dirige l'action du Gouvernement. Il est responsable de la Défense nationale. Il assure l'exécution des lois. Sous réserve des dispositions de l'article 13, il exerce le pouvoir réglementaire et nomme aux emplois civils et militaires.

Il peut déléguer certains de ses pouvoirs aux ministres.

Il supplée, le cas échéant, le Président de la République dans la présidence des conseils et comités prévus à l'article 15.

Il peut, à titre exceptionnel, le suppléer pour la présidence d'un Conseil des ministres en vertu d'une délégation expresse et pour un ordre du jour déterminé.

Art. 22. — Les actes du Premier ministre sont contresignés, le cas échéant, par les ministres chargés de leur exécution.

Art. 23. — Les fonctions de membre du Gouvernement sont incompatibles avec l'exercice de tout mandat parlementaire, de toute fonction de représentation professionnelle à caractère national et de tout emploi public ou de toute activité professionnelle.

Une loi organique fixe les conditions dans lesquelles il est pourvu au remplacement des titulaires de tels mandats, fonctions ou emplois.

Le remplacement des membres du Parlement a lieu conformément aux dispositions de l'article 25.

Titre IV

LE PARLEMENT

Art. 24. — Le Parlement comprend l'Assemblée nationale et le Sénat.

Les députés à l'Assemblée nationale sont élus au suffrage direct.

Le Sénat est élu au suffrage indirect. Il assure la représentation des collectivités territoriales de la République. Les Français établis hors de France sont représentés au Sénat.

Art. 25. — Une loi organique fixe la durée des pouvoirs de chaque assemblée, le nombre de ses membres, leur indemnité, les conditions d'éligibilité, le régime des inéligibilités et des incompatibilités.

Elle fixe également les conditions dans lesquelles sont élues les personnes appelées à assurer, en cas de vacance du siège, le remplacement des députés ou des sénateurs jusqu'au renouvellement général ou partiel de l'assemblée à laquelle ils appartenaient.

Art. 26. — Aucun membre du Parlement ne peut être poursuivi, recherché, arrêté, détenu ou jugé à l'occasion des opinions ou votes émis par lui dans l'exercice de ses fonctions.

Aucun membre du Parlement ne peut, pendant la durée des sessions, être poursuivi ou arrêté en matière criminelle ou correctionnelle qu'avec l'autorisation de l'assemblée dont il fait partie, sauf le cas de flagrant délit.

Aucun membre du Parlement ne peut, hors session, être arrêté qu'avec l'autorisation du Bureau de l'assemblée dont il fait partie, sauf le cas de flagrant délit, de poursuites autorisées ou de condamnation définitive.

La détention ou la poursuite d'un membre du Parlement est suspendue si l'assemblée dont il fait partie le requiert.

Art. 27. — Tout mandat impératif est nul.

Le droit de vote des membres du Parlement est personnel.

La loi organique peut autoriser exceptionnellement la délégation de vote. Dans ce cas, nul ne peut recevoir délégation de plus d'un mandat.

Art. 28. — Le Parlement se réunit de plein droit en deux sessions ordinaires par an.

La première session s'ouvre le 2 octobre, sa durée est de quatre-vingts jours.

La seconde session s'ouvre le 2 avril, sa durée ne peut excéder quatre-vingt-dix jours.

Si le 2 octobre ou le 2 avril est un jour férié, l'ouverture de la session a lieu le premier jour ouvrable qui suit.

Art. 29. — Le Parlement est réuni en session extraordinaire à la demande du Premier ministre ou de la majorité des membres composant l'Assemblée nationale, sur un ordre du jour déterminé.

Lorsque la session extraordinaire est tenue à la demande des membres de l'Assemblée nationale, le décret de clôture intervient dès que le Parlement a épuisé l'ordre du jour pour lequel il a été convoqué et au plus tard douze jours à compter de sa réunion.

Le Premier ministre peut seul demander une nouvelle session avant l'expiration du mois qui suit le décret de clôture.

Art. 30. — Hors les cas dans lesquels le Parlement se réunit de plein droit, les sessions extraordinaires sont ouvertes et closes par décret du Président de la République.

Art. 31. — Les membres du Gouvernement ont accès aux deux assemblées. Ils sont entendus quand ils le demandent.

Ils peuvent se faire assister par des commissaires du Gouvernement.

Art. 32. — Le président de l'Assemblée nationale est élu pour la durée de la législature. Le président du Sénat est élu après chaque renouvellement partiel.

Art. 33. — Les séances des deux assemblées sont publiques. Le compte rendu intégral des débats est publié au *Journal Officiel*.

Chaque assemblée peut siéger en comité secret à la demande du Premier ministre ou d'un dixième de ses membres.

ANNEXES

Titre V

DES RAPPORTS ENTRE LE PARLEMENT ET LE GOUVERNEMENT

Art. 34. — La loi est votée par le Parlement.

La loi fixe les règles concernant :
— les droits civiques et les garanties fondamentales accordées aux citoyens pour l'exercice des libertés publiques; les sujétions imposées par la Défenses nationale aux citoyens en leur personne et en leurs biens;
— la nationalité, l'état et la capacité des personnes, les régimes matrimoniaux, les successions et libéralités;
— la détermination des crimes et délits ainsi que les peines qui leur sont applicables; la procédure pénale; la création de nouveaux ordres de juridiction et le statut des magistrats;
— l'assiette, le taux et les modalités de recouvrement des impositions de toutes natures; le régime d'émission de la monnaie.

La loi fixe également les règles concernant :
— le régime électoral des assemblées parlementaires et des assemblées locales;
— la création de catégories d'établissements publics;
— les garanties fondamentales accordées aux fonctionnaires civils et militaires de l'État;
— les nationalisations d'entreprises et les transferts de propriété d'entreprises du secteur public au secteur privé.

La loi détermine les principes fondamentaux :
— de l'organisation générale de la Défense nationale;
— de la libre administration des collectivités locales, de leurs compétences et de leurs ressources;
— de l'enseignement;
— du régime de la propriété, des droits réels et des obligations civiles et commerciales;
— du droit du travail, du droit syndical et de la sécurité sociale.

Les lois de finances déterminent les ressources et les charges de l'État dans les conditions et sous les réserves prévues par une loi organique.

Des lois de programme déterminent les objectifs de l'action économique et sociale de l'État.

Les dispositions du présent article pourront être précisées et complétées par une loi organique.

Art. 35. — La déclaration de guerre est autorisée par le Parlement.

Art. 36. — L'état de siège est décrété en Conseil des ministres.

Sa prorogation au-delà de douze jours ne peut être autorisée que par le Parlement.

Art. 37. — Les matières autres que celles qui sont du domaine de la loi ont un caractère réglementaire.

Les textes de forme législative intervenus en ces matières peuvent être modifiés par décrets pris après avis du Conseil d'État. Ceux de ces textes qui interviendraient après l'entrée en vigueur de la présente Constitution ne pourront être modifiés par décret que si le Conseil constitutionnel a déclaré qu'ils ont un caractère réglementaire en vertu de l'alinéa précédent.

Art. 38. — Le Gouvernement peut, pour l'exécution de son programme, demander au Parlement l'autorisation de prendre par ordonnance, pendant un délai limité, des mesures qui sont normalement du domaine de la loi.

Les ordonnances sont prises en Conseil des ministres après avis du Conseil d'État. Elles entrent en vigueur dès leur publication mais deviennent caduques si le projet de loi de ratification n'est pas déposé devant le Parlement avant la date fixée par la loi d'habilitation.

A l'expiration du délai mentionné au premier alinéa du présent article, les ordonnances ne peuvent plus être modifiées que par la loi dans les matières qui sont du domaine législatif.

272

Art. 39. — L'initiative des lois appartient concurremment au Premier ministre et aux membres du Parlement.

Les projets de loi sont délibérés en Conseil des ministres après avis du Conseil d'État et déposés sur le bureau de l'une des deux assemblées. Les projets de loi de finances sont soumis en premier lieu à l'Assemblée nationale.

Art. 40. — Les propositions et amendements formulés par les membres du Parlement ne sont pas recevables lorsque leur adoption aurait pour conséquence soit une diminution des ressources publiques, soit la création ou l'aggravation d'une charge publique.

Art. 41. — S'il apparaît au cours de la procédure législative qu'une proposition ou un amendement n'est pas du domaine de la loi ou est contraire à une délégation accordée en vertu de l'article 38, le Gouvernement peut opposer l'irrecevabilité.

En cas de désaccord entre le Gouvernement et le président de l'assemblée intéressée, le Conseil constitutionnel, à la demande de l'un ou de l'autre, statue dans un délai de huit jours.

Art. 42. — La discussion des projets de loi porte, devant la première assemblée saisie, sur le texte présenté par le Gouvernement.

Une assemblée saisie d'un texte voté par l'autre assemblée délibère sur le texte qui lui est transmis.

Art. 43. — Les projets et propositions de loi sont, à la demande du Gouvernement ou de l'assemblée qui en est saisie, envoyés pour examen à des commissions spécialement désignées à cet effet.

Les projets et propositions pour lesquels une telle demande n'a pas été faite sont envoyés à l'une des commissions permanentes dont le nombre est limité à six dans chaque assemblée.

Art. 44. — Les membres du Parlement et le Gouvernement ont le droit d'amendement.

Après l'ouverture du débat, le Gouvernement peut s'opposer à l'examen de tout amendement qui n'a pas été antérieurement soumis à la commission.

Si le Gouvernement le demande, l'assemblée saisie se prononce par un seul vote sur tout ou partie du texte en discussion en ne retenant que les amendements proposés ou acceptés par le Gouvernement.

Art. 45. — Tout projet ou propositon de loi est examiné successivement dans les deux assemblées du Parlement en vue de l'adoption d'un texte identique.

Lorsque, par suite d'un désaccord entre les deux assemblées, un projet ou une proposition de loi n'a pu être adopté après deux lectures par chaque assemblée ou, si le Gouvernement a déclaré l'urgence, après une seule lecture par chacune d'entre elles, le Premier ministre a la faculté de provoquer la réunion d'une commission mixte paritaire chargée de proposer un texte sur les dispositions restant en discussion.

Le texte élaboré par la commission mixte peut être soumis par le Gouvernement pour approbation aux deux assemblées. Aucun amendement n'est recevable sauf accord du Gouvernement.

Si la commission mixte ne parvient pas à l'adoption d'un texte commun ou si ce texte n'est pas adopté dans les conditions prévues à l'alinéa précédent, le Gouvernement peut, après une nouvelle lecture par l'Assemblée nationale et par le Sénat, demander à l'Assemblée nationale de statuer définitivement. En ce cas, l'Assemblée nationale peut reprendre soit le texte élaboré par la commission mixte, soit le dernier texte voté par elle, modifié le cas échéant par un ou plusieurs des amendements adoptés par le Sénat.

Art. 46. — Les lois auxquelles la Constitution confère le caractère de lois organiques sont votées et modifiées dans les conditions suivantes.

Le projet ou la proposition n'est soumis à la délibération et au vote de la première assemblée qu'à l'expiration d'un délai de quinze jours après son dépôt.

La procédure de l'article 45 est applicable. Toutefois, faute d'accord entre les deux assemblées, le texte ne peut être adopté par l'Assemblée nationale en dernière lecture qu'à la majorité absolue de ses membres.

Les lois organiques relatives au Sénat doivent être votées dans les mêmes termes par les deux assemblées.

Les lois organiques ne peuvent être promulguées qu'après déclaration par le Conseil constitutionnel de leur conformité à la Constitution.

Art. 47. — Le Parlement vote les projets de loi de finances dans les conditions prévues par une loi organique.

Si l'Assemblée nationale ne s'est pas prononcée en première lecture dans le délai de quarante jours après le dépôt d'un projet, le Gouvernement saisit le Sénat qui doit statuer dans un délai de quinze jours. Il est ensuite procédé dans les conditions prévues à l'article 45.

Si le Parlement ne s'est pas prononcé dans un délai de soixante-dix jours, les dispositions du projet peuvent être mises en vigueur par ordonnance.

Si la loi de finances fixant les ressources et les charges d'un exercice n'a pas été déposée en temps utile pour être promulguée avant le début de cet exercice, le Gouvernement demande d'urgence au Parlement l'autorisation de percevoir les impôts et ouvre par décret les crédits se rapportant aux services votés.

Les délais prévus au présent article sont suspendus lorsque le Parlement n'est pas en session.

La Cour des Comptes assiste le Parlement et le Gouvernement dans le contrôle de l'exécution des lois de finances.

Art. 48. — L'ordre du jour des assemblées comporte, par priorité et dans l'ordre que le Gouvernement a fixé, la discussion des projets de loi déposés par le Gouvernement et des propositions de loi acceptées par lui.

Une séance par semaine est réservée par priorité aux questions des membres du Parlement et aux réponses du Gouvernement.

Art. 49. — Le Premier ministre, après délibération du Conseil des ministres, engage devant l'Assemblée nationale la responsabilité du Gouvernement sur son programme ou éventuellement sur une déclaration de politique générale.

L'Assemblée nationale met en cause la responsabilité du Gouvernement par le vote d'une motion de censure. Une telle motion n'est recevable que si elle est signée par un dixième au moins des membres de l'Assemblée nationale. Le vote ne peut avoir lieu que quarante-huit heures après son dépôt. Seuls sont recensés les votes favorables à la motion de censure qui ne peut être adoptée qu'à la majorité des membres composant l'Assemblée. Si la motion de censure est rejetée, ses signataires ne peuvent en proposer une nouvelle au cours de la même session, sauf dans le cas prévu à l'alinéa ci-dessous.

Le Premier ministre peut, après délibération du Conseil des ministres, engager la responsabilité du Gouvernement devant l'Assemblée nationale sur le vote d'un texte. Dans ce cas, ce texte est considéré comme adopté, sauf si une motion de censure, déposée dans les vingt-quatre heures qui suivent, est votée dans les conditions prévues à l'alinéa précédent.

Le Premier ministre a la faculté de demander au Sénat l'approbation d'une déclaration de politique générale.

Art. 50. — Lorsque l'Assemblée nationale adopte une motion de censure ou lorsqu'elle désapprouve le programme ou une déclaration de politique générale du Gouvernement, le Premier ministre doit remettre au Président de la République la démission du Gouvernement.

Art. 51. — La clôture des sessions ordinaires ou extraordinaires est de droit retardée pour permettre, le cas échéant, l'application des dispositions de l'article 49.

Titre VI

DES TRAITÉS ET ACCORDS INTERNATIONAUX

Art. 52. — Le Président de la République négocie et ratifie les traités.

Il est informé de toute négociation tendant à la conclusion d'un accord international non soumis à ratification.

Art. 53. — Les traités de paix, les traités de commerce, les traités ou accords relatifs à l'organisation internationale, ceux qui engagent les finances de l'État, ceux qui modifient les dispositions de nature législative, ceux qui sont relatifs à l'état des personnes, ceux qui comportent cession, échange ou adjonction de territoire, ne peuvent être ratifiés ou approuvés qu'en vertu d'une loi.

Ils ne prennent effet qu'après avoir été ratifiés ou approuvés.

Nulle cession, nul échange, nulle adjonction de territoire n'est valable sans le consentement des populations intéressées.

Art. 54. — Si le Conseil constitutionnel, saisi par le Président de la République, par le Premier ministre ou par le président de l'une ou l'autre Assemblée, a déclaré qu'un engagement international comporte une clause contraire à la Constitution, l'autorisation de le ratifier ou de l'approuver ne peut intervenir qu'après la révision de la Constitution.

Art. 55. — Les traités ou accords régulièrement ratifiés ou approuvés ont, dès leur publication, une autorité supérieure à celle des lois, sous réserve, pour chaque accord ou traité, de son application par l'autre partie.

Titre VI

LE CONSEIL CONSTITUTIONNEL

Art. 56. — Le Conseil constitutionnel comprend neuf membres, dont le mandat dure neuf ans et n'est pas renouvelable. Le Conseil constitutionnel se renouvelle par tiers tous les trois ans. Trois membres sont nommés par le Président de la République, trois par le Président de l'Assemblée nationale, trois par le Président du Sénat.

En sus des neuf membres prévus ci-dessus, font de droit partie à vie du Conseil constitutionnel les anciens Présidents de la République.

Le président est nommé par le Président de la République. Il a voix prépondérante en cas de partage.

Art. 57. — Les fonctions de membre du Conseil constitutionnel sont incompatibles avec celles de ministre ou de membre du Parlement. Les autres incompatibilités sont fixées par une loi organique.

Art. 58. — Le Conseil constitutionnel veille à la régularité de l'élection du Président de la République.

Il examine les réclamations et proclame les résultats du scrutin.

Art. 59. — Le Conseil constitutionnel statue, en cas de contestation, sur la régularité de l'élection des députés et des sénateurs.

Art. 60. — Le Conseil constitutionnel veille à la régularité des opérations de référendum et en proclame les résultats.

Art. 61. — Les lois organiques, avant leur promulgation, et les règlements des assemblées parlementaires, avant leur mise en application, doivent être soumis au Conseil constitutionnel qui se prononce sur leur conformité à la Constitution.

Aux mêmes fins, les lois peuvent être déférées au Conseil constitutionnel, avant leur promulgation, par le Président de la République, par le Premier ministre, par le président de l'une ou l'autre Assemblée ou par soixante députés ou par soixante sénateurs.

Dans les cas prévus aux deux alinéas précédents, le Conseil constitutionnel doit statuer dans le délai d'un mois. Toutefois, à la demande du Gouvernement, s'il y a urgence, ce délai est ramené à huit jours.

Dans ces mêmes cas, la saisine du Conseil constitutionnel suspend le délai de promulgation.

Art. 62. — Une disposition déclarée inconstitutionnelle ne peut être promulguée ni mise en application.

Les décisions du Conseil constitutionnel ne sont susceptibles d'aucun recours. Elles s'imposent aux pouvoirs publics et à toutes les autorités administratives et juridictionnelles.

Art. 63. — Une loi organique détermine les règles d'organisation et de fonctionnement du Conseil constitutionnel, la procédure qui est suivie devant lui et notamment les délais ouverts pour le saisir de contestations.

Titre X

Le Conseil Économique et Social

Art. 69. — Le Conseil Économique et Social, saisi par le Gouvernement, donne son avis sur les projets de loi, d'ordonnance ou de décret ainsi que sur les propositions de loi qui lui sont soumis.

Un membre du Conseil Économique et Social peut être désigné par celui-ci pour exposer devant les Assemblées parlementaires l'avis du Conseil sur les projets ou propositions qui lui ont été soumis.

Art. 70. — Le Conseil Économique et Social peut être également consulté par le Gouvernement sur tout problème de caractère économique ou social intéressant la République ou la Communauté. Tout plan ou tout projet de loi de programme à caractère économique ou social lui est soumis pour avis.

Art. 71. — La composition du Conseil Économique et Social et ses règles de fonctionnement sont fixées par une loi organique.

Titre XIV

De la revision

Art. 89. — L'initiative de la revision de la Constitution appartient concurremment au Président de la République sur proposition du Premier ministre et aux membres du Parlement.

Le projet ou la proposition de revision doit être voté par les deux assemblées en termes identiques. La revision est définitive après avoir été approuvée par référendum.

Toutefois, le projet de revision n'est pas présenté au référendum lorsque le Président de la République décide de le soumettre au Parlement convoqué en Congrès; dans ce cas, le projet de revision n'est approuvé que s'il réunit la majorité des trois cinquièmes des suffrages exprimés. Le bureau du Congrès est celui de l'Assemblée nationale.

Aucune procédure de revision ne peut être engagée ou poursuivie lorsqu'il est porté atteinte à l'intégrité du territoire.

La forme républicaine du Gouvernement ne peut faire l'objet d'une revision.

ORIENTATION BIBLIOGRAPHIQUE

Ces quelques indications ne reprennent aucun des titres cités dans les rubriques « lectures complémentaires » auxquelles il convient donc de se reporter. Elles doivent simplement permettre au lecteur de replacer les divers chapitres dans un contexte historique ou sociologique.

De toute façon, on dispose d'un instrument de travail exceptionnel, présenté de façon systématique et raisonnée, avec de longues analyses des ouvrages les plus importants, qu'ils traitent d'histoire, de vie politique, d'économie, d'éducation ou de vie culturelle :

○ LASSERRE René, dir., *Le France contemporaine. Guide bibliographique et thématique*, publié par l'Institut franco-allemand de Ludwigsburg, Tübingen, Niemeyer, diffusion PUF, 1978, 743 p.

Pour l'histoire politique française aux XIXe et XXe siècles, on lira les excellents petits volumes (avec indications bibliographiques bien faites) de la collection « Nouvelle Histoire de la France contemporaine » aux Éditions du Seuil, notamment :

○ DUBIEF Henri, *Le Déclin de la Troisième République (1929-1938)*, 1976.
○ AZÉMA Jean-Pierre, *De Munich à la Libération (1938-1944)*, 1979.
○ RIOUX Jean-Pierre, *La Quatrième République (1944-1958)*, 2 vol., 1980-83 (particulièrement riche, également pour la politique économique).
○ JULLIARD Jacques, *La Cinquième République* (à paraître).

Il faut ajouter tout particulièrement :

○ CHAPSAL Jacques, *La Vie politique en France de 1940 à 1958*, PUF, 1984, 528 p.
○ CHAPSAL Jacques, *La Vie politique sous la Ve République*, PUF, 2e édit, 1984, 910 p.

Pour un aspect non traité dans le présent ouvrage :

○ GROSSER Alfred, *Affaires extérieures. La politique de la France 1944-1984*, Flammarion, 1984.

Pour une meilleure connaissance et pour une réflextion sur la société française, on lira notamment :

○ MENDRAS Henri, dir., *La Sagesse et le désordre*. France 1980, Gallimard, 1980, 420 p.
○ VINCENT Gérard, *Les Français 1945-1975. Chronologie et structures d'une société*, Masson, 1977, 383 p.
○ REYNAUD J.-D., GRAFMEYER Y., *Français, qui êtes-vous? Des essais et des chiffres*, La Documentation française, 1981, 495 p.
○ CLOSETS François de, *Toujours plus!*, Grasset, 1982. 333 p.
○ ALBERT Michel, *Le Pari français*, Seuil, 1982, 317 p.
○ Commission du Bilan présidée par François BLOCH-LAINÉ, *La France en mai 1981. Forces et faiblesses*. Rapport au Premier ministre, La Documentation française, 1981, 357 p.
○ DONEGANI J.-M., LESCANNE G., *Les Raisons de vivre des Français de 20 à 40 ans*, Le Centurion, 1982, 228 p.

Et on ne saurait trop recommander la lecture de revues comme :

○ *Pouvoirs* (excellents numéros spéciaux).
○ *Revue française de Science politique*.
○ *Revue du Droit public et de la Science politique*.
○ *Projet*.
○ *Revue politique et parlementaire*.

TABLE DES MATIÈRES

7145 - Imprimerie Nouvelle, Orléans - 7/1984.
n° Armand Colin : 8722.
Dépôt légal : septembre 1984.

Imprimé en France